The Gigantic Sudoku Puzzle Book

1500 Puzzles

All puzzles are guaranteed to have only one solution!

Largest Printed Sudoku Puzzle Book Ever!

by Jonathan Bloom

Easy through Challenging to Nail Biting and Torturous

The Gigantic Sudoku Puzzle Book
1500 Puzzles

**For other exciting Sudoku books
Please visit www.sudokids.com
and www.buysudokubooks.com**

9 7 8 0 9 8 1 4 2 6 1 7 4

Published by Jonathan Bloom and buysudokubooks.com. Also available from Sudokids.com

**For customized editions, bulk ordering or corporate
gift pricing, please email sales@buysudokubooks.com.**

Table of Contents

Puzzles

Solutions

Other buysudokubooks.com titles

The Gigantic Sudoku Puzzle Book - 1500 Puzzles Vol 2
The Must Have Sudoku Holiday Book
The Must Have Sudoku Christmas Gift
Scary Sudoku - 300 Freakish Puzzles
Seductive Sudoku
Deadly Sudoku

5 Minute Speed Sudoku   The Must Have 2011 Sudoku Puzzle Book
10 Minute Speed Sudoku   The Must Have 2012 Sudoku Puzzle Book
15 Minute Speed Sudoku   2012 - 2 Puzzle A Day Sudoku
666 Deadly Sudoku Puzzles   Sudoku - Especially for you

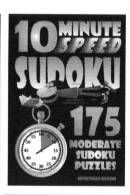

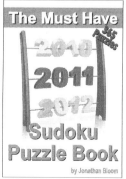
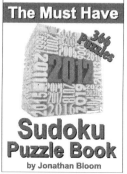
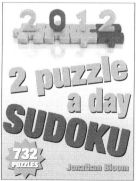

The Gigantic Sudoku Puzzle Book

1500 Puzzles

Sudoku Level

Easy

All puzzles are guaranteed to have only one solution

Easy

No: 1

	1		3	7				
5						9	8	
				6				
6						3		7
4		8			2			
				8		2		
	3							
			9					

No: 2

3				9		5		
					4		7	
2								
	6					1	4	
	4		3					
		2						
8	1				6			
								3
		7						

No: 3

			5			3	7	
8			6					
			8		9		6	
1	3							
				4				
	7			4				
6					8			
				3			2	

No: 4

				7	9		4	
	5							
			6					
			3			5		8
7		9						
						1		
	8		5			3		
6			8				9	

No: 5

			8		6			
		1			8			
		3						
9						3	1	
	4		7					
					5			
6	8				7			
			3	9				
		5						

No: 6

			5			3		1
9			1					
						8		
6	3					5		
				9	4		7	
	8							
7							9	4
		3						

The Gigantic Sudoku Puzzle Book

Easy

No: 7

							1	3
	7		9					
6								
	4					7		
				5	1			
				3				
			7			8	9	
5			8					
3		2						

No: 8

						3		4
7			5					
6								
	3		8	9				
							7	
			4					
			7	5			9	
	4					8		
1			6					

No: 9

		5			3			1
9			4					
					8			
6	3				5			
			9	2		7		
	8							
7						9	2	
		3						

No: 10

9		2		1				
3						4		8
		5						
	7		6				5	
	8		4					
				3			2	
	4			7				
8								

No: 11

			5			3		4
6				4				
						8		
1	3					5		
			9	6		7		
	8							
7						6	9	
			3					

No: 12

1				4	3			
8								
					7			
			8				3	4
	7		5					
	9							
			7		6	5		
4							1	
			9					

No: 13

			6				1	3
9				1				
								4
8	3	6						
				5		7		
	4				9			
7						9	5	
		3						

No: 14

		3		8				
				6			4	
					5			
6	7							8
			9			3		
4								
7							6	
		4		5				
		2		3				

No: 15

	7			5		9		
			3					1
8								
	5			7	9			
							4	3
3		1	6					
					1	7		
4								

No: 16

3	7						1	
			4			6		
8			5					
9				1			8	
		4				5		
			3					
			6			4		
1								9

No: 17

7	6			5				
								3
	5							
		4					9	
			6		5			
3								
			3		4		8	
6	1				7			
		9						

No: 18

9		4					1	
			7	3				
	3					8		7
1			9					
				6				
6						5		
			4				9	
	7		8					

No: 19

9		2		5				
3						4		6
			8					
	7		1				5	
	6		4					
				3			2	
	4					7		
6								

No: 20

				5		1		7
	9	3						
			3		8		5	
	6		9					
1								
7				1				
8							9	
			6			4		

No: 21

8				1				
	4						7	
			3			2		
	8			4	7			
					5			3
3		6	9					
			5				4	
1								

No: 22

6				4	3			
8								
					7			
				6			3	4
	7		5					
	9							
			7		1	5		
4							8	
			9					

No: 23

			9	7		4		
	5							
			6					
			3			5		8
7		9						
						1		
	8		5			3		
6			8				9	

No: 24

				9	8		1	
6				4				
	5							
			1			5		7
		3						
8								
9							8	
					3	6		
	7		5					

The Gigantic Sudoku Puzzle Book

Easy

No: 25

	1		7	3				
5						9	8	
				6				
6						3		7
4		8			2			
					8		2	
	3							
			9					

No: 26

1							7	
		2				3		
5								
	9				1			5
		3				8		
			7					
		3					9	
		8	6					
4								1

No: 27

			8			2	5	
6		3	1					
4								
	5			4			9	
			3					
7				1				3
	9		7					
					1			

No: 28

			5	4		8		
	7	9						
			1		7			
	3		9					
4						5		
		6				9		3
	1					8		
5								

No: 29

8				1				
	4						7	
		3		9				
	8		4	7				
				5			3	
3		6	9					
		5				4		
1								

No: 30

	4	3				5		
			9					6
				7	4		3	
		6				1		
9			8					
	5						8	
1			6					
				3				

No: 31

		4					3	6
				7				
							5	
			8		7			9
	5	3						
1								
9	8		6					
7					8			
			3					

No: 32

9			6	3		8		
5		4					6	
6			9	5				
						7		4
	3	7	1					
							5	
	4							

No: 33

				7	3			
	6					5		
			5	6		9		
4			9					
7								
1						3	7	
	9		6	8				
						4		

No: 34

			5		8	6		
			7				8	
	3							
				9			4	3
7	1							
8						7		
5			1					
		4		3				

No: 35

9			7			5		8
	6	1						
				7				
	3					1		
6			9					
			3	1		4		
5		7	8					

No: 36

			5	8		9		
	3			1				
			7			8		3
4			6					
			3			7		
9			7				6	
8		5						

No: 37

	7	3						
			1				9	
5			8				1	
			7					
	4							
9					6	3		8
1				4				
				3		7		

No: 38

							8	9
5			4					
							3	
	9	3					6	
	5				4			
			2			1		
2		8				4		
			3					
					7			

No: 39

						3		4
2				9				
						1		
	8			6			5	
	3							
		7						
				3	5	8		
4	7					9		
		1						

No: 40

						9	6	4
7	8						3	
1						7	3	
				5		4		
				9				
				3			8	
5	4							
		9						

No: 41

					9	6		
7						8		
				5				
6			7					
			1				5	
							3	
			4			7	9	
	3	5		1				
	8							

No: 42

					1		3	
			9	5				
5								
				8		9		4
7					6			
3				2				
	9		3					
	4				1			
		7						

No: 43

				3	7	9		
5		6					4	
8			6				5	
	3		9					1
	7				3			
1			5					
			8					

No: 44

				7		8		
1		5						
3	2							
	9	6				7		
	7		5					
	3							
8							2	3
			9					
							5	

No: 45

			7	1		9		
8								5
			6	8	7			
3						1		
5		4						
			3					4
	7				6			
			5					

No: 46

				5			3	7
9			8					
			9			5		8
6	3				1			
	7			1				
8						9		
				3		4		

No: 47

			4					3
5		7						
1	9							
3	5		9					
						7	8	
					5	9		
8				7				
		6					4	

No: 48

7		4		1				
						9	3	
			9		5	8		
6			8					
3	7							
	9					5		4
			7					
		3						

Easy

No: 49

No: 50

No: 51

No: 52

No: 53

No: 54

No: 55

	5					9		8
		3	7					
					6			
			8	9				
1		2						
			4					
7	9		6					
			1			3		
8								

No: 56

3		1	6		9			
				5			4	
							7	
			7			6		
9	5							
	4							
						9		4
8			1					
				8				

No: 57

			7		8			
1		5						
3	2							
	9	6			7			
	7		5					
			3					
8							2	3
			6					
							5	

No: 58

3		1	6		9			
				5			4	
							7	
			7			6		
9	5							
	4							
						9		4
8			3					
				8				

No: 59

7				3				
		4			9			
						8		
6			5					7
1			6		9			
						3		
3	4							
			8		6			
	7							

No: 60

				4	6	9		
1								
				5				
		3				4	5	
	7		1					
	4							
6			8				1	
			9					7
9								

No: 61

```
5 8 . | . . . | . . .
. . . | . . . | 7 . .
. . . | 1 . . | . . .
------+-------+------
. 1 . | 3 . . | 4 . .
9 . . | . . 7 | . . .
. . . | . 5 . | . . .
------+-------+------
7 . 9 | . 6 . | . . .
6 . . | . . . | . 3 .
. . . | . . . | 1 . 4
```

No: 62

```
3 . . | 8 . . | . 5 .
. 1 . | 4 . . | . . .
. . . | . . . | . 8 .
------+-------+------
6 5 . | . . . | 9 . .
. . . | 7 . . | 4 . .
. . . | . 8 . | . . .
------+-------+------
. . . | . 5 9 | . . .
8 . 7 | . . . | . . .
. . 3 | . . . | . . .
```

No: 63

```
. . . | . 1 . | . 5 6
2 . . | . . . | . . .
. . . | . . . | . . .
------+-------+------
. . 4 | 3 . . | 6 . .
1 . 8 | . . . | 4 . .
5 . . | . . . | . . .
------+-------+------
. 9 6 | 2 . . | . . .
. . 7 | . . . | . 1 .
. 3 . | . . . | . . .
```

No: 64

```
. . . | . 6 9 | . 7 .
8 . . | 4 . . | . 2 .
5 . . | . . . | . . .
------+-------+------
. 6 . | 5 9 . | . . .
. 7 . | . . . | . 3 .
. . 8 | . . . | . . .
------+-------+------
2 . . | . 8 . | 5 . .
. . . | . . 7 | . . .
. . . | . . . | . . .
```

No: 65

```
. . . | . 6 . | . 9 .
4 . . | . . . | 7 . .
. . . | . 3 . | . . .
------+-------+------
. . 8 | . 7 5 | . . .
. 9 6 | . . . | . . .
. 1 . | . . . | . . .
------+-------+------
5 . . | . 1 . | 8 . .
. . 7 | 9 . . | . . .
. . . | . . . | 3 . .
```

No: 66

```
1 . 5 | . . . | 7 . .
8 . 6 | . . . | . . .
. . . | 4 . . | . . .
------+-------+------
3 . . | . 7 . | . . .
. . . | 4 . . | . 6 .
. . . | . 8 . | . . .
------+-------+------
. 7 . | . . . | 2 4 .
. . . | 5 . 6 | . . .
. 3 . | . . . | . . .
```

The Gigantic Sudoku Puzzle Book

Easy

No: 67

8			5			3		
	7		6					
				8		7	3	
	4				1			
				3		9		
3		5						1
			7					
		9						

No: 68

							3	4
	7		8					
	9					1		
6						8		
			9	3				
			1			7	6	
3		4	5					
9								

No: 69

				1	9		4	
	3	5	6					
	6		3				5	
9					1			
	7							
4				9		7		
8								
							3	

No: 70

							7	2
			4	5				
			9				1	
7		5				6		
			3			5		
1								
	4			8		3		
				7				
	3							

No: 71

							8	3
6					5			
	2			9				
	3	7	8					
				1	2			
9								
8					1	4		
			7					
		3						

No: 72

	5					9	1	
			3		7			
6				4				
8			4					6
		7						
9								
	7	3						
		9				8		
			5					

No: 73

```
8 . 7 | . . . | . 6 .
. . . | 5 . . | . . 1
. . . | 9 . . | . . .
------+-------+------
. . . | . 6 3 | 5 . .
1 . . | . 7 . | . . .
9 . . | . . . | . . 3
------+-------+------
. 3 . | 1 . . | . . .
. . . | . . . | 4 7 .
. . . | . . . | . . .
```

No: 74

```
. 3 . | . . 6 | . . .
. . . | 7 . . | 1 . .
. . . | 6 3 . | 8 . .
------+-------+------
4 . . | . . . | . 7 .
. . . | 5 . 2 | . . .
1 . 5 | . . . | . . .
------+-------+------
. . . | 9 . . | 3 . .
7 . . | . . . | . . 4
. . . | . . . | . . .
```

No: 75

```
. 1 . | . . . | 5 . .
. 9 . | . . 3 | . . .
. . . | 8 . . | . 4 .
------+-------+------
8 . . | 5 . . | . . .
. . . | . . . | . . 3
. . . | . 1 . | . . .
------+-------+------
3 . 7 | 6 . . | . . .
. . . | . 7 . | 1 9 .
. . . | . . 2 | . . .
```

No: 76

```
. . . | . 4 8 | . 2 .
6 7 . | . . . | 1 . .
. . . | . . . | . . .
------+-------+------
8 . 4 | . . . | 5 . .
. . . | 7 3 . | . . .
2 . . | . . . | . . .
------+-------+------
. . 8 | . . . | . . 5
. 1 . | 6 . . | . . .
. . . | . . . | 4 . .
```

No: 77

```
9 . . | 5 . . | . . .
. . . | . . 9 | . . 8
. . . | . . . | 4 . .
------+-------+------
. 8 . | 3 4 . | . . .
. . . | . 6 . | . 3 .
1 . . | . . 9 | . . .
------+-------+------
. . . | 1 . 7 | . . .
. 4 . | . 3 . | . . .
. . . | . . 5 | . . .
```

No: 78

```
. . . | . . . | . 8 3
9 . . | . 5 . | . . .
. . . | 4 . . | . . .
------+-------+------
7 8 . | 3 . . | . . .
5 . . | . . . | 1 9 .
. . . | . 6 . | . . .
------+-------+------
. . . | 9 . 5 | . . .
. 6 . | . 1 . | . . .
. 3 . | . . . | . . .
```

The Gigantic Sudoku Puzzle Book

No: 79

4						7		
	3				5			
			6				9	
	2		8	7				
							5	3
			1					
		6	7			1		
5								
				9				

No: 80

6		3						
			1		4			
		4						
9	5			2				
						8	7	
	2							3
		7		6				
2					5			
		3						

No: 81

	7	5			2			
	9						4	
			3					
			4		6	9		
2			7					
3				8				
4								7
					5	2		

No: 82

				1		4	3	
6		5						
8								
7			9		8	5		
1								6
			7					
		3		4				
								5
							1	

No: 83

				9	6	1		
	9		7					
3	8							
			8		9			
		6				5		
7				3				
8								3
				4	5			

No: 84

							7	2
			4	5				
			9			1		
7		5				6		
			3			5		
1								
	9			8		3		
				7				
	3							

No: 85

	1			8	7			
		7				4		
				2		3		
3	5		2					
							7	
6								
9		4		1				
							8	
4								

No: 86

					9	6	1	
	9		7					
3	8							
			8			9		
		1					5	
7			3					
8								3
		4	5					

No: 87

							5	3
9			7					
				1				
		5		3		8		
1		8						
7		6						
			4		7			
	5		6					
				9				

No: 88

		7			8	4		
				3			6	
1								
		8	1		9			
	6		9					
5	3							
			7	9				
3	5							

No: 89

				3	8			
	4						5	
	9		6					
8		5		7				
		7	9					
3								
		2			4			
		4			6			
			5					

No: 90

						6	3	
	7		8					
3			6	9				
	8				7			
4								
		7	8		5			
6		3				9		
		1						

Easy

No: 91

	6		8		1	5		
			7					
							4	
4		9		3				
			5					6
3							8	
				4		9		
	8							
7								

No: 92

	2					3		
			6		5			
			8					
			9	3		2		
5							7	
8								
		7		6				
							8	3
						4		5

No: 93

		5		9		8		
	7						5	
3	1					9		
			5		7			
			6					
9								3
			7				1	
8				4				

No: 94

	1	7						
			8	3				
6		8		4				
3						9	1	
								5
			5		7			
8						4		
	7			1				

No: 95

2							7	
				3	6			
					9			
1	4		7					
				5		9		
					3			
			5				4	
9		8						
	6	3						

No: 96

1						7		
7		9						
			3					
5				4	7			
								8
				3				
	6				9	5		
	3		8				6	
		8						

No: 97

4	2		5					
							8	7
7		8					6	
			4	3				
6								
	3		1			5		
					7	4		
	9							

No: 98

		1						3
5			6					
			1	9		5		
7		3						
	4							
8						6	1	
	9				7			
			3				5	

No: 99

4	8					9		
1				2	6			
				7				
			5		1	4		
	7	3						
9			8					
							3	6
							7	

No: 100

	6		1	2				4
9					7			
		3						
	2			5				8
7					9			
							3	
		4				2		
4								
							9	

No: 101

							3	7
	9			8				
					2			
	1		6			9		
			3					
						8		
			4	1	8			
6		3			5			
7								

No: 102

				8	3			
	5				4			
							8	4
			6					5
7			1					
3	6					9		
8		4						
		5			1			

No: 103

							3	9
2	1							
			7					
				5	6			8
		3						
					7			
	6					1	5	
7			3	9				
			4					

No: 104

							9	6
			4				3	
8								
1		2				5		
			3			4		
			9					
6				5		7		
				2			8	
	3							

No: 105

7			9		6	8		
				3				5
					1		7	
		2		5				
	5					1		
1			7				4	
3								2

No: 106

							6	3
	8			5				
						7	8	
6			9					
				8		5		
	7					1	5	
9			6		3			
			4					

No: 107

9							3	
	8		1					
				4				
3	5							
			7			4		
	9							
				9	5		4	
6				3				
		1				7		

No: 108

							7	9
				3				
							4	
3		1				2		
5			4			3		
			7					
	7		9				6	
8				1		5		

Easy

No: 109

	1			8	7			
		7			4			
				2		3		
6	5		2					
							7	
3								
9			4		1			
								8
4								

No: 110

							8	2
		3	5					
5	9						7	
	8				2			
			4			6		
4						5		1
			8	9				
						3		

No: 111

							8	3
		9		7				
4				1				
7			6			9		
1							5	
			8					
			5		7			
	3	6						
	8							

No: 112

							3	8
			4				1	
9								
6		2				5		
			3			4		
			1					
8				5		7		
				6			9	
	3							

No: 113

5						7		
				9			1	
							6	
8	3						9	
4			5					
								3
		1			4			
	9			2				
			8			5		

No: 114

							3	8
			2				4	
9								
1		9				5		
			3			2		
			4					
8				5		7		
				1			6	
	3							

No: 115

```
. . 7 | . . . | 9 4 .
. . . | . . 3 | . . 6
1 . . | . . . | . . .
------+-------+------
. . . | 9 1 . | 8 . .
. 6 . | 8 . . | . . .
3 5 . | . . . | . . .
------+-------+------
. . . | 7 8 . | . . .
5 3 . | . . . | . . .
. . . | . . . | . . .
```

No: 116

```
. . . | . . . | . 7 3
9 5 . | . . . | . . .
6 . . | . . . | . . .
------+-------+------
7 . 3 | 8 . . | . . .
. . . | . 6 5 | 1 . .
. . . | . . . | . . .
------+-------+------
. 6 4 | . . . | 9 . .
. . . | 7 5 . | . . .
. . . | 1 . . | . . .
```

No: 117

```
. . . | 9 . . | . . 8
. 4 . | 5 . . | . . .
. . . | . . 7 | . . .
------+-------+------
7 . . | 8 . . | 6 . .
. . . | . . . | . 1 9
. . . | . . . | . . .
------+-------+------
. . . | 7 . 6 | 3 . .
8 . . | 1 . . | . . .
. 9 . | . . . | 4 . .
```

No: 118

```
. . . | . . . | . 7 3
4 . . | 1 . . | . . .
9 . . | . 8 . | . . .
------+-------+------
. 7 5 | . . . | 6 . .
. . 4 | . . 8 | . . .
. 3 . | . . . | . . .
------+-------+------
6 . . | . . . | 1 . .
. . . | 4 3 . | . . .
. . . | 5 . . | . . .
```

No: 119

```
4 9 . | 8 . . | . . .
. . . | 6 . . | . . 3
. . . | . . . | . . .
------+-------+------
. . . | 3 4 . | 1 . .
. 5 . | . . 6 | . . .
. . . | 7 . . | . . .
------+-------+------
. . . | 5 . . | 1 9 .
3 . . | 2 . . | . . .
7 . . | . . . | . . .
```

No: 120

```
. . . | . . . | . 7 5
. 3 . | . 9 . | . . .
8 . . | . . . | . . .
------+-------+------
3 . . | . . . | 9 . .
. . . | 7 . . | . 4 .
. . . | 4 . 5 | . . .
------+-------+------
. . . | . 8 . | 3 6 .
. 9 . | . . . | 1 . .
. . . | 5 . . | . . .
```

No: 121

2							3	
			4	5				
			7					
3			9				1	
					4			
	5		8			7		
	7	4				9		
		6	2					

No: 122

							7	4
				1			9	
			5					
	1	9					8	
			6			5		
					3			
6	5						3	
7				9				
						6		

No: 123

4	8			1		5		
				3	2			
8			4				7	
				6				3
9								
	1	2						
			6			9		
	3							

No: 124

							7	4
	5						8	
6								
3				8		6		9
				6	7			
						1		
	7	4						
				1		5		
				3				

No: 125

							5	3
	4		9					
6								
			7			4	9	
1			6					
3								
8				1	5			
	2					7		
			3					

No: 126

4	2					8		
				7	3			
			6					
1			5	8				
5							2	
								7
	7						4	
			9			5		
		3						

No: 127

							9	3
	7		1					
9				3	5			
	1					7		
6								
			7	1		8		
3		5					6	
			4					

No: 128

4	8							
			3			5		
			7					
				4			9	8
		3						
							6	
			6			1		7
	5					3		
9				8				

No: 129

2							1	
			7		5			
			4					
	7	3						
			9			4		
				2		8		
			5		3		6	
5			8					
					7			

No: 130

							9	3
2			5					
5			7			2		
				3			6	
7								
	6	1		9				
	3			8				
			4			5		

No: 131

8			3			6		
	7							
9		3	6				1	
							5	7
			4					
	8		7	1				
4					9			
			5					

No: 132

							8	3
7			4					
9								
	3			8	1			
5						7		
			6			9		
	8	1					6	
			7			5		

No: 133

2						7		
			8	3				
				4				
7	1		6					
			5		4			
				3				
		7				6		
9		8						
	5	4						

No: 134

						8	6	
		5	4					
9								
				6	7			
						9	3	
						5		
			9	8		3		
	6		3					
1	7							

No: 135

5					2			
9				1				
			3					
						5	8	
4			9					
						1		
	3		8			7		
		6				9		
	1		5					

No: 136

8			3			6		
5		4						
	3		6				1	
7				3				5
			1					
	1					9		
				8	4			
				5				

No: 137

8	6						4	
			9	3				
7		9	8					
			7			1		
								6
	5		6					
				5		3		
1						9		

No: 138

							6	3
7			5					
				3	6			
		7			9			
4						5		
		6				1	9	
				4		7		
		5	8					

The Gigantic Sudoku Puzzle Book

No: 139

			1				3	
7	9							
4								
				6		7		8
		3	4					
	5							
			9	8	3			
1					7			
		4						

No: 140

							5	3
7			1					
9								
	5	4					6	
		9				5		
	3							
		8	3	9				
1				7				
			4					

No: 141

3				1	6	5		
						8		7
	7		8				2	
1				4				
	5							
4							9	
			7		8			
			2					

No: 142

	5	9	1					
							3	
	1							
			9	3		4		
						5		
2								
3				8			6	2
			5			1		
7								

No: 143

	1					4	2	
			8	7				
		3						
			5			8		1
			1			9		
7								
6				2			7	
	5							
8								

No: 144

							9	8
4			7					
			3					
3		6				7		
				8			1	
5				2				
	8	9						
						5		7
	2							

Easy

No: 145

						9	6	
		4				3		
8								
1		2			5			
			3			4		
			9					
6				5		7		
				1			8	
	3							

No: 146

			7		1		5	
		3	9					
			8	3			6	
7	1							
	4							
				4		3		
5				2				
						7		4

No: 147

1				3				
	8						9	
					4			
	1		8		9			
						7	3	
					5			
		7	9					
			5					1
3					6			

No: 148

8				1	3			
	5					7		
7						6	8	
1		3		5				
						2		
	2	9	4					
							3	
			2					

No: 149

					9	4		8
	9			2				
						7		
3	1						2	
			7					
	2							
8			6	3		5		
6								
			1					

No: 150

8			3					
						1	7	
				9				
			7			5	2	
3	9			8				
6								
			6					3
		1		5				
	7							

No: 151
```
. . . | 5 . . | 4 7 .
2 . . | . . . | . 1 .
. . . | . . . | 1 . .
------+-------+------
. 9 1 | . . . | . . 3
. . 6 | . . 7 | . . .
. 3 . | . . . | . . .
------+-------+------
7 . . | . . . | 9 6 .
. . . | 3 8 . | . . .
. . . | . 2 . | . . .
```

No: 152
```
3 . . | 4 6 . | . 9 .
. . . | . . 8 | . . .
. . . | . . . | . 2 .
------+-------+------
. . 5 | . . . | . 8 7
. . . | 3 2 . | . . .
. 9 . | . . . | . . .
------+-------+------
2 7 . | . . . | . . .
1 . . | 8 . . | . . .
. . . | 5 . . | . . .
```

No: 153
```
8 . . | 3 . . | 6 9 .
. 7 . | . . 4 | . . .
. . . | . . . | . . .
------+-------+------
. 1 . | . . . | 5 . 7
6 . . | 2 9 . | . . .
. . . | . . . | . . 4
------+-------+------
. . . | 1 7 . | . . .
9 . . | . . . | 3 . .
. . . | . . . | . . .
```

No: 154
```
4 . . | 5 3 . | . . .
. . . | . . . | . 1 8
. . . | . . . | . . .
------+-------+------
. . . | 7 . 1 | 9 . .
. . 8 | 9 . . | . . .
. 6 3 | . . . | . . .
------+-------+------
. . . | . . . | 8 3 2
7 5 . | . . . | . . .
. . . | . . . | . . .
```

No: 155
```
8 . . | 1 . . | 6 . 5
. . 3 | . . . | . . .
. . . | . . . | . . .
------+-------+------
1 5 . | . . . | 8 . .
. . . | 3 . 4 | 9 . .
. . . | 7 . . | . . .
------+-------+------
. . . | 4 . . | . 7 .
. 2 . | . . . | 3 . .
5 . . | . . . | . . .
```

No: 156
```
3 . . | . 4 . | 2 . .
8 . . | . 6 . | . . .
. . . | 7 . 5 | . . .
------+-------+------
. 5 . | . . . | 6 . .
. 9 . | 8 . . | . . .
. . . | 3 . . | . . .
------+-------+------
. . . | 9 . 7 | . . .
. . . | . . 4 | . . 6
. . . | 5 . . | . . .
```

Easy

No: 157

	8			9				1
			6			5		
			4					
				7			9	8
5							7	
4								
			5		3	6		
9						1		

No: 158

8			3			6		1
				5			4	
9								
			7					8
		5				3		
		4						
		2					5	
7			8					
			1					

No: 159

6		1	3					
			8			5		
7							4	
	5		9			7		
			6					
								1
	7		4					
			5			3		
								6

No: 160

9		5			3			
						8	7	
3								
			7	4			1	
						5		
			8					
			9	5	3			
	7		6					4

No: 161

8			3					
1							9	
						7	5	
4	9					5		
			6	7				
			2					
		6	5					
			1			3		
	7							

No: 162

			7					9
8			6					
	1					3		
6						4		
			9				6	
						8		
	5			3				1
3				8				
							7	

The Gigantic Sudoku Puzzle Book

No: 163

8		3						
			1				9	
			7					
	9			8				5
	1			3	4			
						7		
3				5				
			6				7	
						1		

No: 164

9			6			5	4	
				8				
4			3					1
				6		7		8
			9		3		5	
	8	7						
	1							

No: 165

4					2	7		
						8		
				9				
			3	8		6		
	5		1					
	3							
					5			3
6							9	
8			6					

No: 166

9			4				6	
	8							1
		5	4			7		
	1							2
		3						
			1			5		
2			5					
3					4			

No: 167

5				4	9			
1	8							
		4	1		6			
			8					3
9				7				
	3		7					
						5	4	
					9			

No: 168

8				6		5		9
	3							
						4		
			3		1		6	
4	5							
			2					
9				5				
			1				3	
			7					

No: 169

8				4	5			
							9	6
				8	5	1		
9	6			7				
	3							
		2	6					
5						8		
			3					

No: 170

	4	3						
			9			5		
			2			7		
7						9		
					4		6	
9			1				3	
				7				8
	8						4	

No: 171

			1	2		6		
	7					8		
9								
4		1		3				
						2	6	
							7	
5								3
			6		9			
			7					

No: 172

4	2					6		
				9			8	
3					5			
			2			3		
		9			8			
			7					
1			6	3				
7								
							5	

No: 173

7						9		
			8			5		
			4		1			
1						3	9	
			5					
						7		
	5	8			6			
			3		1			
	6							

No: 174

			9			7		1
	4	6						
			4	9		3		
		5				1		
	8			6				
4						9		
3			6					
			5					

No: 175

3			9				5	
				1		8		
9		5						
	8					7		
	7	4						
			3					
	6				7			
5				6				
							9	

No: 176

8							7	
					5	1		
				9				
		9				3		5
			7					
						9		
7	3		8					
	5		4					
				6			4	

No: 177

6			9					
		7				2		
			1		7			4
	3					5		
	2							
5						3	7	
			4	3				
9					8			

No: 178

9	3						6	
		4	7					
5		4	8					
							1	3
						7		
		7	3			5		
6				9				
						4		

No: 179

7						3	9	
1			5					
			4					
	4		9			2		
	2					1		
			3					
8					1			6
				2				
						9		

No: 180

8				6	7			1
			5				3	
2								
	5					4		
			9		7			
	3							
6		7				9		
			4					
			3					

No: 181

```
9 3 . | . 6 . | . . .
. . . | 5 . . | . 8 .
. . . | . . . | . . .
------+-------+------
7 . . | . . . | 3 . 2
. . 8 | 4 . . | . . .
. . . | . . . | 6 . .
------+-------+------
. 6 . | . . . | 9 1 .
. . . | 8 . 3 | . . .
. . . | . 2 . | . . .
```

No: 182

```
7 . . | 4 . . | . . 9
6 . 8 | . . . | . 7 .
. . . | . . . | . 3 .
------+-------+------
. . . | 3 . 9 | . . .
. . . | . . . | 8 . .
. . . | 5 . . | . . .
------+-------+------
1 . . | . 8 . | 4 . .
. . . | . 6 . | 5 . .
. 3 . | . . . | . . .
```

No: 183

```
1 . . | 8 . . | . . .
6 . . | . 5 . | . . .
. . . | . . . | . 9 1
------+-------+------
. . . | 9 . . | . 3 2
7 . . | . . 5 | . . .
. 6 . | 4 . . | . . .
------+-------+------
. . . | 7 . 6 | . . .
. . 3 | . . . | . . .
. 9 . | . . . | . . .
```

No: 184

```
. . . | 4 . . | . 9 1
. . 3 | . . . | . . .
. . . | . . . | . . 5
------+-------+------
5 9 . | 8 . . | . . .
. . . | . . . | 7 . .
. . . | 6 . . | . . .
------+-------+------
. 1 . | . . . | 8 6 .
7 . . | . 5 3 | . . .
. . . | . . . | 3 . .
```

No: 185

```
3 . . | . . . | 5 . .
7 . . | . . . | 1 . .
. . . | . . 3 | . . .
------+-------+------
. 4 . | 1 8 . | . . .
. . . | 5 . . | . . 7
. 9 . | . . . | 3 . .
------+-------+------
6 . . | 7 1 . | . . .
. . . | . . . | 9 . .
. . . | . 4 . | . . .
```

No: 186

```
8 . . | 3 . . | . . .
1 . . | . . . | 9 . .
. . . | . . . | 5 7 .
------+-------+------
4 9 . | . . . | 5 . .
. . . | 6 7 . | . . .
. . . | 2 . . | . . .
------+-------+------
. 6 . | 5 . . | . . .
. . . | 1 . . | 3 . .
7 . . | . . . | . . .
```

The Gigantic Sudoku Puzzle Book

No: 187

3				1	7	6		
							8	
2								
6						9		
			5		8			
			4				2	
	4			5				
	8					7		
			2					

No: 188

7							3	
		9			4			
3				6				
			7		9			1
6	8							
			8					
	1			5		8		
			3			7		

No: 189

							8	3
	7			6				
1				9				
6	9					5		
			3		8		4	
7								
		3	4					
5						6		

No: 190

	3			4				
				9				1
							6	
8		2	1					
						3	9	
6			7		9			
5						4		8
			3					

No: 191

8						3	4	
		7	2			5		
				3	6	7		
1	9		4					
								2
			7					9
3	4							

No: 192

3						8		
						4		9
			5					
				1			3	7
	6						1	
		5						
	9		4			6		
1				8				
							7	

No: 193

							8	3
4				1				
5								
	9			4		1		
			9					
		8						
		6	8		3			
	5					4	1	
						7		

No: 194

8							3	
		7			9			
				5				
			8				7	6
		5					8	
	9			3				
1	4		3					
							9	
			6					

No: 195

			4			3		
	5	7						
		1						
			5	3		1		
9	7							
			8		5			9
4				9	6			
			7					

No: 196

							5	6
	9		7					
	3							
				9			3	2
		4				7		
6			5					
1			8					
		3				4		
5								

No: 197

			3		6			
		7				2		
	8							
9			4		7			
			2			8		
1				3				
3	1			5		9		
			7					

No: 198

	4				9			
5			6					
			1					8
3			7					
						8	7	
9								
1				5				
			4			6		
	7		8					

No: 199

	4				3			
5			8					
			6					9
3			7					
							9	7
1								
6					5			
			4			8		
	7			9				

No: 200

8			5					
							9	6
		2					3	
				9		4		
				1		8		
	3							
1			8			7		
				3	6			
				5				

No: 201

			1				3	
			5			6		
	7	9						
8			3		1			
						2		7
3			9			8		
			4	7	9			

No: 202

9		2		1				
	8					7		
			3					
	7		6		5			
							3	1
							2	
5			8			4		
			7					
3								

No: 203

	3		9					
		6			4			
		1						
7		8			1			
9				4				
						5		
8			5			9		
1		6						
				3				

No: 204

			6				1	3
9		7						
4								
						7	9	
	4					8		
		3						
				5	7			
	6							5
8				9				

No: 205

9	6				3			
			8					4
				6		1	7	
	8	4			1			
	5							
			5				8	
7				9				
3								

No: 206

	9		3		1			
		6				2		
5							3	1
		4		9	6			
			7					
8						4		
	1		9					
3								

No: 207

		8					5	
7			9					
					1			
9	5				7			
		8			6			
			3					
	1					3	4	
				5		8		
		6						

No: 208

8							3	1
		5	7					
							6	
5	4				9			
9			6		7			
			3					
3				1				
				4				
	2							

No: 209

6	3							
		9	7					
		5						
8		9		4				
				5	2			
						7		
5				9	4			
	7	1						
			3					

No: 210

	1		9		6	8		
		7			5	9		
	4		3					
			9					
3								
5					3	1		
	8					4		
7								

The Gigantic Sudoku Puzzle Book

No: 211

							4	3
	7		9					
			7	5		9		
3						4		
6								
	8					5	1	
1				3				
			6	4				

No: 212

7		4						
						5		6
	5		8		6			
						3	2	
			5				4	
8	6	9						
			1	3				
5								

No: 213

		8					5	
6			9					
						1		
9	5					7		
			8			9		
			3					
	1						3	4
				5			8	
			7					

No: 214

5	4					8		
				9			4	
					1			
6		9		3				
	1						8	
					7			
7								3
			4		9			
			8					

No: 215

							5	3
9				7				
	3		8					
			5			6		
7					6			
4								
			1			4		
	6					7		
	5	2						

No: 216

	9	4		7				
	8		6			1		
				9	3			
5					7			
6								
	3							8
				4			9	
1			7					

Easy

No: 217

8	1					9		
3				5				
			7	6				
	9	7	1					
							5	3
		4		9	7			
5						6		

No: 218

			1	7			5	
	3					4		
						9		
5		9	8	6				
					4			3
1								
6			5				1	
								2

No: 219

	3							9
4						1		
				8				
5			9	6				
					8	7		
			3					
			5		4	7		
	9	6						
			3					

No: 220

			9				5	
7								
								3
	4	7				6		
				3			9	
8								
	5		3		4			
						8	6	
			1			7		

No: 221

				9		6		
	5		3					
	3						9	
8		2			6			
				4				3
						7		
6					1	8		
		7						
9								

No: 222

5	9			8			6	
			1					
4								
	3	1	7					
						8	5	
		7						
				5		4		
					3			1
2								

No: 223

			9		8	3		
9			4					
	3				6			
				3		1		
4								8
7			8				4	9
							5	
	1							

No: 224

	9						2	
				3				
			1					
				4			9	
7			6					
		1				3		
2	3			8				
						7		1
			5			6		

No: 225

8	6			4			5	
7								
	1							
			2			3		1
			7			2		
	4							
				6			4	9
2		3						

No: 226

	4			7				
	5					6		
				3				
		6	5			4		
3						8		
7								
			8			9		3
		7	5					
1								

No: 227

8	1						9	
				5	3			
				6		3		1
9			8					
					7			
			1				4	
6		5						
7	3							

No: 228

				3		5		
	7						6	
5	3	8				6		
			9				7	
1								
			7				9	
8						3		
			6		4			

No: 229

```
4 . 2 | . . . | . 1 .
. . . | 3 . . | . . .
8 . . | . . . | . . .
------+-------+------
. . . | . . 5 | 3 . 6
7 1 . | . . . | . . .
. . . | . . 7 | . . .
------+-------+------
. 3 6 | . . . | . 9 .
. . . | 8 2 . | . . .
. . . | 7 . . | . . .
```

No: 230

```
. 6 7 | . . . | . . .
. . . | 4 . . | 5 . .
. . . | 8 . . | 9 . .
------+-------+------
. . . | 3 . . | . 7 1
5 . . | . . . | . . .
. . . | . . . | . 6 .
------+-------+------
. 9 . | . . . | 8 3 .
8 . . | . 5 . | . . .
. . . | 6 . . | . . .
```

No: 231

```
. . 3 | . . 8 | . . .
. . . | 5 2 . | . . .
. . . | 9 . . | . . .
------+-------+------
. . 1 | . . 3 | 6 . .
. 7 . | . . . | . . .
9 . . | . . . | . . .
------+-------+------
. . 3 | . . 2 | 1 . .
5 9 . | . . . | . . .
4 . . | 7 . . | . . .
```

No: 232

```
. . 5 | . 1 . | . . .
. . . | . . . | 7 . .
. . . | . . . | 2 . .
------+-------+------
. . 6 | . . 5 | 3 . .
. . 7 | . . 9 | . . .
2 . . | . . . | . . .
------+-------+------
7 4 . | . . . | . . 5
. . . | 6 . 8 | . . .
. 9 . | 1 . . | . . .
```

No: 233

```
8 . . | 3 . . | 7 . .
. 1 . | . . . | . . .
. . . | . 5 . | . . .
------+-------+------
3 . . | 7 . . | 6 . .
9 . 7 | . . . | . . .
. . . | . . . | 5 . .
------+-------+------
. . . | . . 9 | . 3 .
. 4 . | . 1 . | . . .
. 5 . | . 6 . | . . .
```

No: 234

```
7 . . | 3 . . | . 6 .
8 9 . | . . . | . . .
1 . . | . . . | . . .
------+-------+------
. . . | 7 8 1 | . . .
. . 3 | . . . | 4 . .
. . . | . . . | . . .
------+-------+------
5 1 . | . . . | 8 . 9
. . . | . . . | 7 . .
. . . | 4 . . | . . .
```

No: 235

3	6					5	1	
		7		9				
							2	
			8		1			
					6			
			2					
1	8		3					
				4				9
2								

No: 236

	3			4				
						6	8	
				5				
8		5	7	9				
			1			3		
								4
6			3					7
						5		
9								

No: 237

7			6	4				
						2	3	
6			8					7
3	1			5				
	5	2				3		
			9	6				
			7					

No: 238

	9							6
		1	7					
			5					
7				8				
				9				4
						5		
			4			3	7	
3		9				8		
	6							

No: 239

4		2		6		1		
						3		
			7					
	9		5					
			8			6		
				9				
8					3			
	5							7
			2				9	

No: 240

9		3						
			5			7		
	7			1			4	
6				9			8	
			3					
			6			9		1
	5		8					
						3		

No: 241

		6		2	5			
1								8
6			3	9				
						5	4	
							8	
			1					6
7						2		
	5		4					

No: 242

8		3						
			1					7
	7						4	9
6			8	5				
			3					
			6			8		
	1				9			
						5	3	

No: 243

			5	8		2		
1			7					
								3
	7	2						
	8		2					
					1			
4					7	5		
6			9					
			3					

No: 244

6								3
			5	8				
			9					
	8	7			1			
	5						7	
			4					
						5	4	
4						9		
2			7					

No: 245

	7				8			
			1			9		
							3	
		4			5			
			3	9				
			8					
3				5				7
8						1		
			4		6			

No: 246

	6	3	8				7	
				9		5		
9	4			5				
								3
5								
			7			9	1	
			3			4		
				6				

Blanks

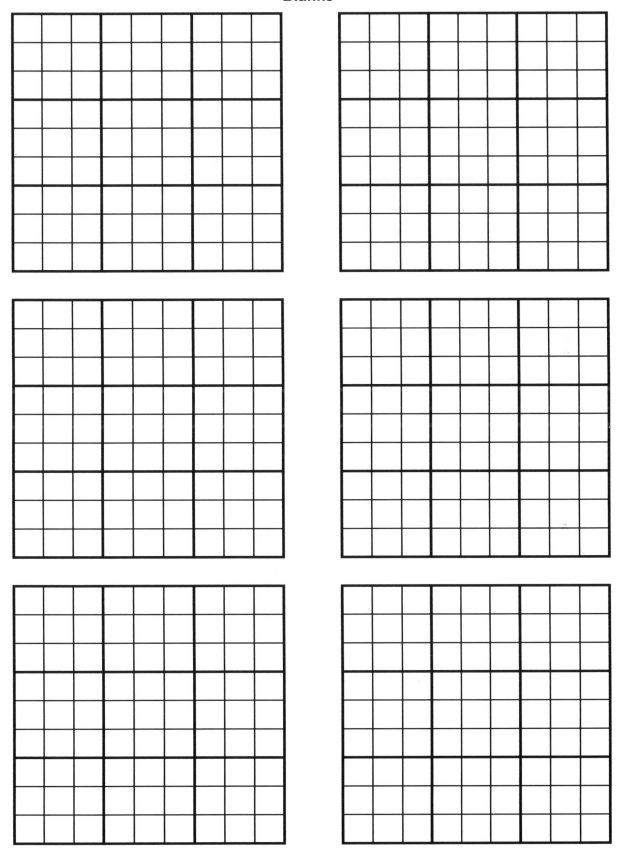

The Gigantic Sudoku Puzzle Book
1500 Puzzles

Sudoku Level

Average

All puzzles are guaranteed to have only one solution

Average

No: 247

No: 248

No: 249

No: 250

No: 251

No: 252

No: 253

	1	3		5				
			9				4	6
9			8		4			
	7					5	3	
4					6			8
			3			7		

No: 254

3					8	9		
		7					1	
					6	9		3
		4				5		
	1							
			4	1			8	
9	5							
		7						

No: 255

							7	1
5							9	
3								
		6		8	3			
		3			8			
	9							
	1		7			5		
	4			6				
		9						

No: 256

9				1	5			
								3
							7	
	3	7	6					
				4		5		
						8		
5	2					1		
					8	6		
		7						

No: 257

						1		3
				9	7			
				4				
	5	3	6					
					8	7		
	1							
8			1	3				
9						4		
			5					

No: 258

3	8		5					
	2						1	
					7			
			1				8	5
4				7				
				9				
9		7				6		
			8	1				

The Gigantic Sudoku Puzzle Book

No: 259

7		6						
			8			4		
1								
	5						3	7
				9	6			
						1		
	4	9				6		
			1			8		
			3					

No: 260

1							5	
				6	9			
			3		4			
7	4		5					
								3
				6				
5		6	7					
			8				4	
9								

No: 261

							7	3
	8			5				
			4					
3		7					1	
1			5					
			8	9				
6					7			
	5					9		
						8		

No: 262

							8	3
			5		1			
				4				
	7	3		6				
						1	9	
	8							
9			3	8				
5						4		
			7					

No: 263

8						7		
7			4					
			1			6		
				7		9		8
		5				3		
	1							
			8	3				
	4					1		
								5

No: 264

						8		2
3				1				
			7			6		
	6	7				8		
				3				
			5					
9						3		1
	4		6					
						5		

Average

No: 265

			8	9		5		
	3	7						
	4	2	3		7			
9							8	
			6					
4				5				
						2		3
						7		

No: 266

				6		7		
	5						8	
	9				3			
4		6		7				
			9				5	
								3
8			1			6		
		8		5				

No: 267

9						5		8
				7	3			
	7					2	3	
		8	6					
					8			
	1		4					6
8			5					
						7		

No: 268

8							1	2
	3			5				
			1		7		2	
3			9					
5	4							
				8		3		
		7	6					
						5		

No: 269

1			4			2		
				9				7
	3							
4			7	5				
					1	6		
		9				3		
				6	3			
8		9						

No: 270

			8		9	7		
	6			2				
	3							
		3			1			6
4			5					
				2				
8							4	2
		6						
7								

No: 271

9		6				8		
				1	5			
				2				
			9			2		
	7	5						
	1				4			
8			3					
							4	1
							5	

No: 272

			9		6			8
3								
			5					
1				3	4			
						5		9
	5					7	1	
			8	2				
		4				3		

No: 273

			8				5	
	6		1					
	7					9		
2		3					1	
				7				6
				9				
				4		7		
1			2					
5								

No: 274

6						5		
				9	1			
				3				
	3	9						
			4			8		
		6						5
	1		7			6		
8			5					
							3	

No: 275

			8	3	2		6	
		4					7	9
	7					2		1
		9	7					
2	1					5		
3								
			9					

No: 276

9	5					8		
			2		3			
7								
	8			9		5		
		3	1					
		1					3	2
			5				6	1

No: 277

			1		8	3		
9						4		
2								
			7				9	8
4								
						2		
		6	3			5		
	8			9				
	7							

No: 278

6			8	7				
			4			9		
3								
			6		8		3	
	5					7		
			3					
	7	5						
			1				6	
		9						

No: 279

			4					3
8			2					
							9	
7		1		6		5		
		3				2		
6				9				
					7	1		
	3							
5								

No: 280

3				7	8			
		7		1				
							5	
	5		6				9	
4			3					
			9					
8					7			
	6		5					
					3			

No: 281

	7						6	
			5		9			
1			4					
	2		6		7			
					5		3	
5		9		8				
		9				7		
3								

No: 282

	8	7					9	
			6	5				
						4		
6						5		
			3					7
		1			9			
5			9					
					7		1	
	3							

The Gigantic Sudoku Puzzle Book

No: 283

	6		7				9	4
1				8				
							5	
	9				1			
	4		5					
					3			
8			4					
3					1			
			7					

No: 284

	1	9					6	
			3					5
8	5		2					
						1	9	
						4		
				7	1			
2						8		
7				4				

No: 285

	4		6					
				2		9		
3								
							1	7
	2			5				
							3	
1			3		8			
		9				2		
			4			8		

No: 286

7								8
			6				7	
				3				
		7	8					6
	3					9		
	5							
				9		3	4	
8			1					
					5			

No: 287

	4		1		7			
						2		3
6			3		9			
	1						7	
		7						
3		9		8				
		5				1		
2								

No: 288

			4				7	3
8	5							
		3					4	2
7				5				
				6	9			
	6				5			
		7		8				
	3							

Average

No: 289

	2		1		3			
7					5			
			6					
		1	4					
	9				7			
			9		8			
8				7				
		6					1	
							3	

No: 290

7								5
			3			9		
						7		
		4			6			1
					5	7		
		3						
			9				8	3
1			5					
							4	

No: 291

	4					9		
	9			7				
					3			
			4			6	9	
1					5			
		7						
		8					3	7
5			9	1				

No: 292

9	5	3						8
				7		6		4
			3		2		1	
			5					
6								
			1			2		
4			6					
						3		

No: 293

9	4			5				
						6		7
			6		8	1		
3	5							
			7					
1	7							
				2			3	
8		6						

No: 294

		2		5				
								3
							8	
3	9				6			
			2		5			
4								
	8		9		3			
	6					1	7	
		4						

The Gigantic Sudoku Puzzle Book

No: 295

	3					6		
			4				1	
			7					
				5		3		
9						2		
4		8						
7							4	
				3			8	
			1	2				

No: 296

8								3
			1				5	
7	9							
3				8		9		
		4	5					
			7			8		
		5	6					
	1						4	

No: 297

			1		9		5	
8	3							
	4		5					
7						3		2
			9					6
6				3				
9							1	
					4			

No: 298

			2					4
	7		6					
	5					1		
	8			9		1		
6			4					
							7	
2		3						
				1		7		
4								

No: 299

	5		6					
								3
						4		
9			7			6		
3	6							
				2	1			
		2				5	8	
			3	4				
			9					

No: 300

	5	8	4					
			5			6	3	
							7	
	1					9		8
			3					
			9	8	1			
6			2					
3								

Average

No: 301

			4	5				
8	3							
6								
7			6			1		
			9		7			
								3
	9	5		3				
						8	7	
							4	

No: 302

	3			7		1	8	
				6	9			
	5							
	1		3				4	
7								6
9		2						
			8			3		
6								

No: 303

	3	8					6	
		9			5			
	7		6			8	3	
1		5						
				9				
5		7						
9						4		
		3						

No: 304

	7		3			6		
			5		1			
	9						8	
				7			9	2
3				4				
5								
1						5		
			9	6				

No: 305

9			5			1		
	8			4				
			6			8		
	2	3						
	4			8				
5			1					
7				9				
							4	2

No: 306

		1		2		9		
	3					7		
						7		
4						1	5	
				3	8			
				7				
2				5			6	
				9			3	
								8

The Gigantic Sudoku Puzzle Book

No: 307

			4	3				
9		7						
8								
			1			7	4	
2			9					
						5		
6	4						3	
			7					2
				5				

No: 308

		1		6	7			
	9							3
						5		
6			4				1	
5		8						
		9						
3						8		
	2						6	
		3						

No: 309

3	4				7			
				7		1		9
7		9	1					
	5					3		
				6				
			4		5	8		
1								
			3					

No: 310

3	5			7				
			1			8		
	6					5		2
			8		3			
		4						
			5			7		
8		1						
9			4					

No: 311

		4	6			5		
	8				6			
	7							
9			2					1
			3					
				7				
6						3		
5			8					
			7					8

No: 312

			3			6		
5								4
7								
9			8					5
	6					2		
	3							
			5		7	8		
	1					3		
			4					

No: 313

		6	9	7			1	
	3							
			4					
4					5			
			8					
				3				
				6	7	9		
2		5						
8								3

No: 314

				8	7			
1							6	
4			9	3				
			6			5		
						8		2
	2				5			
			1				3	
	8	7						

No: 315

					1	3		
8				5				
								9
	1		2					4
	5						7	
		3						
7			9			8		
			3			6		
					5			

No: 316

						5		3
	6			7				
		2	9					
			2				7	
5	4							
3								
					4	3		
		9	1					
8	5							

No: 317

							9	5
	3			8				
			4		9		5	
	2	8						
1								
			2		3		8	
4			7		6			
9								

No: 318

	7					3		8
9			4					
			5					
				3		7		
2							9	
4								
	6		9				4	
		8				1		
	3							

No: 319

							8	3
	2			5				
	1		9			6	7	
			8		3			
			4					
				1		5		
8		9						
7						9		

No: 320

		1	6			5		
						3		
	2							
6						1	7	
				8	2			
		4						
4			7				9	
	3							8
							2	

No: 321

							2	3
1			4					
7								
			8	3			5	
	1			9				
6						2		
			1			7		
		5			6			
	3							

No: 322

			6	1			2	
4				3				
					7			
	7					6		
			4				5	
	3							
						3		7
2			9					
8						1		

No: 323

		4						3
	3		1					
				5				
6				9		7		
2	8							
							4	
5						6	7	
		1	3					
			8					

No: 324

				1			9	
	6		9					
	8		5					
9				4		6		
				7				8
						3		
4							5	
			3		8			
			6					

No: 325

				8			2	
	4	3						
							7	
8			9				6	
			6	7				
	5				1			
				4	3		5	
7								
					4			

No: 326

	3	4	7					
		7				2		
						9		8
1					3		6	
9	8							
			4					
5				9				
				8				
							3	

No: 327

				6			3	
				1	4			
7								
	5	8	2		4			
		7						
	1							
6						9		1
9			3					
				5				

No: 328

	3	8		4				
							5	2
			6		3			
5			2					
		4			3			
6			7					
2	9							
				1		8		

No: 329

		1				6	4	
			3					
						7		
			1			5	8	
4	9							
6								
7				6				
				5		3		
	3					9		

No: 330

				4	2			3
3	5						8	
5			8				9	
7								
						4		
		2				7		
	6		9					
	4		5					

The Gigantic Sudoku Puzzle Book

No: 331

	2		5					
						7		1
	6							
1		3				8		
			6	2			4	
			9					
5							6	
7					1			
				3				

No: 332

	2	3						
			5			7		
			9					
			8	6				3
5	1					9		
7								
6							5	
			4			6		
			3					

No: 333

3		2			8			
		7						
9								
6	5					8		
			2	3				
				5				
	1		4	8				
	7					9		
							3	

No: 334

		4						3
	3		1					
				6				
6				5		7		
2	9							
							4	
5						6	8	
		1	3					
		9						

No: 335

					8	9		
4							7	
	3			6				
7		9			5			
			3					
		1						
	2	9		5				
	4					3	6	

No: 336

3	1					9		
				7	8			
		2	6					8
	9		1	4				
						3		
5						4		
8		7						
		3						

No: 337

		1						3
	3		1					
				6				
6				9		7		
4	8							
							2	
5						6	7	
		2	3					
			8					

No: 338

7							4	1
8			3	5				
			6					
	3		1					
						8	7	
	6					3		
9				4				
			7					8

No: 339

			2	6		8		
7							5	
		9	1					
			4				9	7
3	6							
			3	7	6			
	2				4			

No: 340

		3						8
	5						9	
			7	6				
1						7		4
					3			
					6			
			9			1	3	
6				2				
						5		

No: 341

3	7			9				
8							3	
			4					
	4		1			9		
				8				
	5							
			6			5		4
7				3				
				1				

No: 342

			3			6		
	2						4	
8			7				9	
		3	2					
1		5						
	6		9		7			
5						3		
						1		

No: 343

	2						5	7
9			1	3				
6		1	4					
			8		3			
	5							
			5	7			2	
8					1			

No: 344

	2	9				7		
			6	3				
		7	2		9			
4								3
							5	
6	8		1					
3				4				
				9				

No: 345

3				9				
			1				5	
							7	
	5		7		8			
2						3		
						9		
4		3	1					
			5	6				
9								

No: 346

				2			6	7
9	3							
							5	
1						4	8	
			7					
			6					
		6	5					
3						1		
				4		9		

No: 347

				8		4		
8			5					
						6		
3					8			
			6		1			
			9					
			4		5		3	
	6	2	7					
	9							

No: 348

		6		1	4	5		
9		3						
	7		5		8			
						9	3	
7			6	9				
	2					8		
			3					

No: 349

			9	3	6	1		
4	8							
			2					
5			6		7			
							9	
			4					
	9	3						
			7			8		
						5		

No: 350

				6		7		
4			5					
			8					
1	6			5				
			9				4	
		7						3
8							9	
				7		1		
					3			

No: 351

							4	3
1			6					
5			8					
				4	7			
	2			3				
8								
	4			9				
			5			1		
						6	8	

No: 352

					3	2		
	7						8	
1			6					
				9			6	
3		2						
4								
	9			8	6			
						4		3
			5					

No: 353

						8	3	
4				1				
5				6				
					3	7		
	2				8			
6								
	3				9			
			5			4		
						1	6	

No: 354

	7	1	9					
						3		8
				5			7	
4				8				
3					9			
6	5					9		
				1		7		
			2					

No: 355

	5						4	
			8	1				
	3							
9						6		7
8			5		4			
			3					
						1	5	
6				7				
						9		

No: 356

				7		1	5	
9							3	
	2							
7	1					4		
	4		5					
			6		3			
6		3						
			2			8		

No: 357

							1	3
5			8					
6			9					
			1	7				
	4		3					
9								
	1		7					
			5			6		
						8	9	

No: 358

			6			8	5	
	9		7					
4								
9			1			5		
3							4	
								2
		7				6		
	2			4				
				3				

No: 359

			3		6			
4								5
	8					3	7	
9			1		5			
			4					
	7	3				8		
5	6		9					

No: 360

			6		1	5		
	5	3						
			9					
4			7	2				
						6	3	8
			3	8		2		
6	9							

Average

No: 361

		8		4				
	6			5				
							3	
			1		3			
	9					4		
			7					
3			6		1			
						5		6
7					8			

No: 362

			6	9		8		
	3	5						
1		8			2			
9			4					
				3				
	7						9	
					5			3
4			1					

No: 363

							9	5
	3			8				
			9		4		5	
	2	8						
1								
			2		3			8
4			7			6		
9								

No: 364

				7		9		
	5						3	
			3					
7		9				8		
			5		6	3		
			1					
	6						1	5
			4					
8								

No: 365

						9	8	
					5	1		
				3				
6			9		7			
			7					
	3							
4	1		8					
							5	2
8								3

No: 366

				3		7		
9							6	
8								
				8		9		1
4				6				
						3		2
	7	1						
		9				5		
	3							

No: 367

		4	6		1	8		
	3							
			9					
			7			2		
						3		7
6			5					
9							1	
			3				5	
				2				

No: 368

				6				3
	5							
4								
8						2	4	
1				3				
				9				
		3		4			8	
				7		5		
	9	6						

No: 369

			1				3	6
	5						8	
				5				
				9		7		
		6			8			
	3							
9						2		
			7		3			
4			6					

No: 370

				3			1	
		8					5	
							8	
		6	5					
							9	
								3
7			8			4		
3	9						5	
	1				6			

No: 371

			9	3				
6							2	
	4							
4			7					3
8						5		
						9		1
	9	3		1				
			4			8		

No: 372

3		1				5	8	
		7						
2								
6	4					8		
				1	3			
							9	
	7		8	5				
								3
	9							

No: 373

```
. . . | . 9 8 | . . .
. 6 . | . 7 . | . . .
. 5 . | . . . | 4 . .
------+-------+------
. . . | 4 . . | 5 3 .
7 . . | 2 . . | . . .
9 . . | . . . | . . .
------+-------+------
. . . | . 1 . | . 6 .
8 . . | . . . | . . 9
. . . | 3 . . | . . .
```

No: 374

```
. . . | 8 . 5 | . . .
6 . . | . . . | 9 . .
. . . | 4 . . | . . .
------+-------+------
. . . | . . . | 5 4 3
1 . . | . 6 . | . . .
. . 9 | . . . | . . .
------+-------+------
. . . | 1 . . | 7 6 .
. 4 . | 5 . . | . . .
. 8 . | . . . | . . .
```

No: 375

```
. 4 3 | . . . | . . .
. . 8 | . . . | . . 1
. . . | . . . | . . .
------+-------+------
1 . 7 | . . . | . . 9
5 . . | . . . | 8 . .
. . . | 4 . . | . . .
------+-------+------
8 2 . | 6 . . | . . .
. . . | 9 . . | 4 3 .
. . . | 7 . . | . . .
```

No: 376

```
. . . | 7 8 . | 3 . .
5 . . | . 9 . | . . .
2 . 6 | . . . | . . .
------+-------+------
. . 4 | 5 . . | . . 2
. 8 . | . . . | . 7 .
. . . | . . . | . . .
------+-------+------
. 9 . | . . . | 8 . .
. . . | . . . | 6 . 5
. . 3 | . . . | . . .
```

No: 377

```
8 . . | . . . | 4 . .
. . 3 | . . . | . . .
. . . | . . . | . . 7
------+-------+------
. . . | 4 . 6 | 8 . .
. 7 . | . 5 . | . . .
. . 3 | . . . | . . .
------+-------+------
4 . . | 7 . 6 | . . .
. . . | . . . | 9 5 .
. . 1 | . . 3 | . . .
```

No: 378

```
. . . | 4 . . | 7 . .
8 . . | 2 . . | . . .
. . . | 3 . . | . . .
------+-------+------
. 5 4 | . . . | 2 . .
. . 6 | . . . | . . .
. 2 . | . . . | . . .
------+-------+------
6 . . | 9 . . | 8 . .
1 . . | . 7 . | . . .
. . . | . . . | 4 . 5
```

No: 379

					7			3
1				5				
8						6	5	
7							1	
			3		4			
	4	3				5		
			8	6				
	9							

No: 380

9								5
				8		7		
		8	4					
			1			4		
	5			6				
		7						
			9	5	8			
1	7							
					3			

No: 381

							5	2
			3	9				
				4			1	
			6			7		
	5	1						
						3		
8			7			6		
					5		9	
6								

No: 382

							3	5
			7					
							4	
			1	6		7		
		4				9		
	3							
7						1	8	
6			5	9				
				4				

No: 383

		9	8	3				
1					4			
			5					
			9	5			8	
6	4				1			
	7							
							5	3
7				6				

No: 384

			2		9			
								7
						1		
			4			5	9	
8		7						
1								
				1	6	3		
			8	7				
	5						2	

No: 385

		3				5		
			7	1				
				9				
1	8		9					
						4	3	
7								
		4		5	6			
9	7							1

No: 386

				4			3	
9						7		
8				3				
	4	5		7				
						8		
	3							
							2	4
1			9					
	2		7					

No: 387

5	1	8						
		4			7			
	9							
						6	8	
7		3						
								5
3					9	5		
			8	6				
			1					

No: 388

						6	3	
4	2							
			8	7		9		
				5				
	6							
8	5				6		1	
7						4		
			3		1			

No: 389

						1	7	
5					9			
			6					
6		4	9					
						3		
8								
	7	1				2		
	3				1			
			8					9

No: 390

				2	9			
	7				3			
							8	
		3		4		5		
				3				
								2
			7	8		6		
2		9					1	
5								

The Gigantic Sudoku Puzzle Book

No: 391

			3				9	
5		8						
				7				
7	3		6					
						8		4
			1					5
	9					1	6	
				4	5			

No: 392

							2	3
1				5				
7			8					
6						7		
	9		2					
8					4		9	
	2				3			
				6		5		

No: 393

			7	9			5	
1		3						
	9					6	4	
8			3		2			
			1					
	7			5				
						8		3
						1		

No: 394

						3	5	8
6		4						
							9	
	8		9				3	
			1	6				
	5							
7						1		6
						7		
			5					

No: 395

3						7		
			5	2				
	2	8						1
			7			3		
	4		9					
5			1					
						8	4	
						6	2	

No: 396

							6	3
	9		5					
			8				2	
3		4		6				
	5					7		
			7		8	5		
1		6						
2								

Average

No: 397

	4		1			2		
				9			3	
	7							
9		5					8	
			4					
3								
	2		7			4		
8								9
					1			

No: 398

						7	3	
	6					5		
5				4				
			3				8	
1	9							
			8		7			
			9		6			1
	3							
								5

No: 399

	7	2					6	
		9			5			
8	5			4				
						7		
			3					
1		7		6				
5					8		3	
		2						

No: 400

	5							6
		4			1			
	4							
	3	7						
							9	
							5	
1				8	3			
3			5	9				
			6		7			

No: 401

3	4							5
		7	1			8		
9		6		5				
					3	1		
					4			
			9	3				
	1	7						
5								

No: 402

					9	5		
6		3						
8						7		
		1		8				
4	7							
	5							
1				2			6	
		4	7					
		5						

The Gigantic Sudoku Puzzle Book

Average

No: 403

	5	1	9	6				
	9		1					
				3				
7			4					
						5	6	
						1		
4					7		8	
3								
		5						

No: 404

					5		9	6
8							5	
	7							
			7	4		1		
6		3						
			2					
9			5		6			
	4					7		

No: 405

	9	4	8					
					7	5		
6					3			
5			4					
		9						
			1			9	4	
7	3							
		6			8			

No: 406

	8				9			
		4	5					
								1
	7				3	8		
		1		9	6			
		5	8			7		
9								4
3								

No: 407

				6	9			
	5				8			
			3					
	9		6					
			4			1		
							3	
		8		5	2			
1		3	7					
4								

No: 408

	9					3	2	
7			8					
			4		7			
8		1						
	3							
5		7			8			
		9		3	6			
		2						

No: 409

			1			7		
			5		6			
	3							
4			6					9
9							3	2
							8	
5					1			
	8			2				
				3				

No: 410

						9	8	5
2	7							
								1
3					4	6		
		8	1					
		1	5	8				
				9		3	2	

No: 411

3	6					1	5	
5			8					
			9					
6	4			1				
							9	7
			2					
				5		3		
		7						
		9						

No: 412

	8				5	3		6
	9	4						
						5		
		7					9	
1				3				
			6					
			9	4			8	
3								
			7					

No: 413

	1	6		4				
		3						
	7							
2	4						5	
				1	3			
8					2	6		
3		5						
						1		7

No: 414

						8		3
7			4					
2							7	
					6	1		
				5	3			
				1		7	9	
	3		8					
	6			4				

No: 415

			6	7	3			
8	9							
	1					3	7	
5			8	2				
					1			
		9	8				2	
	3							
		4						

No: 416

7								9
		8					3	
5								
9				7	5			
			1				2	
	3		4	2				1
	8			7				
		3						

No: 417

		1					3
2							
	8						
	9	3		5			
6				4	8		
	7						
7		4					
	5		6				
3	1						

No: 418

3		6		9	1		
4			7				
9		5		8			
5		4					
3							
7					4		
8			5				
1							

No: 419

			3	8			
9				2			
		7		4			
	1	9		6			
4							
8							
			7	8			
6		5					
				3	2		

No: 420

7	5	8					
		6	3				
		4					
3	9					1	
		4	8	5			
1		3			6		
		5	4				

No: 421

	3	9				8		
			5					
		8						
1			6	9				
					3			
5								
6			7					4
				3		7		
	2			8				

No: 422

				1	7			5
4		3						
	7				2			
			6				4	
						8		
6	1					7		
			3	9				
8			4					

No: 423

4	3							
		6				7		
			1		5			
				2	3			5
		7	8					
1								
2							8	
			5	7				
			9					

No: 424

							7	1
5							9	
3								
			6		8	3		
			3			8		
	9							
	1			9			5	
		4				6		
			7					

No: 425

	3		4					
							8	6
					9	5		
5	6			8				
			1		7			
9								
			7			1		3
8				5				

No: 426

	7					9		
			5				8	
	4							
			1			3		7
3								
							5	
			9		4	1		
8			6					
5		2						

No: 427

					3	1		
7		8						
4								
			6			9		
	5							1
				8				7
	3					5		
			8				4	
				7			6	

No: 428

	3		7				6	8
	5							
						7		
1		4				5		
6						9		
		3						
7	8							
			5	9				
			4					

No: 429

5								4
			9		8			
			6					
1			5					
					3	9		
4					7			
			7					1
	9					6		
	3			8				

No: 430

					6		7	4
	1	5	3					
8				7				
	9					5		
			1			3		
7						2		
			9	5				
		8						

No: 431

			3			6		
5					4			
1								
	6	7						1
	3			4				
			8		2			
4	9		2					
								7
						3		

No: 432

			6	7		1		
8		3						
		2						
	5		4			9		
							3	
			1					
7				8			2	
	6					5		
				3				

No: 433

			1			6		
		8			7			
	4							
	7	5			8			
2			3					
3				4		9		
9				5				
				8	7			

No: 434

	8	5					7	
				3		2		
2					4	6		
	9		7					
			8		5			
6				9				1
							8	
3								

No: 435

	1	4			7			
			3			8		
3	6					9		
			4		1			
			7					
9			8					5
			6			4		
5								

No: 436

	4							6
					3			
			5					
	7		2					
						3		8
						5	9	
3						7	4	
5				6	8			
				1				

No: 437

3	8					1		
				4			6	
9		6					5	
		4	8					
		7						
	1				8			7
				5	6			
		3						

No: 438

7							3	
	8		9					
	9					1		7
				5		4		
				3	2			
				8		9		
3				7				
5	6							

No: 439

	6		5				1	
9						2		
			3					
	3				2			
	8							
			4					
7						9		5
4		2		8				
							3	

No: 440

						7	3	
9					5			
			4					
	3	2						5
		7		2				
			1			8		
6	8		9					
1								
				7				

No: 441

	8						5	9
								2
			3					
		7		9			1	
				6				
					7			
			7		4	3		
9	6							
8						4		

No: 442

				3				6
						5		
7								
8	5					7		
			9			4		
								3
			1		5		9	
3		4						
6			7					

No: 443

9					4			
								3
			8					
			3	6		7		
4							1	
			5					
	6	5	7					
			9			8	7	
	3							

No: 444

							5	1
9			7					
3		1					9	
			4			7		
5			8					
					5	3		
	4						8	
	6						9	

Average

No: 445

	7			9	8			
							4	5
				5				
4		6	3					
			1			9		
7								2
	9					8		
			4					
							3	

No: 446

							4	3
9			5					
5				8				
3	2					8		
				7	4			
			6					
	4	7					8	
			1			9		

No: 447

					3	5		
7	8							
				2				
4			7	9				
			1			2		
				3				
	6		8				9	
					4		7	
		3						

No: 448

				8	9			7
6				5				
3						1		
	7	4						
			3					
	8							
9					5			
		4		8				
						2	3	

No: 449

5		2		4				
8						9		
						3		
6	4		9					
			3	5				
					7			
			1				5	8
	3							
							2	

No: 450

			9			6	2	
	7			8				
			1					
		3						8
						7		
								4
4	8		5					
						6	9	3
7								

No: 451

No: 452

No: 453

No: 454

No: 455

No: 456

No: 457

			1				3	5
7		6						
				7	2	8		
						7		2
	3							
8						6	1	
			5	3	9			

No: 458

			8			4		
2						6		
				3				
	9	3	5					
						8	6	
		2						
6			1		7			
	1							9
						3		

No: 459

4			6					9
					8			
3		7	4					
	8					1	2	
		7			5			
6						3		
			1	5				
			8					

No: 460

1							5	
		8	4					
								9
3				8	5			
	6					7		
				1				9
						1	3	
		6	7					
	9				3			

No: 461

		7	8			4		
	9		5					
1	5		9					
						7		6
3								
		8		4	7			
				6			1	
							5	

No: 462

		9	7					
						8	1	
	5					6		
			5					9
8				6				
							2	
6						3		4
			1	8				
		9						

No: 463

		6	1	5				
	9						4	2
7						3		
			8		9			
1		5						
8						1		
	3				4			
			2					

No: 464

	3							8
	6	7						
			9			4		
	1					7	6	
9			2					
			5					
5						9		
8				6				
			3					

No: 465

6			8				1	
			7					5
3								
					9	5		
	5							7
			3					
	1		6	4				
						9	3	
					2			

No: 466

	2	7					1	
			9		3			
	3							
			7			6		3
5				1				
9								
4			5					
			8			7		
							5	

No: 467

	1	9						
			7			4		
			3					
7						3		
				9				6
				5				
				2	7	8		
	5					9		
1			6					

No: 468

	4	3				6		
			8		9		5	
			2					
8			5		1			
				3		4		
	6			7		3		
1							8	

Average

No: 469

							7	4
		3						
						9		
			9		2	1		
4						3		
		5		7				
		8	5		6			
7	2							
	9							

No: 470

	3		8					
				9	1			
								6
			4	5				
							8	9
4						3		
6		9	7					
		3			8			
5								

No: 471

	5			1				
		7			9			
		2		7	8			
1			6					
3		5						
		4	1		3			
	7	9	8					

No: 472

			3	1				
4			7					
	9							
	5			9	8			
7						4		
6								
	7	6						
8	5							
9		3						

No: 473

7	6							
	3	5						
9								
	8	7	6					
4	9							
		1						
5	3	7						
1	6							
4								

No: 474

7	4							
5	6	9						
8	3	1						
7	4	3						
1	6							
5	7							
1	9							

Average

No: 475

				5			1	
3		4						
							9	
4			6		9			
			7		8			
					5	1		
	8				7	3		
		3						
	5							

No: 476

				1	3			
4					9			
7						6		
			7			8		
	3	5						
	1							
				4			1	
			6		5			
6	8							

No: 477

6			8		4			
					3			
			1					
1				7			5	
4			3					
					9	2		
	2	5				9		
		4						
	9							

No: 478

				4	3			
1					9			
7						6		
			7			8		
	4	5						
	3							
				1			3	
			6		5			
6	8							

No: 479

			7			9		
5			1					
8								6
				3		7		
4				5				
					1			
	7		9		6			
			8		5			
	3							

No: 480

				4		7		
	3					8		
	5						9	
			6		5	9		
4								
1								
			3					1
							4	2
7			6					

No: 481

8								3
	7				1			
				5				
	5			6	9			
		3				5	2	
		8						
6		2						
						1	7	
3								

No: 482

			8	9		3	5	
	7							
4								
	3	5					8	
				1	4			
						7		
9		6						2
			3					
1								

No: 483

				5		8		
	1		9					
								6
			4	7				
					9			5
4					1			
6	5		3					
				1			9	
7								

No: 484

							6	5
		3						
7								
	8					3		
		9				7		
		2			6			
6	5			2				
		7				1	9	
	4							

No: 485

		4	7					
			3	5				
		1				2		
3			4	7				
8	6						5	
5	9			2				
						7		
						1		

No: 486

			9			6		
6								5
					8			
			8	5				
	4						7	
							3	
7		1	3					
				6		4		
	8					9		

The Gigantic Sudoku Puzzle Book

No: 487

	3						5	
				4				1
4		7		1				
			6				3	
					9			
5			8					4
			9		2			
			3			7		

No: 488

	2						7	
			3	5				
					1			
			7				4	
5			4					
8		3						
						3	6	5
			9	1				
						8		

No: 489

3	9		5					
						7	1	
						8		
5			3	8				
				7		9		
6								
			6					3
	1						4	
	7							

No: 490

4						8		
				1			6	
				5				
7				4				
				9			5	
		6					3	
		5		3		2		
8						4		
						7		

No: 491

			3			7		4
6	5			8				
1								
8			7			6		
		4	9					
						5		
			4			9		
				3				
5								

No: 492

	9		4			3		
							7	1
			5					
					6	2		3
8				1				
5				7				
7							8	
				8				
	2							

No: 493

	8						5	1
7			6					
			4					9
				1			9	
3						6		
4								
	9	5		8				
						3		
			7					

No: 494

7		1		5		9		
			4				6	
1			9	7				
	6						8	3
			5					
8						7		
				3				
	5							

No: 495

	1		3					
							4	
							5	
6						7		8
4		7						
			9			1		
	8					3		
			4		5			
			6				9	

No: 496

1						2		
				7	4			
				9				
	8		3				6	
		4					9	
	5							
			5			3		
7			6					
9					3			

No: 497

5	6					7		
	3							
9		3		4				
				2		6		
						5		
8			5		7			
			6				3	
			8				1	

No: 498

			5			9		3
3						6		
	1							
8					4		1	
9		6						
	4						7	
	5			6				
			8	9				

Blanks

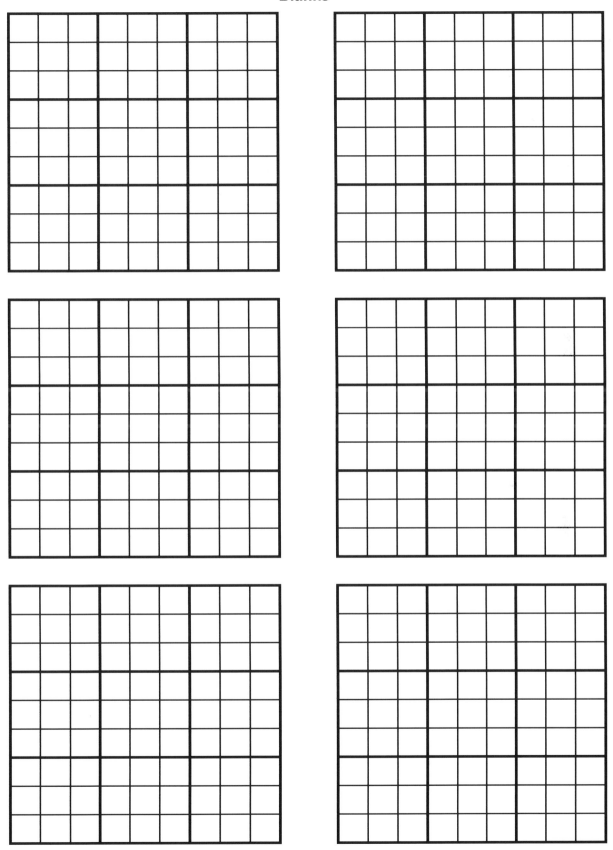

The Gigantic Sudoku Puzzle Book
1500 Puzzles

Sudoku Level

Challenging

All puzzles are guaranteed to have only one solution

No: 499

7			4		3			
	1				6			
			9					
9	8						4	
							3	
			5					
			7			1		8
			1			5		
3								

No: 500

			4			5		
	2	7						
		6		8		9		
1				3				
			2	7				
	3					7		
4			9					
5								6

No: 501

						8		6
			1				9	
5					3			
8						3		5
			4	9				
	9	1				7		
			4	8	5			

No: 502

3						5		6
8				9				
				3				
							8	3
	6					7		
	5		4					
1							9	
			6		7			
			5					

No: 503

			1				4	8
	8		3					
						7		
	3				2			
9			5					
			7					
5		7						
			2		3			
		8	4					

No: 504

			2		3			
	4				7			
	5							
8							5	9
			1	7				
						4		
1		3				8		
			5		6			
			9					

No: 505

No: 506

No: 507

No: 508

No: 509

No: 510

Challenging

No: 511

			8	4			3	
7				9				
	1							
					5	1		6
		3						
4								
	6				1	5		
9							4	
			7					

No: 512

5	1	3						
				6		8		
			3			6		7
	5		1		4			
8						9		
6				9				
							3	
							1	

No: 513

		6	3					
	7	5						
					4			8
			5	3				
1						9		
			6					
						3	5	
9	1							
8				1				

No: 514

							6	3
		8	1					
	7							
			9	5		8		
3				6				
2	4							
6					4		3	
			8			1		

No: 515

		4				3		
			5		1			
				7				
7	5					8		
		4	3		9			
6								
8		3						
	1							5
5								

No: 516

		6			7			
		3		8				
					9			
			9		4			7
6			2					
3								
	4		5					
	9						6	
		1					8	

The Gigantic Sudoku Puzzle Book

No: 517

```
. . 1 | . . . | 9 6 .
. . . | 5 3 . | . . .
. . . | . . . | 7 . .
------+-------+------
. 7 9 | . . . | . . .
. 1 . | . . 5 | . . .
. . 2 | . . . | . . .
------+-------+------
3 5 . | . . 4 | . . .
8 . . | 6 7 . | . . .
. . . | . . . | . . .
```

No: 518

```
. . 4 | . . . | 2 5 .
. . . | . . 3 | . . .
. . . | 9 . . | . . .
------+-------+------
3 7 . | . . . | . . .
. . . | 4 . . | 6 . .
9 . . | . . . | . . .
------+-------+------
. . . | 6 8 . | . 4 .
. 5 . | . . . | . . 3
1 . . | 2 . . | . . .
```

No: 519

```
. 3 . | 7 . . | 6 . .
. . 6 | . . . | . . .
1 . . | . . . | . . .
------+-------+------
. . . | 5 4 . | . 9 .
9 . . | . . . | . 8 1
. . . | 3 . . | . . .
------+-------+------
. 5 . | . . . | 3 . .
8 . . | . . 1 | . . .
. . . | 9 . . | . . .
```

No: 520

```
. 2 . | . . 3 | . . .
. . . | . 6 . | . 7 .
. . . | . . . | . . .
------+-------+------
1 . 7 | . . . | . 5 .
. . . | 4 . . | 2 9 .
. . . | . . . | . 8 .
------+-------+------
. 8 . | . . . | . 3 2
6 . . | 7 5 . | . . .
. . . | . . . | . . .
```

No: 521

```
3 . . | . . . | 8 6 .
. 9 1 | 5 . . | . . .
. . . | 4 . . | . . .
------+-------+------
. 5 4 | . . . | . . .
. . . | 6 . . | 3 . .
. . . | . . . | . . .
------+-------+------
8 7 . | 3 . . | . . .
6 . . | . . 5 | . . .
. . . | . . 9 | . . .
```

No: 522

```
. . . | . . . | 8 6 .
. 4 . | . 3 . | . . .
. . 7 | . . . | 5 . .
------+-------+------
. . . | 7 . 5 | . . .
5 . . | 6 . . | . . .
. 3 . | . . . | 2 . .
------+-------+------
6 . . | 1 . . | . . .
. . . | . . 4 | 9 . .
. . . | . . . | 3 . .
```

No: 523

7	9							
							4	
							3	
5					7	9		
		3	6					
						8		
		6	4	3				
	1					7		5
			2					

No: 524

3	5		7					
				8		1	2	
						9		
	2	1				5		
			4		3			
6			3					8
				2				
4								

No: 525

3	9					4		
			1		8			
	6							
1		8	7					
				3		6		
4								
5							7	8
			9					
						1		

No: 526

7						3		2
	6		5		4			
			9					
8		3				1		
1								
			4					
				3		8		
	9						4	
							5	

No: 527

						7		3
	2				9			
	5							
				4	8	5		
1					9			
3								
7			6	1				
			7		4			
		3						

No: 528

			3	4		9		
	5					7		
			7			8		1
6						5		
3								
			9			6		
		4				3		
	1		5					

No: 529

5	9		8					
						7		3
			5					
			7	1			9	
	3	4						
6								
				4	9			
7							8	
			3					

No: 530

				7	3			
	5						9	
7		3		6		8		
			1				5	
2								
	8		5			4		
6								7
		9						

No: 531

9				2		1		
	4					7		
2								3
		8				5		
1				9				
	8		5		3			
		5	6					
					2			

No: 532

							2	5
9	4							
	3							
8		5					6	
			3		4			
3	1					9		
			2		7			
		5						8

No: 533

7	5							
	1	9						
			2			3		
8			6	3		9		
					5		1	
		5		1				
3						6		
		4						

No: 534

			5			7		
	4				6			
	3							
		3		4				
7						1		
		6						
1		9					5	
5			7		8			
				3				

The Gigantic Sudoku Puzzle Book

No: 535

5	6	8					9	
			3					
	9							
3		7				4		
				9	8			
			1			3		7
4	5			6				

No: 536

						9	3	
4					7			
			3			6		
	9		8	6				
	3							7
						4		
5			1					
				9		2		
7								

No: 537

5		6	3					
9						7		
						1		
		4				2		
	1	9						
						5		
	5			8	1			
3				9				
				7				

No: 538

						3		5
	7			2				
						9		
			7	8		4		
	3							
9								
5			3		9			
		4				7		
		1			6			

No: 539

7		4	3					
							9	6
8	6						5	
	9		1					
			4					
9	5				8			
			7		4			
					3			

No: 540

				2			5	4
	3	9						
4				5				
	8				9			
		1				6		
	6	9		1	7			
	3							
5								

No: 541

5		4	9			1		
9			5					
							2	
			2	3				
7			6					
				5				
	2		8					
		4						3
	6							

No: 542

			3			8	4	
9	5							
			8			9		5
			1			6		
7								
	8	3				7		
		5		6				
				9				

No: 543

							4	3
	2		5					
			7					
1		4		9				
			6			2		
3						5		
8				4			9	
	5					6		

No: 544

7	5			4				
			8					1
						3		
8			7		5			
		1						
6								
9			1		8			
	2				7			
		3						

No: 545

			3	1		8		
	7			8				
9	5							
6			2	3				
	9				5			
			4		5	7		
8		3						

No: 546

			7			3		
1		6						
2								
8				6			1	
	7						4	
			5					
			3	9		7		
4				1				
					5			

No: 547

5	1	3						
				9		8		
			3			6		7
	5		1		4			
8						9		
9				6				
							3	
							1	

No: 548

						3		7
			5			1		
			9		2			
			8				9	
7				6				
3								
				4		7		
	2			3				
	9						5	

No: 549

7		4	5					
			8			9		
1								
	3			6				
				1			7	
	9							
			3			8		9
5				7				
						3		

No: 550

			2	1		4	6	
5			3					
						1		
8	6			3				
						5		
7								
	1						3	
		4			5			
		7						

No: 551

		3				6		
			1		8			
	1							9
				7				3
6			3					
	8				7	3		
5			1	9				
					4			

No: 552

		9				1	4	
				6	3			
	5							
5	8							6
6			4					
			9					
3				5				
	2					7		
							9	

Challenging

No: 553

				5	4			
				1		4		
	7							
			6				3	
		5	7					
8		1						
	6		3					
					5		1	
9					8			

No: 554

							4	3
	7		1					
			2			7	8	
4							5	
9						1		
6				3	4			
	8					5		
				9				

No: 555

7	9							
							3	
							1	
5					7	9		
		1	6					
					8			
		6	1	3				
	8					7		5
		4						

No: 556

		8				7	9	
5			6					
			1				3	
6	5				4			
9				7				
				3				
	1							6
			4					
		3						

No: 557

9						4	1	
				8	3			
1								
5			4					
			9					8
	6							
	8	7		6				
						9	6	
	3							

No: 558

							8	3
	7		9					
				5	2		7	
8					4			
						9		
	9		6				1	
3				8			4	
				7				

No: 559

```
. . . | 6 . . | . . 3
. 7 . | . 4 . | . . .
. . . | . . . | . . .
------+-------+------
3 2 9 | . . . | . . .
. . . | . 5 7 | 4 . .
. . . | . . . | . . .
------+-------+------
1 . . | 3 . . | . 8 .
6 . . | 9 . . | . . .
. . . | . . . | 7 5 .
```

No: 560

```
. . . | . . . | . 3 6
7 . . | . 4 . | . . .
. . 2 | . . . | . . .
------+-------+------
. . . | 9 7 . | 8 . .
. 3 . | . . . | . . .
. . . | . . . | 7 . .
------+-------+------
. . . | 3 . 6 | . 5 .
8 . . | . . . | 1 4 .
. . 2 | . . . | . . .
```

No: 561

```
. . 1 | 9 4 . | . . .
. . . | . 7 . | . 3 .
. 2 . | . . . | . . .
------+-------+------
8 5 . | . . . | . . .
. . . | 6 . . | 9 . .
3 . . | . . . | . . .
------+-------+------
7 . 9 | . . . | 6 . .
. . . | . 3 5 | . . .
. . . | . . . | 1 . .
```

No: 562

```
. . . | 3 . . | 4 . .
. . . | 9 . 7 | . . .
1 . . | . . 8 | . . .
------+-------+------
. . . | 5 4 . | . . .
9 . 7 | . . . | . . .
6 . . | . . . | . . .
------+-------+------
. 3 . | . . . | . 7 9
. 5 . | . 8 . | . . .
. . . | . . . | . 6 .
```

No: 563

```
. . . | . . . | . 8 3
. 6 . | 9 . . | . . .
. . . | . . . | . . .
------+-------+------
. . . | 5 4 . | 6 . .
8 . . | . 1 . | . . .
. . . | . . 9 | . . .
------+-------+------
. 9 . | 6 . . | 5 . .
3 . . | . 8 . | . 1 .
. . . | 7 . . | . . .
```

No: 564

```
. . 1 | 8 . . | . . .
. . . | . . . | . 4 .
. . . | . . . | . 3 .
------+-------+------
9 4 . | . . 7 | . . .
. . 5 | . . 8 | . . .
. 6 . | . . . | . . .
------+-------+------
. . 8 | . . . | 1 . 3
5 . . | . 9 4 | . . .
. . 6 | . . . | . . .
```

No: 565

		4				5		
		3		8				
		7						
	7				3		6	
			9					
					1			
			4			9	1	
7	3				8			
5								

No: 566

						3		7
			5			6		
			1		2			
			9				5	
7				8				
3								
				4		7		
		9		3				
		5					1	

No: 567

			8	6		1		
9		4						
5								
	5		1			7		
6						4		
		3						
		7		4	9			
					3			
	1							

No: 568

			6			3	9	
	5	8						
							4	
			5	1	8			
3								
			7					
9		1	3					
	8				1			
			4					

No: 569

		2	5	7				
						3	6	
			1	3				
		5			2			
8			6					
9	6							
		4			5			
	1	9						

No: 570

						6	3	
			2		9			
8			1		9			
6		7				8		
3								
			3	6				
	4		7					
	5					1		

No: 571

		2	9	6				
							1	3
				5		6		
9	3							
	4							
8			3		1			
7						5	2	
			4					

No: 572

			6	4	3			
1						7		
7	6		1					
							4	9
			8					
			5	9		6		
	4	3						
8								

No: 573

							9	3
8			2					
	1		6					
			5	8		6		
9		7						
4								
				9			4	
	2					5		
	5							

No: 574

	3							6
			8		5			
	4			3	1			
						5	8	
			6				7	3
5		1				9		
4			7					

No: 575

			5	1		7		
3		4			8			
2								
8			4		3			
	1							6
	6						1	5
	9		3					

No: 576

		3			6			
			5					
				4				
			8	7				3
1				6				
	9						4	
					3	7		
5	1							
4			1					

No: 577

			5	4				
	8			6				
9							1	
						6		8
5		9						
					4			
		3		5		9		
		1			7			
	6							

No: 578

				9			3	
	8					5		
		2	7					
	4		6					1
			5			9		
		8			6		4	
9				7				
3								

No: 579

			8	1		4		
6	3	2						
9	5		7					
			9				8	1
							2	
8					7			
					3			
				2				

No: 580

			2		7			
							5	
6								
	1					4		7
3				6				
						2		
			3	8			6	
	7		5					
		2				9		

No: 581

			5	4				
	9							1
						3		
8				7		4		
5								
	1							
6		7				5		
			1		9	8		
			3					

No: 582

							6	2
4				9				
				3				
			5			4		
		3				9		
6	8							
1		3				7		
				2		8		
				6				

No: 583

			2		6		7	
9		3						
	7					2	8	
8				9				
	6				1			
		5	3		9			
	4							
1								

No: 584

				1	5		6	
	7							
				3				
	4		7					
							5	3
		2						
			6			7		4
1			9					8
3								

No: 585

		3	2	1				
4					8			
		5						
		3	5			9		
8	4				6			
	7							
							5	3
6				8				

No: 586

		7					3	2
				4	9			
	3					8		
		2	7					
				1	4			
4	1					6		
			2	5				
3								

No: 587

			4					3
	9	6						
	7							
1			6	3				
8					7			
					9	5		
4						8		
			9		5			
			7					

No: 588

							7	3
				4	5			
				9				
8			7				1	
	4					9		
	5		2					
				6		4		
3			8					
7								

No: 589

```
. . . 3 . . 2 . 5
7 . . 9 6 . . . .
1 . . . . . . . .
. 4 . . . 3 . . .
6 . . . 7 . . . .
. . . . . . . . .
. . . 8 . . 6 1 .
. 2 . 4 . . . . .
. . . . . 7 . . .
```

No: 590

```
. . . 6 1 . 8 . .
. 1 . . . . 6 . .
. 3 . . . . . . .
9 . . 3 . 5 . . .
4 . . . . . 7 . .
. . . 1 . . . . .
6 . . . 7 . . . .
. . 4 . . . . 5 .
. . . . . . . . 3
```

No: 591

```
. . . . . . . 3 2
. 5 . . 8 . . . .
. . . . . . 7 . .
3 . 2 . . . . . .
. . . 9 . . 1 . .
. . . 4 1 . . . .
. . . 3 . 7 . . .
. 6 . . . . 4 . .
8 . . . . . 5 . .
```

No: 592

```
. . . 1 . . . 7 .
. . 3 . 9 . . . .
. 4 . . . . 5 . .
5 . 1 . . . . 6 .
. . . 3 . 4 . . .
. . . . . . . . 9
8 7 . . 2 . . . .
2 . . . . . . . .
. . . . . 3 . . .
```

No: 593

```
. . 4 1 . . 9 . .
5 . 8 . . . . . .
2 . . . . . . . .
. 4 . . . 7 . . .
. . . . 3 . . . .
. . . 2 . . . . .
6 3 . . . . . 2 .
. 9 . 7 . . . . .
. . . 8 . 5 . . .
```

No: 594

```
. . . . . . . 3 2
5 . . 6 . . . . .
. . . . . . . . .
6 . . 4 . 8 . . .
. 9 . . . 5 . . .
. . . 3 . . . . .
9 4 . . . . 1 . .
. . . 7 . 9 . . .
. 3 . 2 . . . . .
```

No: 595

			5	6			7	
9	3					8		
	4							
			1				6	5
3	8							
6		1	7					
					9	3		

No: 596

			1	9				
1			2					
						3		
8							2	7
				6	3			
							1	
	3	6				4		
	5					8		
			7					

No: 597

			1	2		5		
		3						
	7							
				9			3	7
5				4				
							2	
	6		8			1		
2						9		
			7					

No: 598

7						8	9	
			5		3			
			1					
			6				4	
	1			9				
	3							
4			7					
						1		5
6					3			

No: 599

			4					5
1							9	
				8				
	5				6	3		
	9			7				
		4						
7				1		8		
						4	6	
			9					

No: 600

							3	9
				7				
8								
	3		4		9			
1					8			
			3					
				8		1	5	
		9	7					
	5				6			

Challenging

No: 601

			5	1		6		
8	9							
		9		7				
3		8						
		1			2			
	4	5		6				
							3	8
							9	

No: 602

			9					3
	2						6	
8	7							
						2	5	
9			1					
			4					
4					6			1
				2		7		
				3				

No: 603

							7	3
5				8				
8			4	5				
	3						2	
					8			
1		9			6			
6			7					
			3		2			

No: 604

			2					3
8		9						
4					6			
1			7			9		
			8	6				
	3							
7						8		
			3		2			
			5					

No: 605

		3				1		
	5		8					
				9		6		
			3	4				
6	9							
5								
		1	5		3			
						7		4
					9			

No: 606

							3	2
8			6					
6				4		8		
	9					5		
				3				
9	4						1	
				7		9		
	3		2					

The Gigantic Sudoku Puzzle Book

No: 607

			3		6			1
4	9							
					7			
						5	9	
6						7		
		2						
3							2	8
	5			9				
				7				

No: 608

6			4	9				
1						5		
3		6						8
			9	5		7		
	8							
	5	7						
			1				3	
				7				

No: 609

							1	3
	6			7				
				5				
1				6		5		
9						7		
3			9					
			3		8		4	
	7							
			1					

No: 610

1				4				
							5	
					6			
			8	1				3
	6					2	4	
			6			9	2	
3		1						
7			2					

No: 611

						9	3	
		2	5					
					8	7		
			4		5			
9	7							
8							1	
	6			9	7			
			3					
		4						

No: 612

8			6			1	9	
	5			2				
7								
			9		7			
		2						
	3							
	1	4		7				
9						2		
							3	

No: 613

7			5	1				
								3
					9			
	9		3	6				
8						1	2	
				5				
4							5	
			8	9				
				3				

No: 614

							9	3
	2		1					
				4				
			4			7	2	
6			8					
9								
	5			6		2		
				9	3			
8								

No: 615

3			7					
		2			6			
5								
			4	3				
	6					9		
	1							
4		2						5
			6		1	2		
			9					

No: 616

		8	2					
			5			2		
9								
				9		7		
							8	1
			3					
6	2					3		
	5		7					
			8		4			

No: 617

	3		7		8			
	9						5	
			1		2			
5		8			4			
		3						
2								
			8				6	
						3	7	
4								

No: 618

	1		7					
						5	9	
	3							
			3		1		8	
4				7				
5		6						
9		5		2				
					7			
		9						

No: 619

			8				2	3
7	5		6					
9								
6			9			5		
				3			4	1
	3			1				
			5			7		

No: 620

						3	5	
	9			7				
							7	6
1			2					
3								
	6	7		8				9
			3		1	5		
			4					

No: 621

	7					2		
8		9						
				6	5			
3			1	8				
		6						2
			7					
	8		5					
4						6		
						9		

No: 622

							9	3
	1		6					
	5							
9			7		3		8	
	6					1		
			4					
			8			5		
3			9					
7								

No: 623

			5	4	9			
	3							
			9					
6	1		7					
9						8		5
			3					
8			1			7		
5								
		4						

No: 624

			9	7	8			
3						1		
9			1					
						7		4
						6	8	
	7	8						
			4	5				
	6		3					

No: 625

	6	8		5			1	
	5							
		9						
				1		5		
9			7					
4								
3					7		9	
			1	8				
				4				

No: 626

				9		7		8
1		3						
			1	6			9	
	8					4		
			3					
	7			5	8			
4						1		
			9					

No: 627

			8			5	3	
3			6					
4								
	8		1				9	
		9	7			6		
	5							
1					7			
				3				
			5					

No: 628

							6	8
			1	3				
	9							
			8	5				
	4					7		
						3		
		5	7			1		
8		6						
3			4					

No: 629

		9	8			6		
1					7			
		3						
	9		6	3				
					5		1	
	3							
4				5				
5			7					
						9		

No: 630

					5		3	
6			7					
5	4							
			1			6		
	3							
		8						
1	9					2		
			3		8	9		
			7					

No: 631

			9	1	3			
	5	8				4		
7				6				
			5			6		
1								
3							1	
	6		8					
							7	9

No: 632

							3	6
			1		4			
						8		
8		3	7					
5						4		
6								
	9					7		
				8	5			
	4			3				

No: 633

			9	4		5		
		3						
	7							
	6		7		3			
			8			1		
5						4		
			6				7	
1						9		
4								

No: 634

3	7	1						
						4		6
		8						
5	4							
				8			1	
				3				
1						5	3	
			9		6			
			4					

No: 635

						3		1
9			7					
3								
	2	4				8		
	1							6
			3					
			2	8	5			
			1		9			
							7	

No: 636

						4	9	
			1	7				
			3					
7			8					6
				9		5		
3								
			7					3
	9					8		
	5				1			

No: 637

					3	2		
7								
	5							
6			5	4				
		3				1		
			6					
1	8							3
				9			5	
		2	4					

No: 638

						3	7	6
			2	8				
								9
			5			4		
9					3			
3		8						
	5					1	2	
				9	6			

No: 639

3						7	9	
	5		4					
			2					
	6						5	4
8				7				
				3				
9		1				8		
7								
			5					

No: 640

			8					3
	7			9				
6								
		6		5		1		
3		8					7	
4								
	5					2	9	
			4					
			3					

No: 641

				9		6		7
5	4				1			
	3							
9				2	8			
	7						4	
6						9		
			4			8		
			3					

No: 642

8				6		5		
					2	1		
	3		9					8
	4						3	
		2		5				
9						2		
7			8					
			3					

No: 643

				9			5	4
	7					8		
		3						
6				5				1
						3		
			3		2	7		
5	1						6	
			8					

No: 644

							5	9
6			2					
		9	1			3		
	8					7		
	5	4						
7						6		1
			9	5		8		

No: 645

6			2			8		
		5			1			
	7			5		4		
		1	3					
	9							
4				8	9			
							1	6
5								

No: 646

							7	3
5				8				
8			6	5				
	3						4	
						8		
1		9				6		
6			7					
			3		4			

No: 647

							1	3
	6			5				
				7				
1				6		5		
9						7		
3			9					
			1		8		4	
	7							
			3					

No: 648

	6	3						
			1			9		
						4		
				7			3	
4				5				
9						1		
	5						6	7
8							5	
			4					

Challenging

No: 649

No: 650

No: 651

No: 652

No: 653

No: 654

© 2012 www.buysudokubooks.com

118

The Gigantic Sudoku Puzzle Book

No: 655

							7	3
5				2				
8			6	5				
	3						4	
					2			
1		9				6		
6			7					
			3		4			

No: 656

1								3
			2	5				
6			9		4			
						1	5	
	4							
		9	8				6	
			1			7		
	5				3			

No: 657

							3	7
5							6	
				9				
2						8		
				3			1	
	7							
			5	8		9		
		3	9			4		
	6							

No: 658

	6	5				8		
		4			3			
	3							
		9		6		1		
7				8				
4								
1			7					
							6	9
							5	

No: 659

						1	3	
	6			5				
				7				
1			6		5			
9				7				
3			9					
			3		8	4		
	7							
			1					

No: 660

	1					5	2	
8			4		3			
				9				
1	5							
6					3			
								4
			6	2		1		
	3							
			7					

No: 661

						7	3	
5			2					
8			6	5				
	3						4	
					8			
1		9				6		
6		7						
		3		4				

No: 662

				7			9	
	4					1		
	3							
9				8		5		
7		2						
			1			4		
	6		3					
8							7	
		4						

No: 663

							4	3
1			7					
7								
		8	3			5		
	8		9					
6					4			
		1			2			
	5			6				
	3							

No: 664

8					5	1		
		6						
1		8	9					
	9						7	
		3		6				
	6		4	5				
			7		9			
	3							

No: 665

						3	7	
	4		5					
					9			
3	7	8						
			9	1				
	6							
8	1		5					
		6	7					
		3						

No: 666

			5	9				
			7			4		
1								
		2			5		3	
8		6						
7								
	3		4		2			
	5				7			
						8		

The Gigantic Sudoku Puzzle Book

No: 667

```
. . . | . 9 . | . . 3
. 8 7 | . . . | . . .
4 . . | . . . | . . .
------+-------+------
7 3 . | 1 . . | . . .
. . . | . . 8 | 4 . .
. 9 . | . . . | 6 . .
------+-------+------
. . 6 | . . 5 | . . .
9 1 . | . . . | . . .
. . 8 | . . . | . . .
```

No: 668

```
. 2 5 | 6 . . | . . .
. . . | . . . | 9 1 .
. . . | 7 . . | . . .
------+-------+------
3 8 . | . . . | . . 7
. . . | 5 . . | . . .
1 . . | . . . | . . .
------+-------+------
. . 6 | . . . | 5 2 .
9 . . | . 4 . | . . .
. . . | . 3 . | . . .
```

No: 669

```
. 9 6 | 7 . . | . . .
. . . | . . 3 | . . .
. . 8 | . . . | . . .
------+-------+------
1 . . | 6 . . | . 7 .
. . . | 8 . . | . . .
. . . | 4 . . | . . .
------+-------+------
5 . . | . . 1 | . . 2
. . . | 3 . 8 | . . .
3 4 . | . . . | . . .
```

No: 670

```
. . . | . . . | . 7 4
. . . | 8 . . | . 6 .
. 3 . | . . . | . . .
------+-------+------
8 . 6 | . 7 . | . . .
9 . . | . . . | 5 . .
. . . | . . . | 3 . .
------+-------+------
. . . | 3 . . | 1 . .
. . . | 9 . 5 | . . .
6 4 . | . . . | . . .
```

No: 671

```
3 . . | . . . | 8 9 .
. . 6 | . 7 . | . . .
. . . | . . . | . . .
------+-------+------
. . . | 3 . . | 6 . .
. . 1 | . . . | 7 . .
8 . . | 4 . . | . . .
------+-------+------
. 8 . | . 6 5 | . . .
. . . | . . . | . 4 3
. . . | . . 9 | . . .
```

No: 672

```
6 9 . | . . . | . . .
. . . | . 3 1 | . . .
. . . | . 5 . | 4 . .
------+-------+------
5 . . | . . 1 | . . .
. . . | . 6 . | . . 8
. . . | . . . | 9 . .
------+-------+------
. . 8 | . 9 . | . 3 .
. . . | 1 7 . | . . .
. . . | . . 5 | . . .
```

Challenging

No: 673

							3	2
	5			8				
						7		
3		2						
			9			4		
			4	1				
			3		7			
	6					1		
8						5		

No: 674

			7				2	
	5							
			2					
				4	5			7
		8					3	
6							9	
1				3	9			
				8			7	
						5		

No: 675

						8	7	
		4				3		
		1	6					
	5		7					9
8			3					
							1	
				1	6	5		
3								
				9				

No: 676

7	1			9				8
							5	
6								
			5		4	6		
2			3					
				8				
		5					4	
				2		7		
		8						

No: 677

						4	3	
7			1					
			8					
			4		6	8		
9				3				
8					1			
		6		5				
		4	2					
					9			

No: 678

9	5							4
				3		6		
8			1					
		6					3	7
				8	4			
				1				
7				9			8	
				5				

No: 679

```
. . . | . . . | . 5 9
1 . . | . 8 . | . . .
. . . | . . . | . 3 .
------+-------+------
. . . | 4 1 7 | . . .
. . . | 7 . 8 | . . .
. 3 . | . . . | . . .
------+-------+------
7 . . | 5 . . | 6 . .
. . 3 | 9 . . | . . .
. . . | . . 2 | . . .
```

No: 680

```
. . . | . . . | 3 . 4
9 . . | 7 . . | . . .
3 . . | . . . | . . .
------+-------+------
. 4 2 | . . . | . 8 .
. 1 . | . . . | . . 6
. . . | 3 . . | . . .
------+-------+------
. . . | . 1 8 | 5 . .
. . . | . 4 . | 9 . .
. . . | . . . | 7 . .
```

No: 681

```
9 . . | 1 8 . | . . .
. . 7 | . 5 . | . . .
. . . | . . . | . . .
------+-------+------
. . . | 8 . . | . 6 9
. 3 . | . . . | . . .
. . . | . . . | . 4 .
------+-------+------
8 1 . | . . 5 | . . .
. . . | . . 7 | 3 . .
6 . . | 9 . . | . . .
```

No: 682

```
. . . | 3 . . | 9 . .
. . . | . 4 . | . . .
. . . | . 2 . | . . .
------+-------+------
. . . | 3 . . | 5 . .
. 8 6 | . . . | . . .
. 4 . | . . . | . 2 .
------+-------+------
5 . . | 9 . . | . . 6
. . . | 8 . . | 7 . .
4 . . | . . 1 | . . .
```

No: 683

```
8 . . | 9 . 5 | . . .
. . . | . . . | 1 3 .
7 . . | . . . | . . .
------+-------+------
. 5 . | 6 1 . | . . .
. 3 2 | . . . | . . 7
. . . | 4 . . | . . .
------+-------+------
4 . . | . . 9 | . . .
. 8 . | . 3 . | . . .
. . . | . . . | . . .
```

No: 684

```
. . . | . . . | . 4 3
. 6 . | 1 . . | . . .
. . . | 7 . . | . . .
------+-------+------
. 9 . | . . 6 | . . .
. . . | 4 5 . | . . .
. . . | . . . | 7 . .
------+-------+------
. . . | 8 . 7 | 1 . .
5 . 4 | 9 . . | . . .
3 . . | . . . | . . .
```

No: 685

							7	3
				5			1	
	9			4				
3			7		1			
	8					9		
								5
7			3					
				9		8		
			6					

No: 686

					6		5	
	3							
							2	
8			9				3	
1		5						
						7		
5						6		8
9			7		3			
			4					

No: 687

		3				4		
			7	1				
			5					
			1			7		3
9	4							
8								
	6		8				9	
						3	1	
5								

No: 688

							7	3
5				8				
8			6	5				
	3						4	
						2		
1		9				6		
6			7					
			3		4			

No: 689

7			9					
						5	8	
						3		
1		4	7					
5					6			
			3					
				4	8			9
6				5				
	3							

No: 690

							7	3
			5		6			
			4					
9				3		6		
			1			5		
7								
			2			9		
8	5							
	4	6						

The Gigantic Sudoku Puzzle Book

No: 691

						7	1	
5						9		
8		3						
	7			1	6			
								3
				7				
	4		3		8			
						1	2	
			5					

No: 692

							8	3
4		5						
7	8		9					
	3					1		
				7		5		
				8		6		9
		1				7		
		3						

No: 693

						5		3
4	6							
7			3					
	8	1			9			
			7				6	
	5							
3							4	
				5	8			
				9				

No: 694

							5	3
	9			6				
					2			
	6				8	7		
				5			1	
8								
5		4	3					
				7		9		
						1		

No: 695

2	3				5			
							6	
					8			
8					9	5		
				7				3
			6					
4			8			7		9
	5							
					1			

No: 696

							1	3
	6		5					
8								
					9		8	
			1		3			
	7					6		
				8		2		
9			6					
4		3						

Challenging

No: 697

	6	4	3					
							2	7
1					3			
2				7				
				4				
7			1			4		
	9		6			5		
			8					

No: 698

							4	3
	6		8					
5								
8			7	4				
	1					9		
			3					
			6			1	5	
	7	9						
3								

No: 699

							6	3
		2		9				
8			9			1		
6		7					8	
3								
			3	6				
	4			7				
	5				2			

No: 700

9			3			1		
	5							
			5	8	9			
		2		6				
	6			7				
		2						6
5						7		
4		1						

No: 701

				8			6	7
9	3							
							5	
1						4	8	
			7					
			6					
		6	5					
4						1		
				4		9		

No: 702

	5	4	3					
						7	8	
9	3				6			
			5	4				
8			1					
7			1					
						9	1	
								4

The Gigantic Sudoku Puzzle Book

Challenging

No: 703

No: 704

No: 705

No: 706

No: 707

No: 708

Challenging

No: 709

				9			7	1
5			4					
8					1	5		
				7	2			
					4			
	2		3			8		
4	9							
	7							

No: 710

	5		7	6				
								3
			5					
8			1		3			
	4				6			
						7		
9		1						
3				9				
						5	6	

No: 711

			1			6		
5		4						
						8		
4		5		8				
		7			9			
					1		6	
	1				7		3	
	3							
	9							

No: 712

3		4				5		
			8					
			7					
5						4	9	
	7		1					
6								
				3			6	
	1			5				
	8							7

No: 713

		6	5					
	1					6		
				8				3
	7		6					
						5	4	
				1		8		
			7			1		
8				9				
3								

No: 714

			3			7	4	
	6			5				
1								
				8		9		
	3							
		4						
8			7		9			
							1	3
5				2				

Challenging

No: 715

No: 716

No: 717

No: 718

No: 719

No: 720

Challenging

No: 721

			1	5				
		6				5		
	8	9						
			4	9				
7							4	
							3	
1	4		7					
						9		6
						2		

No: 722

	5			3				
		9				6		
1								7
	4	3	6					
		7		1				
							5	
		4				8	3	
7								
					9			

No: 723

		1	9				7	
	3	2			5			
	8				2	3		
1		7						
9			6		4			
5						1		
			3					

No: 724

	7		1					
					8		6	
					3			
		7	9		5			
8							4	
3								
	5				7			
	4	8						
	2	6						

No: 725

		4		3				
9	8							
1								
	6			3		4		
8		9						
			5					
7				1				
	4	5						
		6		8				

No: 726

		1	3					
8							6	
		6			4	8		
3	9							
1	7							
6		4						
				7	9			
	5	3						

No: 727

		3	6					
			5			1		
9						7	6	
				3				4
	8		2					
			4			3		
7					9			
5	1							

No: 728

	5	9	2					
					3	1		
3	1					8		
			9	7				
6								
			4	5			2	9
1								
						5		

No: 729

	9						4	
1							2	
			3					
			2	5	8			
3		7						
6								
	5		4		2			
			6			7		
						3		

No: 730

							1	3
	7		4					
			9		5			
1				6			8	
			7			5		
2								
6				1				
	4					9		
			8					

No: 731

6						3		
			9		5			
			1	8				
			6	2			7	
	9				1			
	5							
7			4					
		3		8				
			5					

No: 732

			5	3			9	
7		8				6		
1								
	4			8				7
	3		9					
			8	7				
						4	5	
6								

No: 733

		1					6	4
				7			8	
				3				
5						9		
			4				1	
3								
	8		6					
	7					3		
					8	5		

No: 734

6		3						
			1			5		
				3	4			9
5	1					7		
9				8			3	6
	8		7					
							4	

No: 735

				8	3		6	
							4	7
		8				1		
		4	6					
2		9						
7			9					
	4		7					
	5				3			

No: 736

	9		8		5			
	8	7						
						3		
		7				9		1
6					8			
3				2				
2				5				
				3				
			4					

No: 737

				5				6
		4			5			
	9		8					
3						9		
5			1					
			5					8
				9		7		
6					1			
			3					

No: 738

	8	7	9					
				3			1	6
				6			4	3
	9		8					
			2					
		5			7			
6					8			
3								

© 2012 www.buysudokubooks.com   132   The Gigantic Sudoku Puzzle Book

No: 739

	1				8			
	3			9				
			6		4			
			8	1				
				3			4	
5							7	
6		7	5					
						3		
4								

No: 740

			3				6	5
1					8			
9	1					8		
7				5				
			6				3	
	3						1	
		2	4					
							7	

No: 741

			9	4	5			
	3	6						
							1	3
9			1					
5			7					
	1		6		3			
						4	7	
		8						

No: 742

			3				6	
	4							
	9							
		1		4	5			
7							8	
6								
		6	7			4		
						2		9
3			8					

No: 743

		1			5	4		
3	9							
8					6			
		5	7	6				
							8	3
9				8				
			5		4			
	7							

No: 744

4	9						6	
			1		7			
			5					
8					4			
3								2
					7			
				5			9	
		1			5			
	7		2					

Challenging

No: 745

	9	8		5				
			6			3		
			3			7		1
9	4			8				
5								
		6	1		3			
							4	
							9	

No: 746

	6		4			5		
		9	7					
	8			5		1		
					9	6		
3								
			6	5			9	
4							3	7

No: 747

1				3				
		7					4	
8						1		3
		6	4		5			
	2							
3					7			
			6				5	
	4		9					

No: 748

							5	3
8							6	
			2					
				5			8	
	1					9		
	7					2		
			9			7		1
5				6				
		3						

No: 749

	5					9	3	
4			8			2		
	2				3			
			5			7		
9								4
7		6	4					
					3			
			7					

No: 750

	8				5			
9			3					
	5			4		8		
			7				3	
6	1							
				5		1		
3			9					
7								8

Blanks

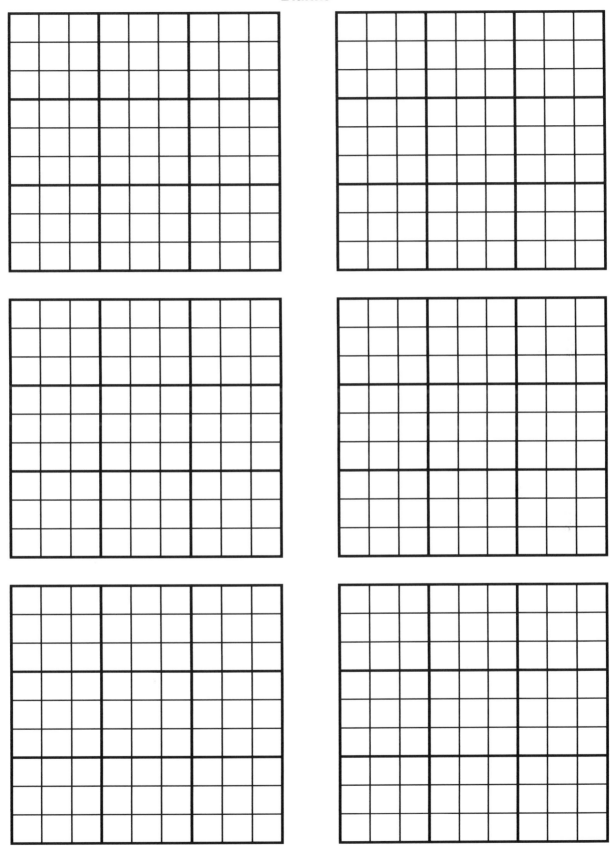

The Gigantic Sudoku Puzzle Book
1500 Puzzles

Sudoku Level

Tough

All puzzles are guaranteed to have only one solution

No: 751

```
. . . | . . . | . 8 3
. 9 . | 1 . . | . . .
. . . | . . . | . . .
------+-------+------
. . . | 3 5 1 | . . .
8 . . | 7 . . | . . .
. 6 . | . . . | 9 . .
------+-------+------
. . 6 | . . 4 | 9 . .
3 . 4 | . . . | . . .
7 . . | . . . | . . .
```

No: 752

```
. . . | . . . | . 7 8
. 8 . | . . . | . 9 .
. . 3 | . . . | . . .
------+-------+------
7 . 1 | . . . | . . .
5 . . | . . . | . 1 .
. . . | 4 . . | 6 . .
------+-------+------
. 4 2 | . . . | 3 . .
. . . | . . 7 | 1 . .
. . . | 9 . . | . . .
```

No: 753

```
. . . | 4 . . | 6 9 .
3 . . | . . . | . . .
. . . | . . . | 5 . .
------+-------+------
. . . | 5 . 1 | . . 8
. . 7 | 3 . . | . . .
. 4 . | . . . | 9 . .
------+-------+------
1 . . | . . . | . . 3
. 9 . | . . . | . 7 .
. . . | 8 . . | . . .
```

No: 754

```
. . . | . 2 . | 6 4 .
5 . . | . 9 . | . . .
. . . | . 7 1 | . . .
------+-------+------
9 . . | 3 . . | . . .
. . . | 1 . . | 5 . .
2 . . | . . . | . . .
------+-------+------
. . 1 | 6 . . | . . .
. 7 . | . . . | . . 9
. . . | . . . | 3 . .
```

No: 755

```
. . . | . . . | 8 3 .
1 . . | 7 . . | . . .
. . 5 | . . . | . . .
------+-------+------
. . 9 | . 8 4 | . . .
. . . | 3 . 6 | . . .
6 . . | . . 7 | . . .
------+-------+------
. 3 . | . . . | 4 . .
7 6 . | . . . | . . .
. . . | 5 . . | . . .
```

No: 756

```
. . 3 | . 8 . | . . .
. . 9 | . . . | 6 . .
. . . | . . . | . . .
------+-------+------
3 7 . | . 2 . | . . .
. . . | . . . | 1 5 .
. 6 . | . . . | 9 . .
------+-------+------
4 . . | 5 . . | . . 7
. . . | . . 9 | . 3 .
. . 6 | . . . | . . .
```

No: 757

						4		9
8		3						
			6				1	
			5		8			
	9				3			
	7							
5						3	2	
			1	9				
			7					

No: 758

						6		7
	5		1					
	3							
			3		1	9		
8						4		
		2	5					
4				7				
7				8				
							3	

No: 759

			3					8
4					7			
5			6					
	1						8	
9			4					
			5					
	3		8		2			
						5	9	
			1					

No: 760

				3		8		
	4					9		
			5					
7		3				5		
			4			1		
			9					
						6	3	7
2	8							
								5

No: 761

					1	5	6	
4			8					
7								
	6		9			1		
8			7					
	5			3				
						9		8
						7	4	

No: 762

							2	3
		7		4				
	9		1					
	8			6	3	9		
				2				
5								
			5			1	8	
2								
			7					

No: 763

				3				8
7	5							
1						4		
			7				5	2
		3					6	
4			1					
		9		8				
	7				5			

No: 764

						1		3
4			2					
						5		
	5			1				
				9			4	
6							8	
		7	8		4			
	3					9		
		6						

No: 765

		9				4		
			6			8		
	3							
4			5					
					1		3	
					6			
		3		1	7			
5		4						
9			7					

No: 766

					3		8	9
4			6					
	5						1	
	7			5				
				9				3
2						6		
			5			7		
		8						
		9						

No: 767

	8	1	5					
9								7
7		9		2				
			5		6	8		
3								
	4					1	5	
			3					
				9				

No: 768

					3		4	7
9				5				
8								
6			8			9		
			7		4		6	
			8			6		
	4		1					
	3							

Tough

No: 769

				9	6	5		8
		3		1				
					6			
1			3					
4							9	
				8				
			7				1	
	5	8						
	6							

No: 770

8					1			
							4	3
			7					
	3			9				7
			5			6		
	5	4						
1							5	
6						9		
			3					

No: 771

		9	5					
6							8	
							3	
			7			9		4
8	3			6				
1								
			4	9		2		
						5		
3								

No: 772

						5		7
3			6					
						4		
			8	6			3	
8	5							
			4					
	7				5	1		
				7	1			
9								

No: 773

	3		5					
		6			4			
			9			5	7	
	4		8					
6								
5	9				1			
		3		2	8			
7								

No: 774

			5			9		4
8	7							
						3		
5			4			8		
				2		6		
			3					
		6		7				
	3	4						
		9						

No: 775

	1		6					
						9		5
					3			
			9	3				
	5					7		
			8					
9		4			8			
		1				6		
3			7					

No: 776

3							8	
							1	7
	6	5						
			5	9				
1	8							
			4			6		
		9				4		
				1	8			
				3				

No: 777

			3	7		6		
				5			4	
9	2							
			4					8
		3						
								2
1	8				9			
						3	7	
4								

No: 778

			7				6	
	4							
	1							
9				1		3		
6		5						
				8				
7			6		9			
			5			8		
						1		4

No: 779

	5	1					6	
	9		7					
			8					
3			4			2		
				5			9	
8								
						4		3
2						8		
	6							

No: 780

						4		7
1			9					
3						8		
			6		4	9		
8							1	
			5					
	4			8				
	5	6						
			3					

No: 781

			3		4			
5		4						
7								
	2		9					
					7			8
					6	5		
	1				3	9		
6		5						
		7						

No: 782

							5	3
6					4			
			8					
			5	1		7		
8	4							
	6							
7						6		
		1	3					
			9			4		

No: 783

	9					7		
1				4				
				1				
		2			4		3	
	5	8						
9					1			
		3		7				
	4				2			
					5			

No: 784

			7				2	5
	3		4					
	1							
	8			6		9		
5							7	
				3				
				1		3		
7		5						
9								

No: 785

1			5			6		9
							2	
			9	3		8		
5					1			
7								
			1	4		5		
		8	6					
	3							

No: 786

						1		3
	8			5				
				9	2			
7				8			9	
1			7					
3								
	9						5	
				3		6		
				4				

The Gigantic Sudoku Puzzle Book

Tough

No: 787

No: 788

No: 789

No: 790

No: 791

No: 792

Tough

No: 793

8						1	4	
	9			3				
						5		
1			5					
4								9
						6		
	3	7						
			4			7		
	6		9					

No: 794

				3		5		
		9				4		
	7							
	8						7	9
					5		8	
			6	1				
3						6	1	
			7					
5								

No: 795

9			1			6		5
							2	
	5	3				8		
			9			1		
			7					
1	4					9		
6				8				
			3					

No: 796

			7			3		
	9	4						
	5							
				6		1	7	
				4		8		
					9			
1			8		7			
			5					9
3								

No: 797

		6	5			3		
7				1				
9	1	7						
						8		3
						6		
				5	6		7	
	3		8					
4								

No: 798

							2		3

2	3
4	7
9	

No: 798

							2	3
	4		7					
9								
	8			3	5			
5				1		9		
							6	
				4			8	
3				6				
1								

No: 799

	6	1	3			5		
				4	2		9	
7							4	
			6					
8								
	5		1			6		
4	2			9				

No: 800

							5	3
1	9							
								2
					5	9	6	
7						8		
				2				
			8	1		4		
	5		4					
		3						

No: 801

	1						8	9
		2		3				
	5							
6			4			3		
	9			8				
			7				9	
3		4						
2					5			

No: 802

1							4	7
				9				8
					3			
			6				5	
	9					3		
	8		4					
5		4				9		
6			7					

No: 803

							5	1
	6						9	
8								
3				9		8		7
			4	5				
					6			
	5	1						
		8			3			
		7						

No: 804

	1					8		2
3			5					
			7					
7							5	
9				1				
				8		3		
	8	2						
			4				9	
	6							

No: 805

9		5				8		
				6	3			
7							3	2
5			9					
							6	1
	3			2				
			5			7		
8								

No: 806

						5		8
	1			9				
			7		2			
9	4						1	
			2				3	
			5					
7						4		
		2				6		
			8					

No: 807

	1					4		8
3			5					
			7					
7						5		
9				1				
			8		3			
	8	4						
		2				9		
	6							

No: 808

			8			3		
	4			7				
	6							5
8				9		1	7	
5								
					4			
				5				4
7			1					
						9		

No: 809

					3		1	
	5	9						
	7							
			7			9		8
				6		5		
3				1				
6			8			4		
			9					
			5					

No: 810

						6	3	
7			1					
			9					
	4	3				8		
			5					9
				4				
1	9							
5				6				
				3		7		

No: 811

	4	3						
				1		7		
					6			
7			3			8		
					4		1	
1							9	
	6		5					4
8				9				

No: 812

	2	3						
				4		7		
					1			
7			3			8		
					2		4	
4							9	
	1		5					2
6				9				

No: 813

3							9	
			6				8	
			7					
			9		3	6		
4		5						
			8					
				5		7		4
	9					1		
	3							

No: 814

			6	1				5
	3						4	
				5				
			7			3	9	
1		2		8				
5								
			3			7		
6			4					

No: 815

1			7		3	9		
5			4					
	2	6			8			
			1	5				
7								4
	9			6				
			8			6		

No: 816

							7	3
		8		4				
6								
			6	1		5		
3	7					8		
9								
			7		3		9	
	5							
	4							

No: 817

			7	3				
	8					5		
			8	6		9		
2			9					
7								
1						3	7	
	6		4	8				
						2		

No: 818

			4				7	
		6				5		
	9		7					
		5				6		3
8			2					
4								
7	2						8	
				1				
			6					

No: 819

	1	4				7		
3			8					
			6					
6		2					8	
			4	5				
	5		7			4		
8			9					
								7

No: 820

	4					7		1
			5	3				
						2		
9			6			3		
	7		1					
6								
3		5				6		
		7						
8								

No: 821

9		3		6	7			
		4			8			
7			3	8				
						5	3	
			1					
			4	5				
1	8							
	7							

No: 822

						4		1
	9		2					
			6					
1		4			3			
		3				7		
5							6	
	7					6	8	
				1				
				3				

No: 823

.	.	3	8	.	.	.	6	9
.	1	.	.	5	.	.	.	.
.	.	.	.	.	.	.	.	.
.	.	.	7	.	5	1	.	.
9	.	.	4	.	.	.	.	.
.	.	.	.	.	.	.	.	8
5	7	.	.	.	.	1	.	.
.	.	.	9	.	3	.	.	.
.	.	.	.	.	.	.	.	.

No: 824

.	.	.	4	.	3	.	.	.
.	.	.	.	.	.	.	9	5
1	.	.	.	.	.	.	.	.
.	.	.	8	.	.	4	.	.
.	7	.	.	5	.	.	.	.
.	.	.	.	.	.	3	.	.
6	.	.	.	.	.	.	1	8
.	.	5	9	.	.	.	.	.
.	.	7	.	.	.	6	.	.

No: 825

.	.	.	.	.	.	6	.	3
4	.	.	5	.	.	.	.	.
.	.	.	4	.	.	.	.	.
.	4	.	.	.	.	.	8	.
.	9	.	.	6	.	.	.	.
.	.	.	.	7	.	.	.	.
.	.	.	8	.	.	5	9	.
7	.	3	.	.	.	.	.	.
6	.	.	.	.	.	1	.	.

No: 826

.	.	6	5	.	.	3	.	.
7	.	.	.	4	.	.	.	.
9	4	7	.	.	.	.	.	.
.	.	.	.	.	.	8	.	3
.	.	.	.	.	.	6	.	.
.	.	.	1	6	.	7	.	.
.	3	.	8	.	.	.	.	.
2	.	.	.	.	.	.	.	.
.	.	.	.	.	.	.	.	.

No: 827

.	.	.	3	6	.	.	.	.
.	.	.	.	7	1	.	.	.
9	.	.	.	.	.	5	.	.
.	3	.	6	5	.	.	.	.
.	.	.	.	.	.	8	.	9
.	.	7	.	.	.	.	.	.
1	.	.	9	.	.	.	.	.
.	.	.	.	.	8	4	.	.
.	.	.	.	.	.	.	7	.

No: 828

.	4	.	.	.	.	.	7	.
.	.	.	6	.	.	8	.	.
.	3	.	.	5	.	.	.	.
.	.	.	3	.	2	.	4	1
9	.	.	4	.	.	6	.	.
.	.	.	.	.	.	.	.	.
.	.	.	.	5	.	.	.	3
6	.	.	.	.	.	.	.	.
8	.	.	.	.	.	.	.	.

Tough

No: 829

				7		6		
						9	5	
3								
1	7							8
			9				3	
			5		2			
				4		1		
	9	2						
		5						

No: 830

							1	3
	6				8			
	4					6	5	
9			3	1				
			7					
2		1		7				
						5	4	
						8		

No: 831

				5	3			
	4							6
			8					
3		1	9				8	
			4	7				
5								
	9		6			1		
							5	
6								

No: 832

			8		4	5		
	7							1
			5			3		
7	6							
			3			9		
8								
5		3						
			1			6		
						7		

No: 833

						8		3
9			7					
			6					
	5			8	2			
1						7		
			3			9		
6			9			5		
		3		4				

No: 834

				9		3		
7	5							
2			7					
		9				5		8
		3	6					
4						7		
	9	6						
			2	4				

No: 835

				9	3			
7	4							
5								
6	3		4					
						2	8	
						9		
		7	5				1	
	9							4
8								

No: 836

				7	5			4
3		8					2	
				8			3	
6	5							
	4			9				
						5		7
			3		6			
						1		

No: 837

				9		7		
	5	6						
						3		
			6		7			
7					9			
			1				4	
						5	1	
8				3				
			4			6		

No: 838

	3	1	7		8			
	6							
							2	
9			6				5	
	7					4		
		3						
2				8				
5				9				
					3			

No: 839

						2	3	
9				1				
1			5					
4					9			
			3		6			
	3	2	8			6		
				9		1		
7								

No: 840

9			6			7		
	8			5				4
			8	3			5	
7						6		
1								
			7			1		
	4						3	
	3							

Tough

No: 841

			7			6		
	5		1					
						9	4	
	8						5	3
7			6					
4			5		3			
9					7			
			8					

No: 842

2		5					9	
			3	4				
				6				
	5				2		4	
	3					8		
			7					
7								3
9					4			
						6		

No: 843

			4			3		
	8	6						
	5							
1		7		3				
9			8		6			
		6		9	8			
7								4
		5						

No: 844

	1	8	3					
	6		7					9
				4		5		
3				9				
7						1		
						6		
	5		1					
						3		
9								

No: 845

						5	3	
	4						1	
			2	7				
9		3						
		7			4			
5								
	2				7	8		
			4		6			
				3				

No: 846

						2	3	
1			4					
7								
			8	3			5	
	8			9				
6						2		
			1			4		
		5			6			
	3							

© 2012 www.buysudokubooks.com

The Gigantic Sudoku Puzzle Book

Tough

No: 847

			6				9	
3							7	
4					5			
				3		4		2
1	9							
	8							
	6		8					
			9	7				
						3		

No: 848

				5	6			2
4						9		
3								
	5						7	6
			3				8	
			4	1		3		
8			2					
	6							

No: 849

	1		7	9				
			6			8		
		3						
4			8		6			
9							3	1
7					6			
	5			1				
	9							

No: 850

	6	1	5					
					2		3	
9	7							
4			3	8				
						1		2
					6			
8		2						
			9					
		1						

No: 851

						5	8
	9					4	
3							
		1			7		
			4	8			
6							
			9		3		6
	5		3		1		
		4					

No: 852

				3		6	
		1			5		
		9					
4					3	7	
			1	8			
				9			
7	6		5				
	3						1
					8		

Tough

No: 853

No: 854

No: 855

No: 856

No: 857

No: 858

Tough

No: 859

.	.	.	.	.	.	4	.	3
9	.	.	3	.	.	.	.	.
5	.	.	8	.	.	.	.	.
.	3	.	.	4	.	.	.	.
.	.	.	.	6	.	7	.	.
.	.	.	.	.	.	.	8	.
.	.	.	9	.	5	.	1	.
.	4	7	.	.	.	6	.	.
.	.	.	.	.	.	.	.	.

No: 860

.	.	.	.	5	.	.	4	.
7	2	.	.	.	.	.	.	.
.	.	.	.	.	.	.	3	.
.	9	.	.	.	.	.	5	.
.	.	.	1	.	.	6	.	.
3	.	.	7	.	.	.	.	.
.	.	.	8	.	.	7	.	1
.	.	.	.	9	.	2	.	.
.	.	3	.	.	.	.	.	.

No: 861

.	.	.	.	.	.	.	7	3
2	.	.	.	9	.	.	.	.
4	.	.	.	1	.	.	.	.
.	7	1	6	.	.	.	.	.
.	.	.	.	.	.	2	5	.
.	.	.	.	.	.	.	.	.
.	8	.	7	.	.	.	.	.
5	.	.	.	.	.	9	.	.
.	.	.	3	.	8	.	.	.

No: 862

9	.	.	.	.	.	.	2	.
.	3	.	8	.	.	.	.	.
.	.	.	.	.	.	.	.	.
.	.	4	6	.	8	1	.	.
.	.	.	5	.	.	3	.	.
2	.	.	.	.	.	.	.	.
.	.	.	.	.	.	.	4	3
.	.	.	.	7	9	.	.	.
5	.	.	.	2	.	.	.	.

No: 863

.	.	.	.	9	.	2	.	.
.	5	6	.	.	.	.	.	.
.	.	.	.	.	.	3	.	.
.	.	.	6	.	7	.	.	.
2	.	.	.	.	.	9	.	.
.	.	.	1	.	.	.	4	.
.	.	.	.	.	.	.	5	1
8	.	.	.	3	.	.	.	.
.	.	.	4	.	.	.	6	.

No: 864

7	.	.	5	.	.	8	9	.
.	5	1	3	.	.	.	.	.
.	.	.	.	.	.	6	.	.
.	.	.	.	.	.	.	4	3
8	.	.	.	.	6	.	.	.
.	.	.	.	9	.	.	.	.
9	.	.	.	.	.	1	.	.
.	.	.	4	.	.	.	.	.
.	3	.	.	.	.	.	.	.

No: 865

		7	8	4				
					3			
				7				
5			1		6			
	3						4	7
							2	
1	5					6		
			9					
3								

No: 866

							8	3
9			7					
			9		6	7		
	8		5					
	1							
				1	8		5	
6		4				9		
				3				

No: 867

	8			9	7			
6					3			5
			5	8			7	
5			9					
							4	
			3			6		
	9	7						
					1			

No: 868

				5		6		
8						5		
		3						
	7					1		
6			9					
			3		4			
			8				4	9
	5			7				
							3	

No: 869

			4				5	1
	7			6				
			8			9	7	
1		3	2					
					6			
2			3		1			
						7		
	9							

No: 870

			1					3
5		4						
7								
					6	7	5	
	3			9				
							8	
8			7					
	9		8					
	6						4	

No: 871

			3				7	
4	9							
6								
9						6	8	
			7	5				
				3		9		
	8	3						
					4	1		
			6					

No: 872

					8		2	3
7	9		6					
5								
9			7			6		
				1			8	
	3			4				
			5			7		
	8							

No: 873

	8	6						9
			2			3		
			7					
			8		1	7		
4			6					
3								
			5			4		
	9		3					
						6		

No: 874

							5	3
		9		7				
	2							
1			5					
					4	7		
3								
	8					4	9	
5			6	3				
			1					

No: 875

8			5					
						4	9	
			4				2	8
		6	2					
	3							
			6			7		1
4					9			
			3		6			

No: 876

					9	3		
	8						1	
	7						6	
				1			7	
			4			5		
9								
5							3	4
		6	8					
						9		

No: 877

		6				3		
4			1					
	3	9		5				
			2			7		
1								
				3	9		8	
2	1					4		
7								

No: 878

	9			1				
						4		
						8		
	6		7					
3					8			
							9	5
			5				1	6
8		4	3					
	7							

No: 879

1			9	7				
				8				
								6
5						9	4	
9			8	6				
				3				
	6					7		
			5				9	
	3							

No: 880

						3		8
		7	6					
			2		7			
5							2	
			1			4		
			3					
1	3					8		
			7				9	
	4							

No: 881

4			3	7				
						9	5	
			2		5		6	
7					8			
				9	4		3	
	5	6		1				
	2							

No: 882

				4		6		
	3							7
	1	8						
							9	1
6				7				
						8	3	
			1				5	
5						4		
			3					

Tough

No: 883

	3		8					
					5		7	
							6	9
7			1					
6		9						
			3			4		
5				6				
						1		5
					8			

No: 884

			1			5		
	6							
3								
	9						8	3
		1	4					
					5			
8				3	6			
						4	7	
				9		1		

No: 885

		3	2					
								1
								6
1	7							
			5			2		
		8			9			
	4				5	8		
7			6	1				
				3				

No: 886

							8	7
9					6			
					3			
	5		8		1			
							4	6
			7					
6		9						3
			5			1		
3								

No: 887

	6	4			9			
			1		3			
			5					
				6		8	7	
			8			1		
3								
1	7							
					4	5		
			9					

No: 888

5				8				
	7				3			
		4	3	7				
8				9			6	
				3		4	1	
9			8				5	
6								

The Gigantic Sudoku Puzzle Book   159   © 2012 www.buysudokubooks.com

Tough

No: 889

						7		9
4			5					
8								
	6	1		7				
							5	
	7							
5			3				4	
				9		2		
		3			6			

No: 890

				5	3			
	8						9	
							2	
			7			4		
5						3		
	9		6					
1						5		
		2	9					
			8					6

No: 891

			1			4	8	
9	5							
7			9		5			
		8					2	
			3					
		6				7		9
		4		8				
	1							

No: 892

		9				6		5
	8			1				
			3					
3							5	1
			9				8	
4			6					
1					7			
	5							
			2					

No: 893

8	9		4					
			3					5
					1			
	8				3	4		
			7	5				
5						9	7	
			3	1				
		2						

No: 894

			7	3				
9					1			
3								
	7	6				2		
		9			4			
		1	6		5		7	
2		3						
	8							

No: 895

6			7					
			6			5		
						3		
			8	4			7	
9	3							
	1							
	5			3				
			1					2
7						6		

No: 896

			2	3		4		
9		5						
6								
	4					1		3
			6		5			
						8		
5							6	
			8	1				
							7	

No: 897

	6		3					
8						1		
						7		
7						8	3	
			9					5
			6		4			
	9	5					6	
			7					
			1					

No: 898

			4	9		3		
1		5				6		
			1	5		8		
7	3							
	6							
9							4	1
	4		3					

No: 899

			7	3				
9	1							
4								
	7		6		9			
			9		8			
		2						
8			1					
						7	5	
		6				2		

No: 900

1							3	
			4		5			
7			8					
	9	4				5		
	8		6					
				7				
3				1				
						8		6
						4		

Tough

No: 901

No: 902

No: 903

No: 904

No: 905

No: 906

Tough

No: 907

				7	9			
8	6							
3								
	7		3	6				
					4	8		
			5					
5						3	6	
		4		9				
		1						

No: 908

4	1			2				
						5	8	
			9					
2						3	7	
			5					
3								
	5	8						1
				3		4		
				7				

No: 909

	9		8					
	5					9		
			3					
			7	5	6			
8	4							
				3				
				9		7		
6			4					
3			2					

No: 910

	3		8					
			1			4		
								2
1			7		9			
7					8		3	
6		7				9		
			3		5			
			2					

No: 911

		7		8				
4							5	
7								
			7			3	9	
	6		1					
					4			
	8		5	6				
		3	4					
			2					

No: 912

		7		8				
4							5	
7								
		7			3	9		
	2		1				4	
	8		5	6				
		3	4					
			2					

The Gigantic Sudoku Puzzle Book

163

© 2012 www.buysudokubooks.com

Tough

No: 913

No: 914

No: 915

No: 916

No: 917

No: 918

No: 919

			8		9			
7						3		
								5
	7		9					
5						6		
3						1		
		6	1	3				
	8	9				4		

No: 920

			7			6		9
	3			5				
						8		
1							3	
			8	9				
8	6		7					
			1				4	5
	9							

No: 921

	1		4					
	9							1
			8					
		6			7			
8							4	
		3						
5						8	3	
			9					5
			1	7				

No: 922

						8	6	
3					2			
9			4					
	8	7					1	
	6		2					
	3							
	1			8				
2					5			
							3	

No: 923

			6		7		9	
	5	3						
					2			
						5	1	
8			2					
9						4		
7	8							
			3		5			
			1					

No: 924

				3		1	9	
		7	8					
6								
5								7
					6		3	
4				1				
	3		9					
					7	4		
		5						

Tough

No: 925

No: 926

No: 927

No: 928

No: 929

No: 930

No: 931

				5	3			
	9					7		
			7	1			8	
5		3					9	
6								
8					6		5	
	2		4					
			9					

No: 932

3			4					
		6	7					
						1		5
				2	8			
						9	6	
				5				
9	1		6					
							5	8
7								

No: 933

	9		3				8	5
6		4		1				
			8		5		3	
1					7			
	8		9					
				7		1		
						6		

No: 934

				5		1		
	3		6					
					7			
			3				4	5
7								
8								
		5	6				3	
			9		7	8		
			1					

No: 935

3				8				
8							6	
			5					
			3		1			
						5		4
			6		9			
			8	6			7	
		5					1	
	9							

No: 936

	1					7		8
		6		9				
				3				
	2			1	6			
				2			9	
3								
4				8			5	
9								
							1	

Tough

No: 937

9				4	7			
3							6	
		8				1		7
	6		5					
	2							
			6	8			5	
5						7		
			3					

No: 938

	3						6	
				4			7	
				1				2
						4	3	
2			9					
8						1		
			6		5			
1						8		
			3					

No: 939

8							6	1
				4			5	
				9				
6		4		5				
					7			
5								
	7		8			9		
	3	9						
			1					

No: 940

				6		5	1	
3	9							
	7							
			6	7				
		1				8		
								3
8			3		9			
9				4				
							5	

No: 941

	4				3			
			5					
			6					
6						8	5	
			2	9				
	1		7					
			9		7	4		
1		5						
			3					

No: 942

			6				9	8
3				8				
1		7						
5								4
			7		3			
							8	
	4		2					
	9					3		
						1		

No: 943

	5			1			4	3
		6	8					
3	1						5	
			7			8		
8		7				6		
				5	3			
9								

No: 944

1					5			9
				7		8		
						4		
		8				6	7	
3				4				
		7		8	6			
							1	3
				2				

No: 945

					6		8	
	1					7		
		4	3					
5				8	9			
						4		3
						1		
8	9						6	
				7				
		4						

No: 946

1					4	7		
	3						8	
			9					
7			3				6	
4			5					
		6						
5						1		4
	6		8					

No: 947

			3			6		
1	4							
					2			
						3	9	
	5		8					
			7		2			
3							4	
			1		7			
9		6						

No: 948

						7	1	
4			5					
						3		
3				9				6
					1	8		
				7				
	7	1	3					
		8						4
					9			

Tough

No: 949

6	2					8		
		3						
9								
			7		6		3	
						1		9
8				5				
		3				4	7	
				9				
			6					

No: 950

							2	3
	4		6					
			5					
			1			7	4	
8			9					
3								
	5			8		4		
			3	2				
9								

No: 951

				8	3			
4	7							
		8	1			7		
5				9				
		3						
	1		4	7				
			6			5		2
				9				

No: 952

						4		6
				1		3		
			9					
7				3				
	6						9	
				8				5
			6			7		
	9		5					
3							8	

No: 953

			9	5			6	
		3					1	
	8			7				
		4				8		
9					5			
7		6						
5					7			
		3						
	2							

No: 954

			1				9	
			8			6		
		3						
5				3	7			
				5				
							4	
					6	7		3
	1					5		
8	4							

No: 955

7		4						5
			9	6				
						3		
				4	6			
8	9							
3			5					
			3			1		
	5					9		
			8					

No: 956

		6			9		5	
			3			7		
1								
5			4	3				
						9	7	
								6
	3					8		1
				7				
			6					

No: 957

						1	5	
9				7				
			6					
6		2	4					
					3			
8								
	5	1					2	
	3			1				
			8					7

No: 958

5					6			
								7
						9		
8	2						4	
			3			6		
			9					
	6	3	4					
		7				5	8	
				1				

No: 959

					3		1	
	5							
	6							
9						3		
	8			6				
			5					9
3		7			8			
			4	9		5		
1								

No: 960

	5	6		3				
						8	4	
4	8			7				
1						3		
								5
			1	6				2
8				7				
			3					

Tough

No: 961

```
. . . | 5 . 8 | . . .
. 3 6 | . . . | . . .
. 4 . | . . . | . . .
------+-------+------
6 . 3 | . . . | . . .
5 . . | . . . | 7 . .
. . 9 | 4 . . | . . .
------+-------+------
8 6 . | . . . | 9 . .
. . . | . . . | 3 4 .
. . . | . . . | . 1 .
```

No: 962

```
. . . | 4 . 5 | 7 . .
6 . 9 | . . . | . . .
. . . | . . . | . . .
------+-------+------
. . . | 3 . 6 | . . 2
9 . . | . 7 . | . . .
1 5 . | . . . | . . .
------+-------+------
. . . | 8 . 1 | 9 . .
. 7 . | . . . | . . .
. . 6 | . . . | . . .
```

No: 963

```
. . . | . . . | 7 3 .
. 9 . | 8 . . | . . .
1 . . | . . . | . . .
------+-------+------
3 . . | 4 7 . | . . .
. . . | . . 6 | 8 . .
. . . | . . . | . . .
------+-------+------
. . 6 | 3 . 9 | . . .
5 7 . | . . . | . . .
. . 8 | 1 . . | . . .
```

No: 964

```
. . . | . . . | 1 6 .
. 6 . | 7 . . | . . .
. . . | . . . | . 8 .
------+-------+------
. . . | 4 6 . | 9 . .
8 . 3 | . . . | . . .
1 . . | 2 . . | . . .
------+-------+------
. 5 . | . . 8 | . . .
2 . . | . . . | 7 . .
. . . | . 3 . | . . .
```

No: 965

```
. . . | 4 9 7 | . . .
8 2 . | . . . | . . .
. . . | . . . | . . .
------+-------+------
. . 5 | . . . | 6 8 .
1 . 7 | . . . | . . .
. 3 . | . . . | . . .
------+-------+------
5 . . | 8 3 . | 1 . .
. . 2 | . . . | . . .
. . 9 | . . . | . . .
```

No: 966

```
7 8 . | . . . | . . .
5 . . | . 6 . | . . .
. . 4 | . 9 . | . . .
------+-------+------
. . 9 | . . . | . 8 .
. . . | 1 . . | 7 . .
. 6 . | 3 . . | . . .
------+-------+------
. . 1 | . . 7 | 3 . .
. . . | . 5 . | . . .
. . . | . 8 . | . . .
```

The Gigantic Sudoku Puzzle Book

Tough

No: 967

							7	3
	5		9					
1								
3				4	7			
						8	9	
			8	6		5		
7	2							
		9	1					

No: 968

			9		1			
			7			5		
		3						
5	1		6					
	9							8
				4			3	
9						7	1	
						6		
				8				

No: 969

						6	5
	7			9			
					3		
	9					7	3
			5	1			
			8			9	
8		5	6				
						1	
4							

No: 970

		4		9			
				1		7	
	6					8	
7	8		3				
9				5			
		5	6			1	
1						9	
			8				

No: 971

						6	3
1			7				
	6		8	5			
	3				7		
			9				
		3		1		5	
7		4					
9			5				

No: 972

7		1		3			
						4	5
3						6	
	4			7			
		1					2
	5		9	6			
		8					3
				7			

Tough

No: 973

```
. . . | 4 . 5 | . 2 .
6 7 . | . . . | . . 8
. . . | . . . | . . .
------+-------+------
8 . . | 3 . . | . . .
. . 9 | . . . | 6 . .
. 2 . | . . . | . 7 .
------+-------+------
. . . | 7 . 2 | 4 . .
3 . . | . . . | . . .
. . . | 1 . . | . . .
```

No: 974

```
. . . | . . . | 5 . 6
4 . . | 8 . . | . . .
. . . | . . . | 3 . .
------+-------+------
9 . . | . . . | . 4 .
. . . | . 5 . | . 7 .
. . . | . . 3 | . . .
------+-------+------
. . 5 | . 6 . | 7 . .
. 8 . | 4 . . | . . .
. . . | 9 . . | . 1 .
```

No: 975

```
. 9 4 | . . . | 5 . .
. . . | . . 3 | . . .
. . 1 | . . . | . . .
------+-------+------
. . . | 4 5 . | 7 . .
. . . | . . . | . . 8
. . . | . . . | 3 . .
------+-------+------
3 8 . | . 6 . | . . .
. . . | 7 . . | 1 9 .
2 . . | . . . | . . .
```

No: 976

```
. . . | . 7 3 | . . .
9 . . | . . . | 2 . .
4 . . | . . . | . . .
------+-------+------
. 3 6 | . . . | . . 9
. . . | 1 . . | 4 . .
. . . | . . . | . . .
------+-------+------
1 5 . | 9 . . | . . .
. . . | 8 . . | . 3 6
. . . | . . . | 7 . .
```

No: 977

```
. . . | . 9 8 | . 3 .
. 1 . | . 7 . | . . .
. . . | . . . | . . 5
------+-------+------
8 . . | 5 3 . | . . .
. . . | . . 9 | 2 . .
. . . | 4 . . | . . .
------+-------+------
. 6 . | . . . | 1 7 .
3 . . | 8 . . | . . .
. . . | . . . | . . .
```

No: 978

```
. . . | 8 . . | 9 . .
6 7 . | . . . | . . .
5 . . | . . . | . . .
------+-------+------
3 . . | 4 . 5 | . . 1
. . . | . . . | 8 6 .
. . . | . 1 . | . . .
------+-------+------
. 8 9 | 7 . . | . . .
. . . | . . . | . 5 3
. . . | . . . | . . .
```

The Gigantic Sudoku Puzzle Book

Tough

No: 979

1		3			2			
			4		7	6		
			5					
							5	4
3				1				
2								
						1	9	
	4		6					
	7							

No: 980

			6					9
	5		7					
	4							
	8						5	
						2	4	
3								
				4	8	7		
6								1
9			5					

No: 981

4							6	
			3				9	
			7					
			9		3	8		
1		5						
			6					
				1		7		4
	9					5		
	3							

No: 982

9			3	8				
							4	1
7	1							
			2			3		
		5	7					
		3				9		
				5	4			
6				1				

No: 983

	8	3	6					
							4	9
					5			
			3	5		8		
4						1		
	6					3		5
7				4	1			

No: 984

							4	3
7	8							
	6		1					
			8			6	1	
		9	7					
3								
5						2		
				9	4			
			3					

No: 985

	8						7	3
			9	1				
					6			
	3		8			5		
6				7				
		6				1	4	
7			3		2			

No: 986

						8	7	
6			5					
5							9	
	7			9				
			8			6		
	3							
8						1		
			3	7				
			9		4			

No: 987

	4		3			9		
			5		2			
	9			8				
7								2
			6			5		
		1		7		8		
			9			4		
2								

No: 988

5		8		7				
						4		3
9								
	1		4				8	
						9	5	
	3		6					
7				5				
	6					1		

No: 989

				4	3	1		
	7	6						
		7	5					
9						4		
			6			8		
			9		7		6	
1	8							
				5				

No: 990

			9			8		
8						7		
	6		5					
3				7	4			
	1					5		
			8					
			6			1		9
4								
						6		

The Gigantic Sudoku Puzzle Book

No: 991

				2	9	5		
8	3							
6		5			4			
			1			2		
						3		
			8				7	
			6					4
9				3				

No: 992

4	5				8			
							9	1
1	7					4		
				9	3			
			6					
			7	1		5		
8			9					
		3						

No: 993

			9		7			
	4		5					
					3			
7					8			
3			1					
						2		
9			3		8			
			7				4	
	6					5		

No: 994

6		1				5		
	8			3				
7			5		8			
	4					3		9
			1					
			6			4		
		5					8	
9								

No: 995

		6	9					
7							1	
					3			
			3			9		6
4	5							
					8			
	8	9	6					
				1			4	7

No: 996

		4				5		
			7				1	
	8		9					
1							9	
					5			
					3			
	6					3		5
7			1	8				
						4		

No: 997

8						6		
				3			5	
3			9					
	5		1			8		
						4		7
		9						
7			8		4			
						3		
			2					

No: 998

4								3
9			6					
			5					
	6						5	
3				4				
						6		
	8	4					1	
	3			7				
			9			2		

No: 999

							7	3
	1		5					
			9		4			
3			6			8		
	5				9			
			7					
7			8					
			1		4			
6								

No: 1000

	7	2	9					
			3				1	
5			4		7			
						9		2
			1					
1	4					5		
			2		6			
8								

No: 1001

						9		7
					3			
		8						
						5	8	
7			1					
9			6					
			9	2		8		
	3						5	
6				4				

No: 1002

				7		8		
6								3
						5		
5			3			1		
9			6					
				9				
	4	7					9	
	8		1					
			5					

Blanks

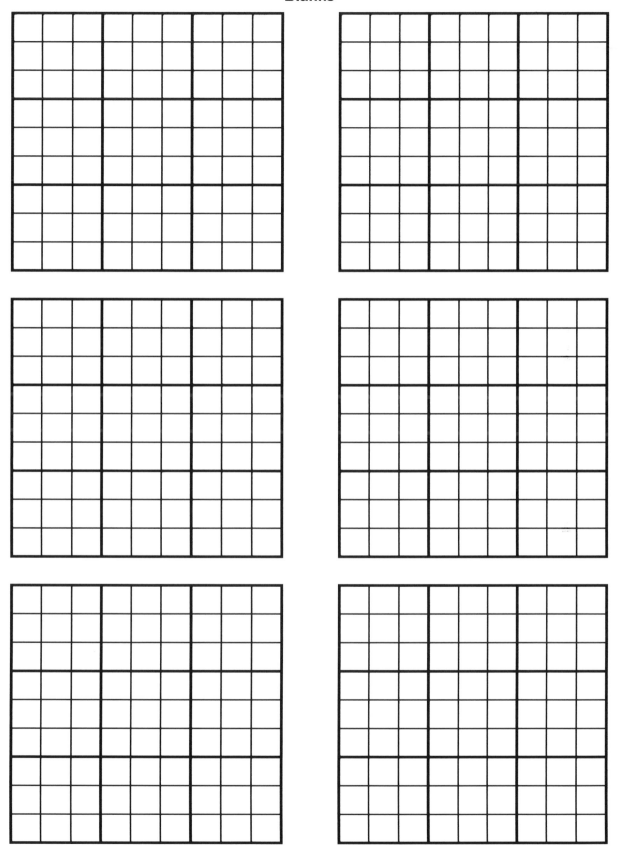

The Gigantic Sudoku Puzzle Book
1500 Puzzles

Sudoku Level

Nail Biting

All puzzles are guaranteed to have only one solution

Nail Biting

No: 1003

			3				7	
6	9							
1								
9						6	8	
			7	5				
				3		9		
	8	3						
					1	4		
			6					

No: 1004

9					1	4		
7				6		2		
			5				7	8
4								
						3		
		5			6			
	8		4					
	3		8					

No: 1005

			9		7		1	
3		6				4		
2								
			5				8	
4				3				
	8	5	1					
	9			6				
					3			

No: 1006

				1	6	5		
				9		7		
3								
	7	5						
			4				8	
		9						
	1					9		5
4			8					
			3					

No: 1007

	3	2	7					
						9	5	
	8				1			
1					6			
			3					
9		4	1					
5							2	
			4			3		

No: 1008

8				3	4		9	
	1							2
				5				
		2	7					
	6				8			
			9					
9			1					
4				5				
			6					

Nail Biting

No: 1009

							2	3
9			5					
			7	3	2			
7						4	8	
			6					
	2						6	
			9			1		
5						9		

No: 1010

	4	8	3					
					1	7		2
	5					9	8	
2				6				
							3	
		9	4					
			8		5			
7								

No: 1011

	5		9					
			4					8
		3						
						6	5	
8				1				
4								
7			8		6			
				3		5		
	9						1	

No: 1012

			9			5		
5						7		
	8	4						
	9		7		5			
							1	3
			6					
				8			4	
6			3					
7								

No: 1013

4			9					
						6	3	
							5	
	5						8	
	3	6						
			1					7
1					9			
7		2						
		5			4			

No: 1014

1				3				
						6		2
						4		
9							1	
				6			8	
		6		4				
				7	9			
		3				5		
8				1				

Nail Biting

No: 1015

			7	5	8			
		1					9	
	3							
			9		1	3		
7								
			2					
				8		5		
4			6					
5							1	

No: 1016

							8	9
	1							
	6							
				7		6	2	
8				3				
9								5
5			4		8			
			5			3		
			9					

No: 1017

5				7			9	
3	8							
			1					7
9				5	3			
						6		
						1		
	4		6					
	6		8					
							5	

No: 1018

		3	5					
	1						7	
								2
	8		6		1	5		
7	3							
		9						
4					9	6		
2			7					

No: 1019

6	8		5				9	
7							3	
3	7					1		
			9			4		
		9	6	3				
				1		7		
	4							

No: 1020

				9		8	3	
	5	1						
9			8	7				
							4	5
					3			
			5		4			6
			1			7		
3								

Nail Biting

No: 1021

			5			3	7	
6		8						
4					6	1		
			7	3				
		5						
		6		4	1			
	8				9			
	3							

No: 1022

3	6							4
8					1			9
		2						
			3		1			
	5	2						
	7							
		5			3	7		
						5		
4								

No: 1023

9			4			8		
3			2					
	8	1	5			7		
	5			6				
		3						
7				4		2		
		1						
			3					

No: 1024

				1	9			
		4			8			
	3							
2	5						9	
		6		3				
		7						
5				3	6			
	4		8					
				7				

No: 1025

			3	8	2			
	7	9						
6	5		8					
			1	9				
	7				4			
		4	9					
3				6				
		7						

No: 1026

	6		1	5		8		
	2							
4								
3		1			9			
9					5			
					2			
		7				9		
		8	2					
					3			

Nail Biting

				4		6		
1			8					
						2		
			7		9		1	
		6				5		
	3							
9							8	7
				2	6			
			1					

No: 1028

2				5	8			
1							4	
3								
							2	8
			7					
					5			
	4		1	2				
	7					8		
	9		4					

No: 1029

			2		5			1
		3	6					
4								8
			1			5	2	
9								
8								
				9		7		
	2						6	
				4				

No: 1030

6						2		
			9	8				
				7	4			
5			3			1		
	4						7	
			6			3		1
	8	7			9			

No: 1031

			9		8			7
	5						4	
			3		1			
7		9						
6								
	1				3	5		
			7	4				
			6					1

No: 1032

7						6	5	
				4	9			
	1						4	2
	3							
			6					
6			5			7		
			3					9
8		5						

Nail Biting

No: 1033

						1		6
4			2					
3								
			8	7	6			
						5	9	
				1				
	1	5		9				
							4	8
	6							

No: 1034

			3			8		5
9	2							
						4		
2	7						6	
			8			1		
			2	9		7		
			6			9		
		3						

No: 1035

							4	9
		8	3					
			5					
9					7			
5				4				
		6				1		
		7			9		5	
	1	6						
					3			

No: 1036

						4		3
6			7					
			1		8			
			6				7	
	3					5		
	4							
7							1	
	5			4				
8				9				

No: 1037

			6	1		7		
5								3
	1		9					
	4		8				9	
				5				
7								
				8		4	1	
3		7						

No: 1038

			3	9				
8							1	
			5					
			2			5		3
7				6				
			1					
4	3	5						
						9	7	
	2							

No: 1039

7								3
			8	9				
				6				
						6	8	
	3		7					
4								
			5	4			1	
	6	9				8		
		2						

No: 1040

	1			8	7			
		9				4		
6		3	4					
			2					1
8						7		
	5		9			2		
			3					
7								

No: 1041

	5	9						
				3		4		
			7					
	8					9		5
3	4							
			1			8		
1						7		
6			8					
			5					

No: 1042

						9		3
1			7					
			4		6			
			1				7	
	9					5		
	3							
7							4	
	8			3				
6				5				

No: 1043

2			7					
				8			6	
			3			9	4	
1	6				9			
8								
	3	4		6				
			5			2		
						7		

No: 1044

			7			4		
1			6					
2								
		3	4		1			
	4					5		
			2			7		
			5	3				
9							1	
				6				

Nail Biting

No: 1045

9	3							
				5				1
					7			
		1	6				3	8
		4		9				
6						4	9	
		5	7					
				1				

No: 1046

					1	7		6	
	8	3						
	5		8			3		
						5	9	
7				4				
1		7						4
			3					
		5						

No: 1047

	5				1	7	
			3				
				4			
9	8		1				
				6	2	3	
3		2					9
		5		1			
8							

No: 1048

				5		6	8
2						4	
	3						
		1	2		7		
	8						
	6						
4	6			8			
1					2		
		3					

No: 1049

			7	3			9
8	1	6					
		8		6	5		
7			4				
				1			
	5	6					
3						7	
				3			

No: 1050

			8	3			
	5				4		
			7				
8		3	9			1	
			1		5		
7							
6				8			
	7	4					
		5					

Nail Biting

No: 1051

			1			7		
	5			2				
	2			4	5			
			9		6			
3								
6			8				5	
							2	4
1			3					

No: 1052

	3			4				
				7		6		
						8		
5							4	
6		8						
							3	
9			8			5		
	1		9					
			5		6			

No: 1053

5			6	8				9
							3	4
	9		3		4			
8						1	5	
	6	3						
				5		7		
				1				

No: 1054

						8	3	
		1	4					
	7							
5								9
8			3					
		9				7		
6				8		3		
			5					1
	9							

No: 1055

				1	4	6		
			6		7			
	3							
1		7			8			
		5	9					
								9
6					5	3		
			8	7				

No: 1056

6								7
	1		5					
					4			
				9	6	8		
		5				1		
	3		7					
7		4						
9							6	
			3					

Nail Biting

No: 1057

		3					1	
			7			6		
			6					
6	7		5					
				3			9	
5								
8	5					7		
				1	9			4

No: 1058

		9						1	
				3			7		
					1	2		9	
3						8			
7								6	
5	2	6							
			4	9	1				

No: 1059

9	5			1				
			3					
4								
5		6			8			
		7				3		
		4			1			
	3			7				
	1	8						
			4					

No: 1060

		7				3	8	
9		1						
6					5			
7				2				
		8	9					
		6						
8		5						
		4		9				
3								

No: 1061

6		3			4			
	9	7						
1				9				
	7	5						
			8					
3	4				5			
		8	7					
5		9						

No: 1062

					3	1		
6		7						
3	8	5						
	4		7					
	1							
9	5		3	8				
7			6					
	1							

Nail Biting

No: 1063

	9						5	
					1		7	
			7					
8	6		9			3		
				1				4
			5					
7		1			8			
			3			9		

No: 1064

						5		7
8	2							
		9						
			4		3		2	
			1			3		
7								
	3						1	
		5		7				
			2	9				

No: 1065

8							3	
			5	4				
			1					
			6		4			7
3		8	9					
1								
	4	6			5			
	9		3					

No: 1066

				7	3			9
8	1	6						
			8			5	6	
7				4				
							1	
	5		1					
9								7
			3					

No: 1067

		5						9
							5	8
	6							
				7	3			
5		1						
9								
	4		8		6			
			9	3				
						7	1	

No: 1068

		3				6		
			9		3			
			7					
9	4							7
7			5	1				
			3					
			6			1	8	
	9			4				

Nail Biting

No: 1069

						8	3	
9			5					
7								
			1	3			6	
4					9			
	8							
	3			4				
		6					5	
			7			4		

No: 1070

9		3		8				
						6	5	
7			8					
	5					1		
			3					9
					1		4	3
	6		5					
3								

No: 1071

				3			6	
7					8			
1								
			7		4	5		
9	3							
	6							
			8			7		
8			5					
	9						3	

No: 1072

			4				9	
	5				2			
6	1							
			9		5			
1						3		
			2					
8				6		7		
		9						2
				3				

No: 1073

						4		7
		6			3			
4								
	3			6				
		1				2		
		9						
			5	4	8			
	2					5		
9			2					

No: 1074

8	9		7			6		
1						7		
3				1				5
	5				4			
		8						
	7	5	4					
							3	1

No: 1075

							7	3
		6	4					
							1	
	1			7	3			
	7				9			
				8				
8			9	5		6		
3								
			6					

No: 1076

					6		1	7
	4	5	3					
4				7				
	9					5		
				4		3		
7							6	
			9	5				
		8						

No: 1077

			3		8			
	9						4	
			2					
6			9				5	
					7			
		3						
4	7		1					
			5			3		6
					2			

No: 1078

9			7				6	
				4		3		
								2
4	8						9	
				3	1			
	3	1				5		
			9		6			
			8					

No: 1079

				3		5		
	8						4	
9							6	
						7		3
	1		8					
						9		
		5						6
			9				1	
3					7			

No: 1080

	3				9			
				5			8	
						1		
			1	9				
4							6	
			3					
8		4	7					
5								9
						3		6

No: 1081

		4		8				
	5				2			
		3						
1	9							4
			5			3		
				2				
	6		9		5			
7			4					
8								

No: 1082

				3			8	9
	4	5						
1			6			5		
9		3						
					7	2		
	7					4		
			9	8				
			3					

No: 1083

				9		7		
8								1
	5							
1			5					
					2	4		
					9			
			8				5	3
		9		1				
		6	7					

No: 1084

6				7			8	
							7	
			5					
		6				3		
				9	7			
				2	8			
		2		1		5		
9	7							
8								

No: 1085

		4	8					
6						5		
							1	9
1	3							
			5			4		
			7			8		
				3	1			
				9				3
7								

No: 1086

	9			7				
		2					5	
		3				1		
			4			6	1	
7			9					
5					1			
2								9
				3		2		

The Gigantic Sudoku Puzzle Book

No: 1087

				4		5		
		7				4		
	3							
		1			3		6	
4						9		
			7					
5			8					3
	9			5				
							1	

No: 1088

							9	3
6								
			4					
8			6			7		
	9						1	
			5					
				1	3	6		
		7				5		
	1			9				

No: 1089

	2	8		5				
			3				1	
	5							
1			6		3		7	
9								
						2		
4			7					
						5		8
								1

No: 1090

3			7					
	9							8
					9			
					6	1	5	
9		8			2			
	4							
7							3	
		5	8					
			4					

No: 1091

				8		5		
9	6							
		8	4	5				
	3							7
						6		
				6			3	9
5			7					
		1			8			

No: 1092

				4		6		
	5		8					
		3						
			5		7			
			9		3			
1				6				
6	4					1		
			3		5			
			7					

Nail Biting

No: 1093

		7						5
	1					6		
			3					
9			8			7	3	
	5				7			
4								
3				4				
				5		1		
		8						

No: 1094

				5	8			
9				4				
	3							
7			9			1		6
		5				4		
			3					
			6				3	9
1								
						8		

No: 1095

		3	7			6		
5				1				
4			9	5				
	6				8			
								3
	7	8	1					
				8		5		
						4		

No: 1096

8				1	9			6
		4			3			
5								2
		2	9					
			7			5		
	3							
7					4			
		5						
		2						

No: 1097

			6		5			
3				1				
	6		8					
	8	4						
	3			9				
	5			6				
	3	7	4					
			3					
9								

No: 1098

	1				9			
		5	8					
	3							
8			4					
5				1				
		9			3			
7			5					
		6				7		
		1	9					

Nail Biting

No: 1099

7				3	6		8	
	2						5	
			9					
	1		5					2
3					9			
			8					
	5		1					
					3			
6								

No: 1100

	4	3						
				1		9		
						6		
1	6		4					
			7				3	
9						5		
5				9		8		
								7
							4	

No: 1101

			2	7				
	8					6		
			5					
			1			9		4
5			9					
		2						
	9	6				3		
7							2	
			4					

No: 1102

2			8	9				
						1	3	
			4			7		
	9	1						
						5		2
			7		3			
			6	1				
5						9		

No: 1103

	5	3						
			9			8		
			5			3	6	
8						7		
	4							
9						5	4	
1				8				
			6		3			

No: 1104

			8				7	3
1		6						
			3			8		
4							5	
				6	1			
	7	3	9					
	5					3		
				1				

Nail Biting

No: 1105

	6		1			5		
9							2	
			5					
			2	9		4		
	1				8			
		6			1		3	
2		7		4				

No: 1106

3						2		
9					1			
							5	
		6		4				1
		7		6				
					9			
		8					4	
					9	3		
5					2			

No: 1107

				3		4		
	9							
8								
7							8	5
			9	4				
						6		
	1	3				9		
			8		7		6	
			5					

No: 1108

				7		3		
	9					5		
1								
		6		5	9			
				8			7	
		2						
8			3				1	
					5		4	
7								

No: 1109

				9	6			1
5	3							
					9			
1							4	8
			5					
			3					
		6				3	9	
7					1			
		4						

No: 1110

3			1			6		
9	1							
					5			
7			8		9			
							1	3
		3	5	4				
							7	9
							8	

Nail Biting

No: 1111

No: 1112

No: 1113

No: 1114

No: 1115

No: 1116

Nail Biting

No: 1117

						6		7
1				5				
						9		
8			7					
			9		3			
	5						1	
	3	9						
				8			4	
6		7						

No: 1118

8	3		4					
					6	9		7
2								
5			1			6		
	2			3				
		7		2	5			
						4	3	

No: 1119

			7		5			
6	4							
3								
8	9		3					
			4			7		
		5			1			
		9		1	7			
		6					3	

No: 1120

	8					7		
				6		4		
				3				
3							1	9
6			7		4			
			8					
	7		6					
9								3
						5		

No: 1121

			8					6
		3						
	5							
				5			4	
6				9				
8							2	
	6					7		9
7			1					
			3			5		

No: 1122

				2	3			
1						6		
			5					
8		1	4					
						5	2	
7								
	5					3		
		9						7
6						1		

The Gigantic Sudoku Puzzle Book

Nail Biting

No: 1123

No: 1124

No: 1125

No: 1126

No: 1127

No: 1128

Nail Biting

No: 1129

		3				9		
			1				5	
			6					
	6						7	
9				2				
				3				
6						7		4
				8		3		
	1		5					

No: 1130

						6		3
1		7						
8								
	6		7					
	5					9		
			8		1			
						8	7	
				3			2	
4				9				

No: 1131

		6		3				8
	9	7						
	5						2	
							8	1
6		4						
					5			
			5		9			
8	1							
			3					

No: 1132

	3						4	
			9	6				
			5		7			
5						9		7
			1	8				
7						5		
9		8						
				3			1	

No: 1133

8		4		5				
5			1					
3							4	8
	9		6		1			
			7					
			4			5		
	7					1		
						6		

No: 1134

				8	4			
				6			7	
								3
7		3	5					
1						4	6	
5								
	6					8		
	9		3					
					7			

No: 1135

			6			7	9	
4	8							
1								
			9		7		6	
3								8
			5					
	7					5		
				1				4
				3				

No: 1136

	3					4		
			7	5				
			9					
					3	6		
9							8	
7						1		
	4			6				
5							7	
			1				9	

No: 1137

	7				4			
				3				
			5					
	4		1					
						5	3	
					9	8		
3		1			6			
		9	7					
5			8					

No: 1138

						5	9	
1			4					
			8					
7	8			9				
5							6	
			3					1
					6	7		
	3							4
			5					

No: 1139

			3				8	9
5				7				
						4		
			6			2		
8	9							
	4	3						
6					5			
			1	9				
				4				

No: 1140

7			9			5		
							2	
		4						
1	5				6			
				8				1
				4				
		8			3	4		
	9		1					
				7				

Nail Biting

No: 1141

					2		5	
	9	4						
	7		9	4				
8		1					2	
			3					
			7	6		9		4
3								
						7		

No: 1142

			8				3	6
1						4		
		7						
			9				5	8
4				7				
6								
				1		7		
	8		5					
	3							

No: 1143

		9				1	5	
				3				
		7						
			9			6		
3	8							
7								
4			2			7		
			8					3
	2			6				

No: 1144

	5	1	8					
				7			4	
8			4		9			
7								1
				5				
			5		1		2	
6	3							
			9					

No: 1145

3	8					7		
				4	6	5		
	1							
			3	8			1	
		5						
9								
		7		5				
		9					2	
						3		

No: 1146

	8	3			6			
				9			1	
				7		8		
1						5		
4	5							
			5		8	3		
9							4	
			4					

Nail Biting

No: 1147

				3			9	2
5	1				4			
6			8			5		
				9				
3								
		2					7	
	9		5					
	7				4			

No: 1148

				1	3			
5							4	
7								
8			5					
			7			6		
						1		9
	1					3		
	9			6				
			8				5	

No: 1149

7			6	1				
		1			9			
					3			
6			5				1	
			8				7	
	9							4
			4	3				
8								
			9					

No: 1150

			2			5		
9							8	
			3					
			8			7		
						3		1
1				9				
	3	2						
					1		9	
				6			5	

No: 1151

					3	1		
	9		4					
								7
		8				9	4	
7			1					
3								
			3		7	6		
	4		6					
				5				

No: 1152

9			1		3			
	8					7	4	
			9	4				1
3		8						
	5							
				7		8	5	
1								
						6		

Nail Biting

No: 1153

```
. 6 . | 7 2 . | . . .
. . . | . . 3 | . 4 .
. . . | . 1 . | . . .
------+-------+------
. 7 . | 9 . . | . 8 .
1 . . | . 3 . | . . .
. . . | . . . | . 2 .
------+-------+------
3 . . | 4 . . | . . .
. . 6 | . . . | 5 . .
. . . | . . . | . 9 .
```

No: 1154

```
. . . | . 9 . | 3 . .
. . 9 | 7 . . | . . .
. . 1 | 3 . . | . . .
------+-------+------
. 5 . | 4 . . | . . .
7 . . | . . . | 9 . .
. . 1 | . . . | . . .
------+-------+------
8 . . | . . . | . 4 1
5 . . | . 6 . | . . .
. . . | . . 3 | . . .
```

No: 1155

```
. . . | . 7 5 | . . .
3 . . | 8 . . | . . .
. . 1 | . . . | . . .
------+-------+------
9 . . | . . . | . 3 1
. 5 . | 4 . . | . . .
. . . | . 6 . | . . .
------+-------+------
. . 6 | 9 1 . | . . .
. 7 . | . . . | . 2 .
. . . | . 3 . | . . .
```

No: 1156

```
. . . | . 2 3 | . . .
. 6 . | . . . | 8 . .
1 . . | . . . | . . .
------+-------+------
. . 7 | . 6 . | . 4 3
. . . | . . . | . . 2
. . . | . . . | . . .
------+-------+------
3 . . | 2 . . | . 5 .
9 . . | . 8 . | 6 . .
. . . | 7 . . | . . .
```

No: 1157

```
. . . | 3 . . | . 8 9
5 . . | . 7 . | . . .
. . . | . . . | 2 . .
------+-------+------
. . . | 6 . . | 3 . .
8 9 . | . . . | . . .
. 2 4 | . . . | . . .
------+-------+------
6 . . | . . . | 5 . .
. . . | . 1 9 | . . .
. . . | . . 2 | . . .
```

No: 1158

```
8 . . | 3 . 6 | 7 . .
. . . | . 2 . | . 4 .
9 . . | . . . | . . .
------+-------+------
. . 6 | . . . | . 2 5
3 . . | . 1 . | . . .
. . 5 | . . . | . . .
------+-------+------
. . . | . 9 . | 3 . .
. . 4 | . . . | . . .
. . 2 | . . . | . . .
```

Nail Biting

No: 1159

			5			1		
8			6					
3								
		4			3		8	
	1		2					
					7			
	4					5		
			9	3				
			7		8			

No: 1160

	9			8	3			
		1				6		
5			4			7		
8			6					
	3							
		6	1	7				
							3	9
4								

No: 1161

			6	9				
				3				
8								
1			8		4			7
						6		
			3					
			2			1	5	
7		9						
	6			5				

No: 1162

	8				3			
						6	7	
							9	1
			7	4				
	3					8		
			9					
				8		5		
6		9						
7			1					

No: 1163

				5		9	6	
			4					
2								
		6					1	5
7			8	3				
				2				
3	5					8		
						3		
			9					

No: 1164

				5	7			3
	4	1						
						8		
			4		6		1	
3								5
7				8		9		
			5			6		
							4	

Nail Biting

No: 1165

			8				1	7
	3			6				
								4
			5		6	3		
4		9	7					
8								
7		4						
			3		5			

No: 1166

1			4	7				
5			6					
						3		7
	3	8				2		
	7							
		5						
	9						1	
6							4	
			3					

No: 1167

							6	3
		5						
9								
8			9		1			
7	5							
		6						
			1		4	9		
	3		7					
		6			8			

No: 1168

	3		1		6			
5					9			
		7			4			
8			5					
9				2				
	7	6						3
			9			8		
						5		

No: 1169

						7	5	
6				3				
			9					
			4		1			
8		7						
					3			
	4		7		5			
	3				6	9		
			8					

No: 1170

		7			6	8		
	3	4						
8					5			
			4	9				
			3					
			7				9	3
5				8				
1	6							

The Gigantic Sudoku Puzzle Book

Nail Biting

No: 1171

No: 1172

No: 1173

No: 1174

No: 1175

No: 1176

Nail Biting

No: 1177

7	6				3			
4			5					
			1					
		1	8					5
				6			7	
	3							
9				7		6		
		5					8	

No: 1178

			3					4
							3	1
7				6				
2				9	5			
	3		4					
				7				
6						8	5	
			1					
						9		

No: 1179

			1	3		6		
7						8		
9		4						
				4	5		9	
8						1		
	3							
5			7					
							4	
		8						

No: 1180

	8		9		3			1
7						4		
6						5	7	
			8				6	
		3	1					
	1	9						
			7					
			6					

No: 1181

3			6				9	
	4							
				8				
1				9				3
			5					1
			8			4		
7			3					
	8					5		
			1					

No: 1182

				9		7		
	1					8		
5			4					
	3			5				
							4	5
							9	
6				8		1		
	4	7						
					3			

Nail Biting

No: 1183

	3	7	4	1				
			9					
					5			
5			2		6			
8	1							
			7					
6				8				
							7	3
							1	

No: 1184

7	3			6				
			5			2		
9	8							
	1						6	8
			4				3	
			9					
4					9			
				3				
			8					

No: 1185

			1			3		
			4	5				
					6		7	
			3		7			
	8				9			
	9							
7				1		4		
3						8		
		6						

No: 1186

	9					5	8	
	7					9		
		3						
		5				7	1	
6		4						
3								
		9		1				
4								6
		7						

No: 1187

			4			7		
1		9						
						3		
				1	8	3		
	7							
	6							
8						1	5	
			6	2		9		
			7					

No: 1188

	3					8		
	5	4						
			5			9		
7	1		6					
							4	3
				8				
1			7					
9						1		
			3					

Nail Biting

No: 1189

				1				3
	9					7		
5				4				
	6		9	8				
1		3				4		
			7					
			3			9		
4						5		

No: 1190

							1	3
	4		9					
			8					
3				1	7			
	8					6	5	
			5	4		9		
7		1						
6								

No: 1191

		3	9					
6								8
			5		7			
	7		4		2			
						3		
5	2				4			
7			3					
			6			9		

No: 1192

4			9	1				
						8		5
5	8		7					
		6				7	3	
	2							
1						9		
		2		8				
	3							

No: 1193

			5			9		
		7				1		
	3		8					
1						4		
			6		9			
			3					
	6			7	3			
9			1		5			

No: 1194

							2	3
1						5		
			7					
	2			3		4		
		8				6		
7								
	4			2				
			6			9		
			1			7		

Nail Biting

No: 1195

			4		9			
3	7							
1			5					
6				7			1	
	4		8					
						3		
7				1				
					8		5	
					4			

No: 1196

8		5	9			7		
			3		4		9	
6			1	7				
							3	
5								
				6		8		
	4				2			
	3							

No: 1197

					8		3	
7				1				
	3	5	8					
				9		6		
							1	
6	1						7	
			4		5			
9			3					

No: 1198

			4				9	
	3							
6								
5				1	6			
						3	8	
7								
			8			6		5
	7	2	3					
						1		

No: 1199

	6				7			
			9			1		
	3							
9		7			8			
			3					4
1								
8			6		5			
			4		9			
						7		

No: 1200

1			7					
						7		4
	5					3		
				4	3	6		
8							9	
			5					
			9				1	8
		3						
	4							

Nail Biting

No: 1201

	6						5	
				8	1			
	4							
7						3		8
						7		
			9					
8		3						7
			4	6			9	
			5					

No: 1202

	5			4				6
			8				1	
		3						
1						9	8	
9					6			
			5					
8			9					
	4							5
						7		

No: 1203

						7	5	
	3			8				
9			6					
				5	9			4
6				7				
		1						
			1			6	3	
		7						
	8							

No: 1204

	9		7					
				3			5	
	8					6		
4						1		
			8		6			
			9					
7						3		8
		3		1				
						9		

No: 1205

			5		6	9		
		7						
3								
	1	5				4		
	9		7					
			3					
2					8		3	
			1		5			
				9				

No: 1206

3			1		2			
							9	6
						5		
4	6					1		
			7	9				
			5					
1	2					8		
			5					
			7					

Nail Biting

No: 1207

```
. . . . 4 . 7 . .
6 . . 9 . . . . .
8 . . . . . . . .
. 1 . . 7 5 . . .
9 . . 8 . . . 6 .
. . . . . . . . 3
. 7 5 . . . 1 . .
. . . 6 . . . 8 .
. . . . . . . . .
```

No: 1208

```
. 8 . . . . . . 3
. . . . 5 . 9 . .
. 2 . . . . . . .
. . . 4 1 . . . 2
. . 5 . . 7 . . .
9 . . 6 . . . . .
1 . . . . . 5 . .
. . . 2 . . 8 . .
. . . . 3 . . . .
```

No: 1209

```
. 6 1 . . . . . .
. . . 4 . . . . 5
. 8 . . . . 9 . .
. . 1 . . 6 . . .
3 . . . . 8 . . .
. . . 9 . . . . .
5 . . . 9 . 7 . .
. . 8 . . 1 . . .
. . 3 . . . . . .
```

No: 1210

```
. . . . . 9 . 8 .
. . 5 4 . . . . .
. 6 . 2 . . . . .
9 . . . . . . 1 .
. . . . 3 . . . .
. . . 5 . . . . .
3 . . . 7 2 . . .
8 . . . . . 4 . 5
. . . . . 6 . . .
```

No: 1211

```
3 . 5 . 8 . . . .
. . . 4 . . . 7 .
. . . . . . . . .
6 1 . 9 . . . . 3
. . . 7 . . 8 . .
. . . . . 5 . . .
. . 1 . . 3 . . .
. 7 . . . . 4 . .
. . . 5 . . . . .
```

No: 1212

```
. 8 . 9 . 5 . . .
1 . . 8 . . . . .
. . . . . . 7 . .
. . . . 7 . 6 . .
. . 5 3 . . . . .
. 9 . . . . . 1 .
7 . . . 4 . 3 . .
6 . . . . . . . .
. . . . . . . 9 .
```

Nail Biting

No: 1213

		5		7				
			2				4	
					6			
				5	7			
4	3							
			9					
	1				9		8	
2			4		6			
			3					

No: 1214

			4				9	6
1							2	
2								
		4	7			8		
					2	1		
		5		7		3		
9				6				
								8

No: 1215

							9	1
	6			7				
		8		2				
			4	8		6		
1							5	
3								
	5		1					
			9		3			
					7			

No: 1216

8		3					5	
	6			7				
				9			8	3
5						9		
		4						
9	1					7		
	7		5					
			3					

No: 1217

			8				6	5
9			3					
8	6		5					
				4		3		
7			6		8			
	1						4	3
					9			

No: 1218

				7		6	1	
	3		9					
7						4		
				6	1			
			3					
			5				3	9
6		7						
8								5

No: 1219

5				6				
						3		9
						2		
	9	3			2			4
				5			7	
	8		4		3			
7							6	
			9					

No: 1220

					8	7		3
9	6	4						
				9			5	6
7					1			
							4	
	5		4					
8								7
						3		

No: 1221

			9				6	
			4		3			
1					8			
							5	4
7				9				
						3		
			6	1		7		
		5				6		
	3							

No: 1222

				3	4	7		
	9						1	
				5				
	6		9					8
5					3			
4		3				5		
		6	8				9	

No: 1223

			1	6		7		
9			4					
3	8							
					3		9	
		5				4		
		7						
			7					5
1						3		
				4				

No: 1224

3			9				8	
						7	1	
			5					
	1	5	6					
						3		
	7							
4				9			7	
				3				6
						5		

Nail Biting

No: 1225

			6		8			
7						2		
	1	6					9	
			3			7		
			4	5				
						8	1	
				9				6
3				7				

No: 1226

		9				8	5	
	4			6				
				3				
3			8			1		
7								6
				4				
	5		9				4	
6			3					

No: 1227

		3	7					
6					2			
		5						
	3					5		
		4		6				
	9			2				
			1	8			3	
5			9					
					7			

No: 1228

			1		4			
				4	9			
5								
	8					5	3	
3						1		
			9					
	4	6				7		
	7		5					
		3						

No: 1229

				6			9	
		7				5		
	8							
		5				7		
6			9					
				8				
9					3		6	
		7	1					
		4			1			

No: 1230

			5	8				
4								9
			7					
			3					1
	7			8				
						5		
1	6		4					
3							8	
						7	9	

Nail Biting

No: 1231

8					6	9		
			5					
		7		9		4		
	5			7	8			
	2							
1					9			
3						7		
						5	2	

No: 1232

						6		7
5			4					
			7			8		
7			5				9	
		6	1					
		3						
				1	6	3		
4						5		

No: 1233

2			6		3			
	5							4
						9		
	9			4			5	
			5		3			
7								
			8	7				
3					2			
			9					

No: 1234

6			5		7			
	8						3	
1		7	6					
							8	9
5								
	4			3	8			
				9			7	
							1	

No: 1235

		1		5	9			
2								7
							4	
				2		1	5	
		3	4					
	7							
6	4				9			
			3					
8								

No: 1236

	9			8			6	1
			2				9	
			7					
3				4			5	
							7	
		6						
				9			8	
5							4	
7								

Nail Biting

No: 1237

5						8	6	
			1		3			
	9							
7							4	3
8		1		5				
	4	3	9					
				8		5		

No: 1238

		6	5				1	8
	3							
		7						
8								7
					4	9		
			3					
			9			4	3	
5			8					
7								

No: 1239

			6					4
	9		5					
	3				8			
		3		8		9		
6					7			
1				5				
7			1					
						3		
				6				

No: 1240

8			7		4			
	6			3				
5								6
7			4					
		8				9		
	9	3	6					
	1					2		
						7		

No: 1241

		5	4		8			
						3		
	8							
7			1	3				
6					8			
					9			
3			7			1		
			6		5			
	9							

No: 1242

			5	8		2		
6						9		
		3						
7			4					
	5		2					
						6		
			9	6		3		
5	2							
1								

No: 1243

5							7	3
	6		1					
			9					
	9		6			8		
				3				5
4		3						
				7		6		
						1	9	

No: 1244

						4		3
			6					
			8					
			9				8	
	2						9	
	7			1				
5				3		1		
8						3		
9		6						

No: 1245

	2						8	
4					3			
			7		5			
		5	1			6		
			4			9		
7								
	1		9	8				
						7		3

No: 1246

			5	8				
						7		6
	4	3						
8	6			7				
1							3	
		3					4	
		5		6				
9						1		

No: 1247

	3		6					
			9	5				
	8							
7						8	1	
9			5					
			4		3			
5						9		
			8		1			
				7				

No: 1248

				7			8	
9				4				
		8	3	6				
						9		5
						4		
6			1			3		
	5			9				
1						2		

Nail Biting

No: 1249

5		9	3					
8					1	6		
			7					
6				5				
	4							1
						3		
1	7							
			4		5			
	3							

No: 1250

		6					8	9
	7		2					
3				5		4		
	8		7					
			9				7	6
5	4				8			
						1		

No: 1251

7						8		4
	1			6				
	3				1	6		
8	5		4					
			9					
			5			1		
9			8					
4								

No: 1252

	8	4	6			3		
	3		8					9
							7	
1			7			5		
	6							
		3			8			
5			1					
7								

No: 1253

5					7			
		3		1				
	3				9			
		6	5					
			7		4			
		8				1	3	
7			9					
6		5						

No: 1254

						4		3
		6						
		8						
		9				8		
	2					9		
	7			1				
5				4		1		
8						3		
9		6						

Blanks

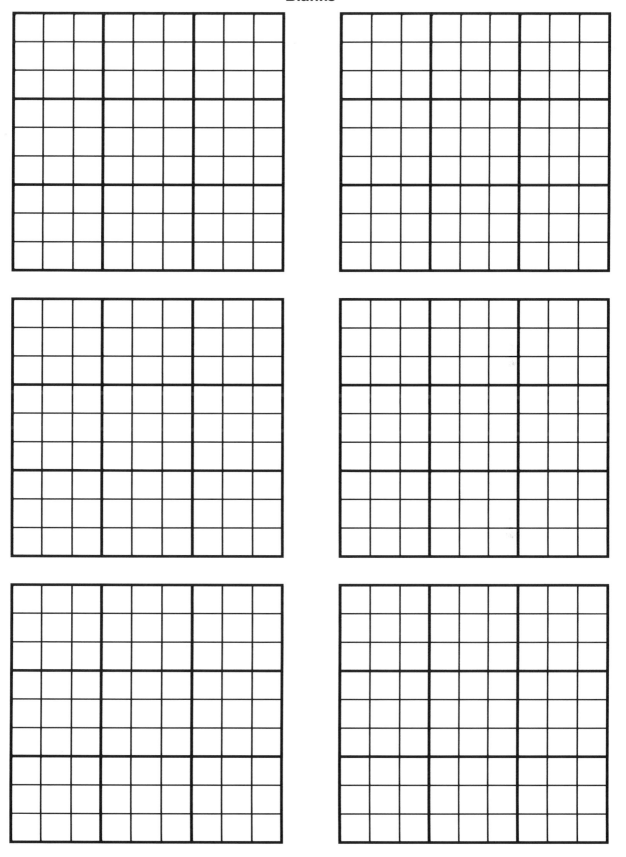

The Gigantic Sudoku Puzzle Book
1500 Puzzles

Sudoku Level

Torturous

All puzzles are guaranteed to have only one solution

Torturous

No: 1255

						1	8	3
6			5		9			
7			8				4	
			7	2				
		3						
			1	3	9			
8	7							

No: 1256

			3			6		4
	1	9						
	3				5			
				1			9	
6						8		
7			6	8				
		5					1	
				3				

No: 1257

			7	9			2	
	4							
			5					
9				3			7	
	3			4				
			1					
				6	4			3
7		5						
				8				

No: 1258

		6	8		9			
	1					3		
	3		6	7				
8								5
						9		
9				1			4	
			7			6		
5								

No: 1259

2	5			9				
								3
			7					
5						1	7	
	4				3			
			8			9		
				6		5	1	
		8	3					

No: 1260

				6	9	8		
2							9	
			3					
			1			7	2	
		6		2				
		3						
						4		6
1				7				
			5					

No: 1261

				4				3
8						7		
			9					
			5	3			9	
1			6					
7	2							
	9					2		
				7	1			
		5						

No: 1262

			8	2			9	
1	5							
	7		4					
3					5	7		
			8			5		
			6	9				2
7								
						3		

No: 1263

8				9		5		
					1	7		
3								
				8			9	3
	7		5					
	1					6	7	
			8	3				
			4					

No: 1264

			5		4			
9							3	
			8					5
	8		7					
3							6	
						1		
				3		6	9	
		7				8		
	5							

No: 1265

			5		7			
		1						
	3							
			6	8			1	
5	4							
7			9					
		2	1		3			
						9		7
						5		

No: 1266

	8						1	3
4					6			
		2	5	3				
						7		
9			4			6		
7				8	3			
				1			5	

No: 1267

No: 1268

No: 1269

No: 1270

No: 1271

No: 1272

No: 1273

					8			9
	5						7	
3				1				
	7						8	
				3		5		
			6					
6						4		
			5			3		
			9		7			

No: 1274

	3							6
				8			7	
				9				
9		8				5		
				1				3
7								
			3	1		4		
4							9	
			6					

No: 1275

	5			8				
			3					6
						3		
			6				4	9
	8	1	5					
		7						
			7		1			
4					8			
3								

No: 1276

	4	3				7		
			5	1				
			9					
1								6
				6		3		
5			2					
2							5	
	7			4				
					3			

No: 1277

			8	9				
1							3	
9	6				3			
		5				7		
	8				1			
3		7						
			4					8
		7			2			

No: 1278

	7		9			1		
6				2				
						3		
	3		8					9
				4	5			
	1							
5		2					4	
			3					
4								

No: 1279

				2		6		
		3						
								4
1			8				3	
	4			9				
							5	
6	9					8		
			3		2	7		
			5					

No: 1280

						7		1
			5			3		
6					4			
			3	9				
9							8	
			7					
				6	8		4	
		5				1		
	3							

No: 1281

			7				5	2
	3		4					
	1							
	6			3		9		
5							7	
			8					
				1		3		
7			5					
9								

No: 1282

						9	5	
3				2				
				6			1	
		5				6		3
	1		9		8			
						4		
7				3				
		1						
	5							

No: 1283

	5	3		2				
			6				4	
			1			3		5
8	9		4					
					2			
4						6		
7				9				
			3					

No: 1284

3				1		8		
				6			9	
			7					
	9					7		1
		5	8					
						3		
	6		4				5	
			3					
1								

Torturous

No: 1285

			5				4	3
9	6							
7								
1					6	9		
	7		4					
				5		6	8	
	4	3						
			7					

No: 1286

							8	3
	4		9					
				5	3			2
8		1						
	9							
			1			9	6	
3			7					
5					4			

No: 1287

				5		2		
8		3						
9								
	5			4				3
	7					9		
						8	6	
	1				7			
6			9					
		3						

No: 1288

	3			7	5			
			8			4		
			7	1		6		
		3		6				
8	5							
4			9					
							1	5
							3	

No: 1289

				1		5	9
7			6					
						3		
	6		7		4			
		3						
			8					
4	7				6			
				3	2			
			5					

No: 1290

			8		7			
	3				1			
8								
	1	4	3				5	
			6					
	5							
		5		1	9			
6						8		
7								

Torturous

No: 1291

			5				4	
7				8				
							3	
	4	3	1					
				2		6		
		5						
						8		7
	9		3					
6						2		

No: 1292

3	9						6	
	8		7					
				4		5		
			9		6			
						1		4
			8					
1				5				
							9	8
7								

No: 1293

			6	3				
	4	9						
3								
6								7
		8				5		
	8		9					
5				7				
						9		4
						8	1	

No: 1294

		1		8				
		6					7	
								3
3	4			7				
						8	6	
	6		9			1		
		8	1			5		
7								

No: 1295

6							3	
			5				4	
			8		1			
	9				8			
	7					6		
			3					
5		3			7			
		9			1			
		4						

No: 1296

				3	7	4		
2								6
	9							
			1		2		5	
		3						
			6					
1	2							
				4		7		
6			2					

Torturous

No: 1297

			7			3		1
	2					6		
	9							
1				4			9	
			5	9				
3								
		1		7	8			
							5	
		2						

No: 1298

9						7		
						1		2
		3						
				9			3	
	1					5		
	5		8					
			7	1				
4							6	
3							8	

No: 1299

		3				6		
				5	9			
			8		7			
7	1					9		
			3					4
9								
	9			4				
5						7		
				8				

No: 1300

	5	7		9				
							4	3
	1					7	5	
3			4					
			6					
6				1		9		
4		8						
				7				

No: 1301

				4	3			
	7					5		
						6		
	6		5			7		
1					4			
8			2			1		
		7	9					
4					3			

No: 1302

	7				5			
9					6			
			3					
3		8				9		
			5		7			
			6					
	5		7	4				
			1			3	8	

No: 1303

				7		9		
8		5						
6								
	9			4				
			8					6
						3		
	3				1	7		
			5			4		
			6		9			

No: 1304

6	9		5					
						4		2
	5						6	
				4		1		
				7				
4		7				3		
8			2					
			6				9	

No: 1305

			9				6	8
	3	7						
8							2	1
	7		4		3			
			5					
9						4		
		6		2				
						3		

No: 1306

			8	2			4	
		3				7		
8	5						1	
			9					3
			7					
			3	1		9		
2	8							
6								

No: 1307

			3			4		
8						1		
5								
	4	7						3
			6			5		
	3						7	9
6			1		5			
			8					

No: 1308

			8	9			1	
6			7					
	4					3		
							7	6
	2			4				
				5				
7			9					
8						2		
				4				

No: 1309

	1	3					2	
	8		7					
				6		9		
					2		3	1
7								
			4					
6					7			
5			9					
				3				

No: 1310

	7							3
				8	9			
9						4	8	
	2			5				
			7					
6		4					9	
1			3					
					7	5		

No: 1311

6	9		5					
						7		3
			6					
				1		4		
	7			3				
			7	5			8	
1		3			5			
9								

No: 1312

				6	3		2	
	7	5						
		1	5					
	9				8			
6						3		
			4		5		1	
3				1				
					7			

No: 1313

	7					1		
				5	3			
8	2		7					
			9				4	
							5	
5		3		4				
			1			2		
6						7		

No: 1314

				4	7		9	
8								5
				3	9	7		
5							4	
6		8						
				3				6
	7					1		
			5					

The Gigantic Sudoku Puzzle Book

Torturous

No: 1315

No: 1316

No: 1317

No: 1318

No: 1319

No: 1320

No: 1321

				1		7		
				6		4		
2								
	8	6	3					
			5			9		
3		1						
7			2					
	5						6	
							3	

No: 1322

			4		8			2
	3						7	
6			5					
	2			9			1	
4			2					
						3		
					1	6		
5								
			3					

No: 1323

6				7				8
3				6	5			
					9			
8		4						7
	9		5					
			3					
						3	5	
1				8				

No: 1324

			7	9		5		
6								1
			9	8				
1						6		
			5					
3	8			7				
			3			4		
	5					9		

No: 1325

	3					4		9
			1			6		
			4				1	8
2						7		
	6							
			3	9				
6		8						
1			8					

No: 1326

			1		3			
9						7		
	1							
7	5			8				
			6			1		
		4				3		
			3			6	5	
2			7					

No: 1327

	1	6	9					
	9		4					
								3
3				8	7			
					9			
							2	
8					1	7		
			6			5		
				3				

No: 1328

8	9						5	
			3	4				
				1				
6			5				1	
3			9					
						8		
				6		3		
	5							7
	1							

No: 1329

			5		7			
3		1						
6								
	7				8	5		
1			3					
		4		7				5
9						3		
		8						1

No: 1330

		3				4		
		6				7		
		1						
7	4		8					
			9			3	5	
	6							
			5			1	9	
6		7						

No: 1331

	3							1
			5	4				
				9				
9		4				5		
		3	8		7			
6								
		7						8
1						9		
				3				

No: 1332

				8	7			
2			9					
			1					
	8				7			
				6		1		
								3
5			3	2				
						4	8	
	6						7	

No: 1333

		3					4	
			1				9	
7								
		1		3		7		
							5	
					8			
	5		9		7			
9			8					
	6					3		

No: 1334

			5	8	1			
7						4		
				9				
9	5		3					
							8	6
							1	
	6	8						
			7			2		
		5						

No: 1335

		1				5		
9			8					
				3				
			7				6	8
	1							
						9		
6			9	4				
			5		1			
	3				2			

No: 1336

			6	9		4		
	2	3						
				7				
6					8	9		
		3	5					
8								
		1			3			5
9	7							

No: 1337

			7	4	6			
1							9	8
	5	6				7		
	8		9					
				3				
					5	6		
9			8					
						3		

No: 1338

	2		1		6			
						3		
			4					
3		9					4	
			5	7				
7					8			
8				3	9			
	4						1	

The Gigantic Sudoku Puzzle Book

No: 1339

5					9		6	
3		7						8
			1				7	
				7		5		
	9					3		
			6					
				4	3			
7	1							

No: 1340

						3		4
	9		7					
			6					
	7		9				5	
1				3		8		
3				4				
						5	9	
							7	6

No: 1341

	3	9						
			7				5	
			1					
2					4			6
			5		7			
					3			
1	6			3				
				9		2		
5								

No: 1342

			7			4		
9								1
	8			2				
		6				5	7	
1			9					
3								
		4					2	9
	7		5					

No: 1343

			1			9	8	
		7				3		
	6							
5							4	6
9			3					
8	4			6				
			7	3				
					1			

No: 1344

4	2							1
					5		6	
9								
				2		5		
6				1				
							3	
			8			9		6
	3	5						
			7					

No: 1345

				5	3			
	7				9			
			4					
7	6		9					
							4	3
8			6			7		
		3			1			
5						8		

No: 1346

					3	6		
7	9							
2	8							
			8	1				
1					3			
			9					
			7				9	
							2	8
5				6				

No: 1347

	9	5	6					8
						4		
		7						
3	1			9				
					6	7		
			4					
1			3					
		7			5			
4								

No: 1348

			8			6	3	
	4							
		5						
	1		7		5			
3						9		
						6		
8		9		7				
				5			4	
			3					

No: 1349

		4				7		
			3	6				
			9					
	6	1		7				
			9				3	
				5				
3	9		5		8			
7								
						4		

No: 1350

			6				3	
	1	7						
	4			9				
8			5		2			
				1		4		
6								
5			2					8
	9					1		

The Gigantic Sudoku Puzzle Book

No: 1351

				5			6	
					9	1		
		8				7		
	1		7			8		
4				6				
								3
6	9						5	
			3					
			8					

No: 1352

	3	5				1		
			8	7		9		
	4							
				3			4	
2						6		
7								
	8		9					
1			6					
							3	

No: 1353

		3					5	
			6		4			
				8				
8	6		7			9		
				1			3	
	4							
						6		4
2				5				
					7			

No: 1354

	7			5				
			2				3	
			4				1	
			9	7		5		
1						6		
3								
	5				8	7		
							2	
			1					

No: 1355

							1	3
2							6	
	7							
		9		1				
	5					9		
			2	3				
1			6					4
			5			7		
3								

No: 1356

					5		6	
7			6					
3								
			1			3		7
	5	8						
						4		
	6			9		8		
			7					3
			4					

Torturous

No: 1357

					4	7	8	
		6	1					
5					9			
1	8						3	
			9					
			5					
	4	9				6		
		3					1	

No: 1358

	5				3		2	
1			7					
					8			
6			9		5			
			1			4		
	3							
9						7		
	8			2				
		3						

No: 1359

8								3
		1		2				
			5					
9	6		8					
		7		5	2			
3								
	5			1	7			
	3		6					

No: 1360

		1			4	9		
7	2							
	9		4	1				
6				2			8	
		5						
3			2					
		9			1			
		7						

No: 1361

	1				2			
					9	7		
4			3					
6				3				
5			8					
		9						
			6	8				
	7	2						
	9		1					

No: 1362

		8	3					
	2	9						
6	5			4				
		7	2					
			3					
3					7	9		
8		1	4					
					2			

The Gigantic Sudoku Puzzle Book

Torturous

No: 1363

		9				5		3
6				1				
1						7	4	
					9		6	
			5					
8	9	5						
			2	7				
		3						

No: 1364

			1			5	9	
7	4							
8				7	3			
		1					5	
			4					
		5	9			3		
	3							7
6								

No: 1365

	9			6		3		
8			5					
					4			
5		7					8	
				3	9			
	3			1	9			
		8					5	7

No: 1366

	6					5		8
		1	2	4				
8	7							
				9			1	
5								
3					8	7		
		4					2	
			3					

No: 1367

	8				3			
	6						1	
					7			
7				5				
3								2
			9			6		
			6	8				9
4					3			
			1					

No: 1368

3			6			5		
			8		9			
5				2				7
	4		3				9	
7								
				7		6		
	8	1						
	9							

Torturous

No: 1369

	7		9				6	
3				4				
					8			
8			6		7			
1					3			
			5					
				3		1		
	5						7	
	6							

No: 1370

					8		3	4
5	2							
							9	
1				2	4			
7						1		
			3					
		4	9					
				7		5		
	3							

No: 1371

		6			8			5
1	3							
			1	3		7		
	8	5			9			
			2					
	4	5						
		7			6			
3								

No: 1372

						8	3	
	1		5					
						4		
		1		8	3			
	7					6		5
9			6			7		
3		8	9					

No: 1373

				7		8		
	6				5			
	9		8					
			6	5				
4						1		
			3					
			3		6		9	
8				1				
7								

No: 1374

							1	3
5			4					
	4							
		8		9	3			
	7					5		
		1						
6		3					9	
			7			6		
1								

Torturous

No: 1375

						3		2
9				8				
				7		5		
		3		2				
8				1				
		5						
	3	5						
	4						9	
		2					7	

No: 1376

	8		2					
			9				1	
							5	
				1				8
	3					4		
9								
			3		8	6		
1				6		7		
		5						

No: 1377

3	5							
			6				9	
	4	9	8					
						3		
	2							
5				3			6	
7					2	5		
			4	7				

No: 1378

6			5	8				
7							4	
								3
8			9			5		
			7		3		1	
	3	1						
				2		8		
	4							

No: 1379

	6			8		4		
			9			7		
	3							
9		5	7					
7					4			
			6					
1			5					
							3	8
							6	

No: 1380

		4					3	
	7				5			
							9	
5	8					7		
			6					
						2		
		6	9	3				
1						8		5
		4						

Torturous

No: 1381

			4					3
6						8		
9		3		8				
	5						4	
					1			
		3		4			9	
	7		5					
8					6			

No: 1382

			7			5		
2							3	
		1		8			9	
		7	4					
					3			
3		8		6				
			5			7		1
						4		

No: 1383

	8				7			
		2		6				
				9	1			
			5		8			
9							6	
							3	
			7			8		4
			4			5		
6								

No: 1384

	5						4	
				6		7		
9				8	1			
				7			5	
								3
6	3				5			
7						8		
						4	7	

No: 1385

			9		7			
4			1					
3								
	7	1					6	
			3		4	8		
			5					
					8		5	3
	6			7				

No: 1386

	5	3						6
		4					9	
				1		5		3
9			7					
4						1		
7			8				4	
	8			3				

No: 1387

	7		1				8	
	9		6					
					5			
9				8		3		
	1							6
			3					
			7				4	
8		5						
3								

No: 1388

5		3						
				9			7	
				6				
6			5		1			
			3	8				
	7						9	
						1		5
	8		4					
						3		

No: 1389

	1			8			5	
			6			7		
	3							
7			5		9			
							3	
9								
			8	3				1
4					9			
				5				

No: 1390

					5			8
9				1				
							7	
			7	6				
			9			2		
5								
	6		8			3		
	7	8						
					4	9		

No: 1391

		3		7				4
	5		1					
9								
8				9		6		
6							7	
			4					
				2	6	9		
	4	3						

No: 1392

		3		4				
							9	5
9	8							1
7				3		6		
5								
			9		7			
			5				3	
	2				4			

Torturous

No: 1393

No: 1394

No: 1395

No: 1396

No: 1397

No: 1398

Torturous

No: 1399

```
. . . 5 9 . . . .
. 2 . . . . . 6 .
. . . . . . . . .
. 3 . . 6 1 . . .
9 . . . . . 8 . 5
. . . . . . 4 . .
5 . . 4 . . . . .
. . . . . 2 . 7 .
8 . 1 . . . . . .
```

No: 1400

```
. . . 6 . 9 3 . .
. 5 1 . . . . . .
. 2 . . . . . . .
4 . . 1 . . . 7 .
. . . . . . 8 5 .
. . . . . . . . 2
9 . . . . 6 . . .
. . 5 2 . . . . .
. . . 8 . . . . .
```

No: 1401

```
. 3 . . . 9 . . .
. . 5 . . . 7 . .
. . . 6 . . . . .
1 . . 9 3 . . . .
7 . . . . . 4 . .
. . . 8 . . . . .
5 . 6 7 . . . . .
. . 1 . . 8 . . .
. . . 3 . . . . .
```

No: 1402

```
. . 1 . 5 . 3 . .
. . . . . 7 . . .
. 4 . . . . . . .
. . 3 6 . . 5 . .
9 . . . 8 . . 7 .
. . . . . . . . .
7 8 . . . . . 9 .
. . 1 3 . . 6 . .
. . . . . . . . .
```

No: 1403

```
. 9 4 . . 5 . . .
. . 7 3 . . . . .
. 3 . . . . . . .
. . . . . 9 . 3 .
7 . . 1 . . . . .
8 . 6 . . . . . .
6 . . . . 1 . . .
. 5 . 8 . . . . .
. . . 9 . . . . .
```

No: 1404

```
. . . 8 . . 3 . .
. 1 . . . . . 5 .
. 5 . 4 . . . . .
8 . . . . . 9 . .
. . . . . . 1 7 .
. . . . 3 . . . .
. . 9 . 1 . . . .
3 . . . . 4 . . .
2 . . . 6 . . . .
```

Torturous

No: 1411

	6		7	5				
	1					4		
						3		
8			9				7	
				2	3			
	5							
			8				9	
4		2						
3								

No: 1412

				7			6	
1					8			
				3				
			1			5	4	
	9	7						
	3							
			8			1		7
9			4	6				

No: 1413

				8			4	
6						7		
	3			5				
7			1			9		
5		4						
								3
		8				5		
	9		6					
			3					

No: 1414

7		3						
			3					1
						8	4	
				9	7	5		
	8			6				
	4						9	
5					6			
			4					
			1					

No: 1415

	4			1		3		
8					9			5
	1					4	7	
		3	5					
			8					
6				4			1	
5			7					

No: 1416

			3				4	8
7								
1								
6				1		7		
			5	6				
	4						9	
				2	9	1		
	8		4					

The Gigantic Sudoku Puzzle Book

No: 1417

				2	7	9		
1		3						
	8				7			
			4	3				
			1					
8	9		5					
				6			2	
5						7		

No: 1418

3	4		9					
				2		6		
5								
	1			5			4	
		2	7					
						3		
6				3				
		8				2		
						7		

No: 1419

							7	3
4				9				
						6		
	2		7					
1					9			
		8		3				
	3	8						
			5		2			
6		7						

No: 1420

		7		2		5		
4		3						
8								
	2			6			9	
						3	4	
								8
	1					7		
5			8					
			3					

No: 1421

		4		3				
			7			5		
8				9				
	1	6		8				
3			5					
7						3		
		8		1				
6			9					

No: 1422

						7	9	
8			5			6		
					8		4	5
	7		6					
	3							
5						1		3
	6		9					
			7					

Torturous

No: 1423

			6			3		
4	5							
8								
7						9	5	
			3			7		
			1	8				
	1	3						
				4			8	
				5				

No: 1424

		7		2		5		
4		3						
8								
	2			6			9	
						3	4	
								8
	1				7			
9			8					
			3					

No: 1425

			5		2			
9		3						
8								
	5			4				6
		7				9		
						8	3	
	1				7			
6			9					
			3					

No: 1426

					3		1	
	2			7				
								9
		9		3	8			
	7			5			6	
		1						
			2			5		
9			4					
3								

No: 1427

		7		2		5		
8		3						
1								
	2			6			9	
						3	1	
								8
	4				7			
9			8					
			3					

No: 1428

			8			3		
1				5				
2								
	8		7			6		
5							2	
		3						
9				2			1	
	4				7			
	3							

No: 1429

			5	8				
9						3		
				2				
4		6		3				
					2		1	
					5			
	5				8		9	
	2	1						
					7			

No: 1430

				7	5			1
3						6		
			8					
6	5						3	
	7	1						
			9			4		
4			6					
								5
						7		

No: 1431

			3	1	8			
6								5
			9					
5	1					6		
		7					4	
	3	8						
					1	3		
4			5					

No: 1432

			7			9		
		8				4		
	5			1				
			3		4		5	
3			9					
							8	
	7	9				3		
				8				
6								

No: 1433

	1					2	8	
				3	7			
			5					
1						3	7	
	4		6					
			4	1		9		
5						6		
		3						

No: 1434

				8		7	3	
2	9							
5						8		3
		1	9					
				4	6			
			2	5				
	4						9	
		3						

No: 1435

6						3	1	
			5					7
3								
			3	1	6			
	7					5		
	5		7					8
			9	6				
					4			

No: 1436

	4	9		6				
			1				5	
1	5		3					
						6		3
						4		
		6		9		7		
3			5				8	

No: 1437

2			4				7	3
	9			8				
						6		
			2		7			
	1					5		
				3				
7		3						
			5		9			
		6						

No: 1438

	9	3						
				7	5			
				2				
6							8	9
			4				3	
5								
7						2		
			3			5		
	1		8					

No: 1439

3	1					9		
7			4					
			6					
	5	4						6
			3			5		
		9						
8						7		4
			5					
					1			

No: 1440

	1					4	8	
				3	7			
			5					
1							3	7
	9		2					
			6	1		9		
5						6		
		3						

Torturous

No: 1441

No: 1442

No: 1443

No: 1444

No: 1445

No: 1446

Torturous

No: 1447

						7	5	
	3			8				
1			6					
					5	9		2
6				7				
		4						
			4				6	3
		7						
	8							

No: 1448

			5			1	3	
		6		8				
			3		1	5		
	4	8						
			9					
	6			7				4
1						9		
3								

No: 1449

	6	7						
			9	5				
					3			
5	3							
			7				8	
1			6					
		4	8	6				
						9		5
				1				

No: 1450

8		5						
3			7					
				6				
9							5	8
	6		1					
			4				3	
	7					1		
				5		7		
			3					

No: 1451

	9	3						
			1			6		
						4		
6	1					8		
7								
			5					
			8	6			9	
1							3	
			9					5

No: 1452

			9				5	
	8	3						
		4						
							3	5
2			8					
						6	4	
	1				4	7		
9						8		
				3				

Torturous

No: 1453

9			2					
							1	
								3
3	1		5					
			6			7	8	
	4							
		7				6		
5						9		
				4	1			

No: 1454

							5	4
		9		1				
						8		
3			4		8			
	6			5				
		1						
5	7					1		
				9		6		
8								

No: 1455

			1		3			
	6					9		
	8							
1								7
			8		6			
5								
	9				8	4		
3			7					
			5				1	

No: 1456

3	1							
			4			7		
	9	8						
			3	9				8
5						6		
			1		3			
					9			1
7			5					

No: 1457

	7		2	1				
				4			3	
					5			
			8		7			
1		3						
4	9							
2								1
3						4		
			5					

No: 1458

			5	7				
1			6					
3					4			
			4	3				
	6					5		
						7		
	9				3		1	
5		9						
					8			

No: 1459

```
3 9 . | . 1 . | . . .
. . . | 7 . . | . 8 .
. 5 . | . . . | . . .
------+-------+------
6 . 8 | . . . | 3 . .
4 . . | . . . | 1 . .
. . . | 5 . . | . . .
------+-------+------
. . . | 8 . . | . 7 5
. . . | 3 9 . | . . .
. . . | . . . | . . .
```

No: 1460

```
. . . | . 1 . | 4 3 .
. 9 7 | . . . | . . .
. . . | . . . | . . .
------+-------+------
4 . . | . . . | . 6 .
. . . | 9 . 7 | . . .
. . . | 8 . . | . . 3
------+-------+------
. . . | 5 6 . | 9 . .
. 7 8 | . . . | . . .
3 . . | . . . | . . .
```

No: 1461

```
. 6 4 | . . . | 5 . .
. . . | 1 . 3 | . . .
. . . | . . . | . . .
------+-------+------
. 5 . | . 4 . | 6 . .
1 . . | . . . | . 9 .
. . . | . . . | . . .
------+-------+------
3 . . | 9 . . | . 8 1
9 . . | . 6 . | . . .
. . . | 7 . . | . . .
```

No: 1462

```
. 1 . | . . . | . . 3
9 . . | 7 . . | . . .
. . . | 8 . . | . . .
------+-------+------
7 . 8 | . . . | 5 . .
. . . | 9 3 . | . . .
6 . . | . . . | . . .
------+-------+------
. 3 . | . 1 . | . . .
. . 4 | . . . | . 7 .
. . . | . . . | 8 6 .
```

No: 1463

```
. . . | 7 . . | . 6 .
8 . . | . . 2 | . . .
. . . | 3 4 . | . . .
------+-------+------
6 . . | 5 8 . | . . .
. . . | . . . | . . 3
5 . . | . . . | . . .
------+-------+------
. 4 . | 1 . 9 | . . .
. . . | 6 . . | 5 . .
. . 3 | . . . | . . .
```

No: 1464

```
. . . | 5 . . | . . 7
6 . . | . . 8 | . . .
. 3 . | 9 . . | . . .
------+-------+------
. . . | . 8 7 | 1 . .
. 1 9 | . . . | . . .
. . . | . 3 . | . . .
------+-------+------
. . . | 4 . . | 3 . .
7 . 5 | . . . | . . .
8 . . | . . . | . . .
```

No: 1465

							1	7
	4		6					
	3							
9				2	1			
					4			
5								
1		5					9	
			3	4		6		
			8					

No: 1466

	6	3				4		
			5	2				
	4	2			3			
8								5
						7		
7			9	5				
		7				6		
					3			

No: 1467

7	1							
		4			6			
	5	8						
6			5	7				
9				3				
			1					8
						5	1	
		3						
					7			

No: 1468

	4	9					6	
			5	7				
1					8			
				7	5			
	6			9				
	7					9	4	
5			8					
		3						

No: 1469

9					4			
			6			1		
				5				
2		9					6	
		5		1				
					3			
		7	2				9	
	1			8				
	3							

No: 1470

1						9		2
4		7				6		
						6		
			9	4		8		
2								
			3					
			5		1			
	9					7		
	6		2					

No: 1471

	4		6	2				
8							3	
	5		1			4		
			7					
3								
9				3	8			
						5		4
			9			6		

No: 1472

				6		5		
	7	9						
	8							1
5			7					
			8					9
							3	
8						7	4	
1				9				
				3				

No: 1473

	9						5	3
8			1	7				
						7	6	
	5				3			
4			9					
		7		6		1		
					5	9		

No: 1474

	6		9	3			1	
				5				
	6							
7			8	5				
	1					6		
								3
5		8				7		
4			1					

No: 1475

5	8				7			
	3						4	
			2		1			
9			6					
		4				3		
	5							
6				7				
1								9
			3					

No: 1476

1		5				4		
			3	7				
8			1			5		
	3			8				
9		6						
	4					3		8
						7		
	5							

No: 1477

	6				3			
						7		
						9		
		9	1		4			
	2							3
		4						
9		1	5					
3					8	2		
								6

No: 1478

			2				5	7
2		3	4					
							9	
	5			7				
6						3		
			9					
	7			4				
		1			6			
1								

No: 1479

3							7	4
		5		8				
		6						
4	7			3				
					5	9		
	6	9			8			
		5			1		3	

No: 1480

		6		1			9	
	8					7		
8	7					3		
			9					
		6						
		5			7	8		
1		4					6	
			3					

No: 1481

	8		7		4			
					1			
			8					
1				5		6		
					7	4		
		3						
9				1				3
	4					8		
			2					

No: 1482

				5				7
6						8		
	3		1					
				8	7	9		
	1	9						
				3				
			4				3	
7		5						
8								

The Gigantic Sudoku Puzzle Book

No: 1483

No: 1484

No: 1485

No: 1486

No: 1487

No: 1488

Torturous

No: 1489

		4				3		
7		6						
8								
	9			5				
1			8					
			6	7				
	3		1					
					7		8	
		5			6			

No: 1490

			9			6		
		3						
8								
							5	8
	1		4					
						7	3	
7				8	5			
				3				1
	6					9		

No: 1491

2		7	9					
		6						3
1	6							
					8	9		
					7			
4	5			2				1
			7			4		
			8					

No: 1492

6		7		8				
					5		9	
9	5			4				
	3				7			
					1			
8			7	1				
							4	3
			6					

No: 1493

			6	4		1		
8	7				2			
		3		1				
		8			7			
	9							
4								6
2		7						
		6				5		

No: 1494

			7	4			5	
3		8				6		
			2					
	4					5	7	
1				3				
9						3		8
	7		4					

The Gigantic Sudoku Puzzle Book

No: 1495

6	1		5					
9							4	
						3	2	
		3			1			
			6			7		
8			4					
	2			3				
			8			9		

No: 1496

						5		9
				7				
			6					
		3		9				
			8				7	
						6	4	
			3	5		8		
7	6							1
4								

No: 1497

	8	3						
			6		9			
9			5					3
6						4		
						8	2	
	4		8		3			
1					6			
			7					

No: 1498

	3			1				
			4			8		
6							3	7
5		9	8					
					3	7		1
8					5			
9				2				

No: 1499

2						6	4	
9				1				
						7		
	4					3	1	
			9	7				
	1		4		3			
			2			9		
5								

No: 1500

			3			4		
	2					5		
7								
9			8		5		6	
1		3						9
	8		7			3		
		4						
			6					

Blanks

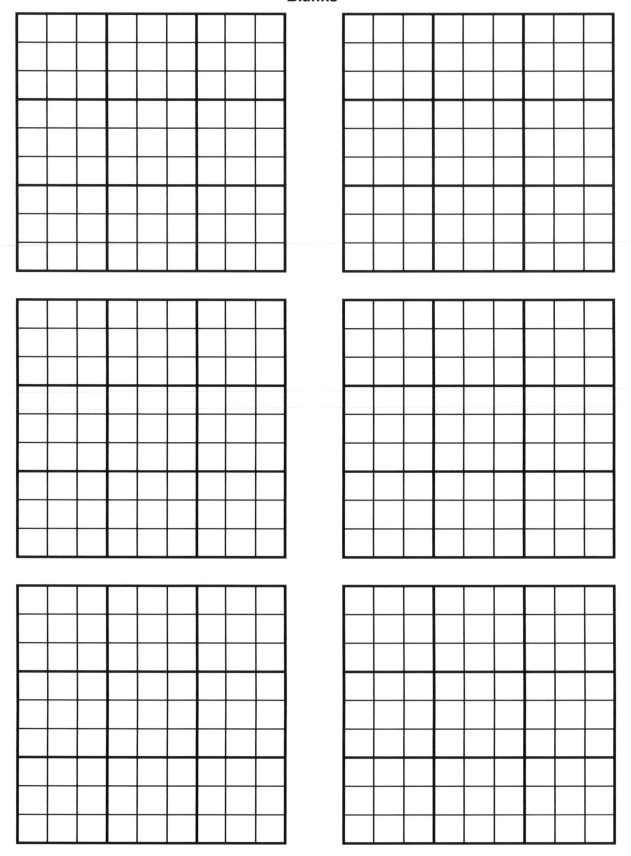

The Gigantic Sudoku Puzzle Book

The Gigantic Sudoku Puzzle Book 1500 Puzzles

Solutions

Largest Printed Sudoku Puzzle Book Ever!

by Jonathan Bloom

Easy through Challenging to Nail Biting and Torturous

Easy

1
```
8 1 6 3 7 9 4 5 2
5 7 3 2 4 1 9 8 6
9 4 2 8 6 5 7 3 1
6 2 1 5 8 4 3 9 7
4 9 8 7 3 2 1 6 5
3 5 7 1 9 6 2 4 8
7 6 9 4 1 8 5 2 3
2 3 4 6 5 7 8 1 9
1 8 5 9 2 3 6 7 4
```

2
```
3 8 4 1 9 7 5 2 6
9 5 6 8 2 4 3 7 1
2 7 1 5 6 3 4 8 9
5 6 3 9 7 8 1 4 2
7 4 2 6 3 1 9 5 8
1 9 8 2 4 5 6 3 7
8 1 7 3 5 6 2 9 4
6 2 5 4 8 9 7 1 3
4 3 9 7 1 2 8 6 5
```

3
```
2 6 9 4 5 8 1 3 7
8 1 3 6 2 7 4 5 9
4 5 7 3 1 9 2 6 8
7 2 5 8 3 1 9 4 6
1 3 4 9 6 2 7 8 5
9 8 6 5 7 4 3 1 2
3 7 8 2 4 6 5 9 1
6 4 2 1 9 5 8 7 3
5 9 1 7 8 3 6 2 4
```

4
```
8 2 3 1 7 9 6 4 5
4 5 6 2 8 3 9 1 7
1 9 7 4 6 5 2 8 3
2 6 4 3 9 1 5 7 8
7 1 9 6 5 8 4 3 2
5 3 8 7 2 4 1 6 9
9 8 1 5 4 7 3 2 6
6 4 5 8 3 2 7 9 1
3 7 2 9 1 6 8 5 4
```

5
```
5 1 4 3 8 2 6 7 9
7 9 6 1 5 4 3 8 2
8 2 3 7 9 6 5 1 4
9 5 7 6 4 8 2 3 1
3 4 1 2 7 5 8 9 6
2 6 8 9 3 1 4 5 7
6 8 5 4 1 9 7 2 3
1 7 2 8 6 3 9 4 5
4 3 9 5 2 7 1 6 8
```

6
```
2 7 4 5 8 9 3 6 1
9 6 8 2 1 3 4 5 7
3 1 5 4 7 6 8 2 9
6 3 9 7 2 1 5 4 8
5 2 1 8 9 4 6 7 3
4 8 7 6 3 5 9 1 2
7 5 3 1 6 8 2 9 4
1 9 6 3 4 2 7 8 5
8 4 2 9 5 7 1 3 6
```

7
```
9 2 4 5 7 8 6 1 3
8 7 3 9 1 6 5 4 2
6 5 1 3 4 2 9 7 8
1 4 5 2 8 9 7 3 6
7 3 9 6 5 1 2 8 4
2 6 8 4 3 7 1 5 9
4 1 6 7 2 3 8 9 5
5 9 7 8 6 4 3 2 1
3 8 2 1 9 5 4 6 7
```

8
```
9 5 2 8 1 7 3 6 4
7 1 4 5 3 6 9 8 2
6 8 3 4 9 2 7 5 1
2 3 7 1 8 9 6 4 5
4 9 1 3 6 5 2 7 8
8 6 5 2 7 4 1 3 9
3 2 8 7 5 1 4 9 6
5 4 6 9 2 3 8 1 7
1 7 9 6 4 8 5 2 3
```

9
```
4 7 2 5 8 9 3 6 1
9 6 8 1 4 3 2 5 7
3 1 5 2 7 6 8 4 9
6 3 9 7 1 4 5 2 8
5 4 1 8 9 2 6 7 3
2 8 7 6 3 5 9 1 4
7 5 3 4 6 8 1 9 2
1 9 6 3 2 7 4 8 5
8 2 4 9 5 1 7 3 6
```

10
```
9 6 2 8 1 4 5 3 7
3 5 7 2 9 6 4 1 8
4 1 8 5 7 3 2 6 9
1 7 4 6 8 9 3 5 2
5 8 3 4 2 1 9 7 6
6 2 9 3 5 7 8 4 1
7 9 5 1 3 8 6 2 4
2 4 1 9 6 5 7 8 3
8 3 6 7 4 2 1 9 5
```

11
```
2 7 9 5 6 8 3 1 4
6 1 8 2 4 3 9 5 7
3 4 5 9 1 7 8 2 6
1 3 6 7 2 4 5 9 8
5 2 4 8 9 6 1 7 3
9 8 7 1 3 5 6 4 2
7 5 3 4 8 1 2 6 9
4 6 2 3 5 9 7 8 1
8 9 1 6 7 2 4 3 5
```

12
```
1 5 7 8 4 3 6 9 2
8 3 6 2 7 9 4 5 1
9 4 2 1 6 5 7 8 3
5 2 1 6 8 7 9 3 4
3 7 4 5 9 1 8 2 6
6 9 8 4 3 2 1 7 5
2 8 3 7 1 6 5 4 9
4 6 9 3 5 8 2 1 7
7 1 5 9 2 4 3 6 8
```

13
```
2 7 5 6 9 4 8 1 3
9 8 4 2 1 3 6 7 5
3 6 1 5 8 7 2 9 4
8 3 6 7 2 1 5 4 9
1 9 2 4 5 6 7 3 8
5 4 7 8 3 9 1 6 2
7 2 3 1 4 8 9 5 6
6 5 9 3 7 2 4 8 1
4 1 8 9 6 5 3 2 7
```

14
```
2 9 3 4 8 5 6 1 7
5 1 7 2 6 3 8 4 9
8 6 4 7 9 1 5 3 2
6 7 5 1 3 2 4 9 8
1 8 2 9 5 4 3 7 6
4 3 9 6 7 8 1 2 5
7 5 1 8 4 9 2 6 3
3 4 6 5 2 7 9 8 1
9 2 8 3 1 6 7 5 4
```

15
```
1 7 6 2 5 4 9 3 8
5 4 2 3 9 8 6 1 7
8 3 9 7 1 6 4 5 2
2 5 3 4 7 9 1 8 6
7 9 8 1 6 2 5 4 3
6 1 4 5 8 3 2 7 9
3 2 1 6 4 7 8 9 5
9 6 5 8 3 1 7 2 4
4 8 7 9 2 5 3 6 1
```

16
```
3 7 5 2 6 9 8 1 4
2 9 1 4 8 3 6 7 5
8 4 6 5 7 1 9 3 2
9 5 3 7 1 4 2 8 6
7 1 4 8 2 6 5 9 3
6 8 2 9 3 5 1 4 7
5 3 7 6 9 8 4 2 1
1 6 8 3 4 2 7 5 9
4 2 9 1 5 7 3 6 8
```

17
```
7 6 3 4 5 2 9 1 8
8 4 1 6 9 7 2 5 3
9 5 2 1 3 8 4 6 7
5 8 4 7 2 1 3 9 6
1 9 7 8 6 3 5 4 2
3 2 6 5 4 9 8 7 1
2 7 5 3 1 4 6 8 9
6 1 9 2 8 5 7 3 4
4 3 8 9 7 6 1 2 5
```

18
```
9 5 4 6 8 2 7 1 3
2 8 6 1 7 3 9 4 5
7 1 3 5 4 9 2 8 6
5 3 9 2 1 4 8 6 7
1 6 7 9 3 8 4 5 2
8 4 2 7 6 5 1 3 9
6 9 8 3 2 1 5 7 4
3 2 1 4 5 7 6 9 8
4 7 5 8 9 6 3 2 1
```

19
```
9 8 2 6 5 4 1 3 7
3 5 7 2 9 1 4 8 6
4 1 6 8 7 3 2 9 5
8 7 4 1 6 9 3 5 2
1 6 3 4 2 5 9 7 8
5 2 9 3 8 7 6 4 1
7 9 1 5 3 6 8 2 4
2 4 5 9 1 8 7 6 3
6 3 8 7 4 2 5 1 9
```

20
```
6 8 4 2 5 9 1 3 7
2 9 3 1 7 6 5 8 4
5 7 1 4 8 3 9 2 6
9 2 7 3 4 8 6 5 1
4 6 5 9 2 1 8 7 3
1 3 8 7 6 5 2 4 9
7 4 9 8 1 2 3 6 5
8 1 6 5 3 4 7 9 2
3 5 2 6 9 7 4 1 8
```

21 · **22** · **23** · **24**

25 · **26** · **27** · **28**

29 · **30** · **31** · **32**

33 · **34** · **35** · **36**

37 · **38** · **39** · **40**

Easy

41 **42** **43** **44**

45 **46** **47** **48**

49 **50** **51** **52**

53 **54** **55** **56**

57 **58** **59** **60**

Easy

61 **62** **63** **64**

65 **66** **67** **68**

69 **70** **71** **72**

73 **74** **75** **76**

77 **78** **79** **80**

The Gigantic Sudoku Puzzle Book

© 2012 www.buysudokubooks.com

81

1	7	5	4	9	2	3	6	8
8	9	3	5	6	7	1	4	2
6	4	2	3	1	8	5	7	9
7	3	8	2	4	1	6	9	5
2	1	9	7	5	6	4	8	3
5	6	4	8	3	9	7	2	1
3	2	7	1	8	4	9	5	6
4	5	6	9	2	3	8	1	7
9	8	1	6	7	5	2	3	4

82

9	2	7	6	1	5	4	3	8
6	4	5	3	8	7	1	9	2
8	1	3	2	4	9	6	5	7
7	6	4	9	3	8	5	2	1
1	9	8	5	2	4	3	7	6
3	5	2	7	6	1	9	8	4
5	3	1	4	7	2	8	6	9
2	8	6	1	9	3	7	4	5
4	7	9	8	5	6	2	1	3

83

5	4	7	3	2	9	6	1	8
6	9	2	7	1	8	3	4	5
3	8	1	5	6	4	7	9	2
1	2	4	8	5	6	9	3	7
9	3	6	4	7	2	8	5	1
7	5	8	9	3	1	2	6	4
8	6	5	1	9	7	4	2	3
2	7	3	6	4	5	1	8	9
4	1	9	2	8	3	5	7	6

84

5	1	4	8	6	3	9	7	2
9	7	2	4	5	1	8	6	3
3	8	6	9	7	2	4	1	5
7	4	5	2	9	8	6	3	1
8	2	9	3	1	6	5	4	7
1	6	3	7	4	5	2	9	8
2	9	7	1	8	4	3	5	6
4	5	8	6	3	7	1	2	9
6	3	1	5	2	9	7	8	4

85

5	1	4	3	8	7	2	6	9
2	3	7	6	1	9	4	8	5
8	9	6	5	2	4	3	1	7
3	5	8	2	7	6	1	9	4
1	4	2	8	9	5	6	7	3
6	7	9	1	4	3	8	5	2
9	8	3	4	5	1	7	2	6
7	6	1	9	3	2	5	4	8
4	2	5	7	6	8	9	3	1

86

5	4	7	3	2	9	6	1	8
1	9	2	7	6	8	3	4	5
3	8	6	5	1	4	7	9	2
2	6	4	8	5	1	9	3	7
9	3	1	4	7	2	8	5	6
7	5	8	9	3	6	1	2	4
8	1	5	2	9	7	4	6	3
6	7	3	1	4	5	2	8	9
4	2	9	6	8	3	5	7	1

87

4	7	1	9	8	6	2	5	3
9	6	3	2	7	5	8	4	1
5	2	8	4	3	1	6	7	9
2	4	9	5	6	3	1	8	7
1	3	5	8	2	7	4	9	6
7	8	6	1	9	4	5	3	2
6	9	2	3	4	8	7	1	5
8	5	7	6	1	9	3	2	4
3	1	4	7	5	2	9	6	8

88

6	9	7	5	2	1	8	4	3
2	8	5	4	7	3	1	9	6
1	4	3	6	8	9	5	2	7
7	2	4	8	1	6	9	3	5
8	6	1	9	3	5	2	7	4
5	3	9	2	4	7	6	1	8
4	1	6	7	9	8	3	5	2
3	5	2	1	6	4	7	8	9
9	7	8	3	5	2	4	6	1

89

6	2	7	9	5	3	8	1	4
1	4	3	8	2	7	6	9	5
5	9	8	1	6	4	2	7	3
8	6	4	5	3	1	7	2	9
2	5	1	7	9	8	4	3	6
3	7	9	6	4	2	1	5	8
9	8	5	2	1	6	3	4	7
7	3	2	4	8	9	5	6	1
4	1	6	3	7	5	9	8	2

90

8	4	5	9	1	7	2	6	3
9	7	6	8	3	2	4	1	5
1	3	2	6	5	4	9	7	8
3	2	7	5	6	9	1	8	4
5	8	9	3	4	1	7	2	6
4	6	1	2	7	8	3	5	9
2	9	4	7	8	6	5	3	1
6	1	3	4	2	5	8	9	7
7	5	8	1	9	3	6	4	2

91

2	6	4	8	9	1	5	7	3
1	3	8	7	5	4	6	9	2
5	9	7	2	6	3	8	4	1
4	1	9	6	3	8	2	5	7
8	7	2	5	1	9	4	3	6
3	5	6	4	7	2	1	8	9
6	2	5	3	4	7	9	1	8
9	8	3	1	2	5	7	6	4
7	4	1	9	8	6	3	2	5

92

6	2	5	4	7	9	3	1	8
1	3	8	6	2	5	9	4	7
9	7	4	8	1	3	5	2	6
7	6	1	9	3	8	2	5	4
5	9	3	2	4	6	8	7	1
8	4	2	7	5	1	6	3	9
3	8	7	5	6	4	1	9	2
4	5	6	1	9	2	7	8	3
2	1	9	3	8	7	4	6	5

93

1	2	5	3	9	4	8	6	7
4	7	9	8	6	2	3	5	1
6	8	3	1	7	5	2	9	4
3	1	6	4	2	8	9	7	5
2	9	4	5	1	7	6	3	8
7	5	8	6	3	9	1	4	2
9	4	1	2	5	6	7	8	3
5	6	2	7	8	3	4	1	9
8	3	7	9	4	1	5	2	6

94

9	1	7	4	5	2	3	8	6
4	2	6	8	3	9	1	5	7
5	8	3	7	1	6	2	9	4
6	5	8	9	4	1	7	3	2
3	4	2	6	7	5	9	1	8
7	9	1	3	2	8	6	4	5
1	3	4	5	6	7	8	2	9
8	6	5	2	9	3	4	7	1
2	7	9	1	8	4	5	6	3

95

2	3	6	8	1	5	4	7	9
8	9	7	4	3	6	1	5	2
5	1	4	2	7	9	8	3	6
1	4	9	7	8	3	2	6	5
3	7	2	6	5	1	9	8	4
6	8	5	9	4	2	3	1	7
7	2	1	5	9	8	6	4	3
9	5	8	3	6	4	7	2	1
4	6	3	1	2	7	5	9	8

96

1	4	3	9	8	2	7	5	6
7	2	9	4	5	6	8	1	3
8	5	6	3	7	1	4	2	9
5	8	2	6	4	7	3	9	1
3	1	7	2	9	5	6	8	4
6	9	4	1	3	8	2	7	5
4	6	1	7	2	9	5	3	8
2	3	5	8	1	4	9	6	7
9	7	8	5	6	3	1	4	2

97

4	2	9	5	7	8	6	1	3
3	6	5	9	4	1	2	8	7
8	7	1	6	2	3	9	5	4
7	4	8	2	1	5	3	6	9
9	1	2	4	3	6	8	7	5
6	5	3	7	8	9	1	4	2
2	3	7	1	6	4	5	9	8
5	8	6	3	9	7	4	2	1
1	9	4	8	5	2	7	3	6

98

9	8	1	7	5	2	4	6	3
5	7	4	6	8	3	1	9	2
3	2	6	9	4	1	8	7	5
2	6	8	1	9	4	5	3	7
7	5	3	2	6	8	9	4	1
1	4	9	3	7	5	2	8	6
8	3	7	5	2	9	6	1	4
6	9	5	4	1	7	3	2	8
4	1	2	8	3	6	7	5	9

99

4	8	7	3	1	5	9	6	2
1	5	9	4	2	6	7	8	3
3	6	2	9	7	8	1	4	5
6	9	8	5	3	1	4	2	7
5	7	3	2	8	4	6	9	1
2	1	4	7	6	9	3	5	8
9	3	6	8	5	7	2	1	4
7	4	5	1	9	2	8	3	6
8	2	1	6	4	3	5	7	9

100

8	6	3	1	2	7	9	5	4
9	1	2	5	4	8	7	6	3
5	4	7	3	9	6	8	2	1
3	2	9	6	5	4	1	7	8
7	5	1	8	3	9	6	4	2
6	8	4	2	7	1	5	3	9
1	9	5	4	6	3	2	8	7
4	7	6	9	8	2	3	1	5
2	3	8	7	1	5	4	9	6

101 **102** **103** **104**

105 **106** **107** **108**

109 **110** **111** **112**

113 **114** **115** **116**

117 **118** **119** **120**

The Gigantic Sudoku Puzzle Book

© 2012 www.buysudokubooks.com

121

2	1	7	6	8	9	5	3	4
6	9	3	1	4	5	8	7	2
4	8	5	3	7	2	6	9	1
3	4	8	9	5	6	2	1	7
5	2	9	7	3	1	4	8	6
7	6	1	4	2	8	3	5	9
9	5	2	8	1	4	7	6	3
1	7	4	5	6	3	9	2	8
8	3	6	2	9	7	1	4	5

122

5	2	3	9	6	8	1	7	4
4	8	6	3	1	7	2	9	5
1	9	7	5	2	4	8	6	3
3	1	9	4	5	2	7	8	6
2	7	4	6	8	9	5	3	1
8	6	5	1	7	3	9	4	2
6	5	8	7	4	1	3	2	9
7	3	1	2	9	6	4	5	8
9	4	2	8	3	5	6	1	7

123

4	8	6	9	1	7	5	3	2
1	9	7	5	3	2	4	6	8
3	2	5	8	6	4	7	1	9
8	6	3	4	2	9	1	7	5
2	5	4	1	7	6	8	9	3
9	7	1	3	8	5	2	4	6
6	1	2	7	9	8	3	5	4
7	4	8	6	5	3	9	2	1
5	3	9	2	4	1	6	8	7

124

9	3	1	8	5	6	2	7	4
7	5	2	9	1	4	3	8	6
6	4	8	7	3	2	9	1	5
3	2	7	4	8	1	6	5	9
5	1	9	2	6	7	4	3	8
4	8	6	5	9	3	1	2	7
1	7	4	6	2	5	8	9	3
8	6	3	1	7	9	5	4	2
2	9	5	3	4	8	7	6	1

125

9	8	2	1	7	4	6	5	3
7	4	3	9	5	6	1	8	2
6	1	5	3	2	8	9	4	7
2	5	6	7	8	3	4	9	1
1	9	8	6	4	2	3	7	5
3	7	4	5	9	1	8	2	6
8	3	7	4	1	5	2	6	9
5	2	1	8	6	9	7	3	4
4	6	9	2	3	7	5	1	8

126

4	2	6	1	5	9	8	7	3
9	5	1	8	7	3	2	6	4
7	3	8	6	2	4	9	1	5
1	4	7	5	8	2	3	9	6
5	6	9	7	3	1	4	2	8
3	8	2	4	9	6	1	5	7
2	7	5	3	1	8	6	4	9
8	1	4	9	6	7	5	3	2
6	9	3	2	4	5	7	8	1

127

1	6	2	5	8	7	4	9	3
4	7	3	1	9	2	5	8	6
8	5	9	3	6	4	2	7	1
9	2	7	8	3	5	6	1	4
5	1	8	6	4	9	7	3	2
6	3	4	2	7	1	9	5	8
2	9	6	7	1	3	8	4	5
3	4	5	9	2	8	1	6	7
7	8	1	4	5	6	3	2	9

128

4	8	7	2	5	6	9	3	1
6	2	9	3	1	8	5	7	4
3	1	5	7	9	4	8	2	6
5	6	2	1	4	3	7	9	8
8	7	3	9	6	2	4	1	5
1	9	4	8	7	5	2	6	3
2	4	8	6	3	9	1	5	7
7	5	6	4	2	1	3	8	9
9	3	1	5	8	7	6	4	2

129

2	9	7	5	8	3	6	1	4
8	4	1	6	7	9	5	3	2
3	6	5	4	2	1	8	7	9
9	7	3	1	4	8	2	6	5
6	8	2	9	3	5	1	4	7
1	5	4	7	6	2	9	8	3
7	1	8	2	5	4	3	9	6
5	3	6	8	9	7	4	2	1
4	2	9	3	1	6	7	5	8

130

6	5	7	8	2	4	1	9	3
2	8	9	5	1	3	6	7	4
3	1	4	6	7	9	8	5	2
5	9	3	7	4	6	2	8	1
1	4	8	9	3	2	7	6	5
7	2	6	1	5	8	3	4	9
8	6	1	3	9	5	4	2	7
4	3	5	2	8	7	9	1	6
9	7	2	4	6	1	5	3	8

131

8	9	5	3	1	2	6	7	4
3	7	4	5	9	6	1	2	8
1	6	2	7	4	8	5	3	9
9	5	3	6	8	7	4	1	2
6	4	8	1	2	9	3	5	7
7	2	1	4	3	5	8	9	6
5	8	6	9	7	1	2	4	3
4	1	7	2	6	3	9	8	5
2	3	9	8	5	4	7	6	1

132

1	5	2	6	7	9	4	8	3
7	6	8	4	1	3	2	9	5
9	4	3	8	5	2	1	7	6
2	3	7	9	8	1	6	5	4
5	9	6	3	2	4	7	1	8
8	1	4	5	6	7	9	3	2
4	8	1	2	9	5	3	6	7
6	2	9	7	3	8	5	4	1
3	7	5	1	4	6	8	2	9

133

2	4	9	5	1	6	8	7	3
5	6	7	2	8	3	9	4	1
3	8	1	9	7	4	6	2	5
7	1	3	6	4	9	2	5	8
8	2	6	3	5	1	4	9	7
4	9	5	8	2	7	3	1	6
1	3	2	7	9	8	5	6	4
9	7	8	4	6	5	1	3	2
6	5	4	1	3	2	7	8	9

134

2	3	1	7	9	5	4	8	6
6	8	5	4	1	3	7	2	9
9	4	7	6	2	8	1	5	3
3	9	4	5	6	7	8	1	2
5	1	6	8	4	2	9	3	7
7	2	8	1	3	9	5	6	4
4	5	2	9	8	6	3	7	1
8	6	9	3	7	1	2	4	5
1	7	3	2	5	4	6	9	8

135

5	7	1	6	8	9	2	4	3
9	2	3	4	7	1	5	8	6
6	8	4	2	3	5	1	9	7
1	9	7	3	4	2	6	5	8
4	5	8	9	1	6	3	7	2
3	6	2	7	5	8	4	1	9
2	3	5	8	9	4	7	6	1
8	4	6	1	2	7	9	3	5
7	1	9	5	6	3	8	2	4

136

8	9	7	3	1	2	6	5	4
5	6	4	8	9	7	1	3	2
1	2	3	5	4	6	7	8	9
4	3	9	6	2	5	8	1	7
7	8	1	4	3	9	2	6	5
6	5	2	1	7	8	4	9	3
2	1	5	7	6	3	9	4	8
3	7	6	9	8	4	5	2	1
9	4	8	2	5	1	3	7	6

137

8	6	3	5	7	2	1	4	9
5	2	1	4	9	3	6	8	7
4	9	7	1	8	6	2	5	3
7	1	9	8	6	5	4	3	2
3	4	6	7	2	9	5	1	8
2	8	5	3	1	4	7	9	6
9	5	2	6	3	1	8	7	4
6	7	4	9	5	8	3	2	1
1	3	8	2	4	7	9	6	5

138

2	5	1	9	4	7	8	6	3
7	9	6	5	3	8	4	2	1
3	8	4	6	2	1	9	5	7
5	1	8	3	6	4	2	7	9
6	7	2	1	9	5	3	4	8
4	3	9	7	8	2	5	1	6
8	6	7	2	5	3	1	9	4
9	2	3	4	1	6	7	8	5
1	4	5	8	7	9	6	3	2

139

2	6	8	1	5	4	9	3	7
7	9	1	8	3	6	2	5	4
4	3	5	7	2	9	1	8	6
9	4	2	5	6	3	7	1	8
8	1	3	4	7	2	6	9	5
6	5	7	9	8	1	4	2	3
5	7	6	2	9	8	3	4	1
1	8	9	3	4	7	5	6	2
3	2	4	6	1	5	8	7	9

140

4	1	2	6	7	8	9	5	3
7	6	3	1	9	5	4	2	8
9	8	5	3	2	4	6	7	1
8	5	4	2	1	7	3	6	9
6	7	1	9	8	3	5	4	2
2	3	9	4	5	6	1	8	7
5	4	7	8	3	9	2	1	6
1	9	8	5	6	2	7	3	4
3	2	6	7	4	1	8	9	5

141

3	8	7	9	1	6	5	4	2
5	9	6	4	2	3	8	1	7
2	4	1	5	8	7	6	3	9
6	7	4	8	3	9	1	2	5
1	3	2	6	4	5	9	7	8
8	5	9	1	7	2	4	6	3
4	2	8	3	5	1	7	9	6
9	1	3	7	6	8	2	5	4
7	6	5	2	9	4	3	8	1

142

6	5	9	1	7	3	2	4	8
8	7	2	4	5	9	6	3	1
4	1	3	2	6	8	7	9	5
5	8	7	9	3	2	4	1	6
1	3	6	8	4	7	5	2	9
2	9	4	6	1	5	3	8	7
3	4	5	7	8	1	9	6	2
9	6	8	5	2	4	1	7	3
7	2	1	3	9	6	8	5	4

143

9	1	7	6	3	5	4	2	8
2	6	5	8	7	4	3	1	9
4	8	3	2	1	9	7	5	6
3	2	6	5	9	7	8	4	1
5	4	8	1	6	2	9	3	7
7	9	1	4	8	3	5	6	2
6	3	4	9	2	8	1	7	5
1	5	9	7	4	6	2	8	3
8	7	2	3	5	1	6	9	4

144

2	6	7	5	4	1	3	9	8
4	9	3	7	6	8	2	5	1
8	5	1	3	9	2	6	7	4
3	1	6	9	5	4	7	8	2
9	7	2	6	8	3	4	1	5
5	4	8	1	2	7	9	6	3
7	8	9	2	3	5	1	4	6
6	3	4	8	1	9	5	2	7
1	2	5	4	7	6	8	3	9

145

2	1	4	5	3	7	8	9	6
9	5	6	4	8	2	1	3	7
8	7	3	1	9	6	2	5	4
1	9	2	8	6	4	5	7	3
7	6	8	3	2	5	4	1	9
3	4	5	9	7	1	6	2	8
6	8	9	2	5	3	7	4	1
4	2	7	6	1	9	3	8	5
5	3	1	7	4	8	9	6	2

146

4	6	9	7	8	1	2	5	3
8	7	3	9	5	2	6	4	1
2	5	1	4	6	3	8	7	9
9	2	5	8	3	4	1	6	7
7	1	6	2	9	5	4	3	8
3	4	8	1	7	6	5	9	2
1	9	7	6	4	8	3	2	5
5	8	4	3	2	7	9	1	6
6	3	2	5	1	9	7	8	4

147

1	6	9	4	3	8	7	2	5
7	8	4	1	5	2	3	9	6
2	3	5	7	9	6	4	1	8
5	1	3	8	7	9	2	6	4
9	2	8	6	4	5	1	7	3
4	7	6	3	2	1	5	8	9
6	5	7	9	1	3	8	4	2
8	4	2	5	6	7	9	3	1
3	9	1	2	8	4	6	5	7

148

8	9	7	5	1	3	4	2	6
3	5	4	8	2	6	7	9	1
2	1	6	9	4	7	3	5	8
7	4	2	3	9	1	6	8	5
1	8	3	6	5	2	9	7	4
9	6	5	7	8	4	2	1	3
5	2	9	4	3	8	1	6	7
4	7	8	1	6	9	5	3	2
6	3	1	2	7	5	8	4	9

149

2	3	7	5	1	9	4	6	8
4	9	6	8	2	7	1	5	3
1	8	5	4	6	3	7	9	2
3	1	4	9	5	6	8	2	7
5	6	8	7	4	2	9	3	1
7	2	9	3	8	1	6	4	5
8	7	2	6	3	4	5	1	9
6	5	1	2	9	8	3	7	4
9	4	3	1	7	5	2	8	6

150

8	1	9	3	2	7	6	4	5
2	5	3	4	8	6	1	7	9
7	6	4	5	1	9	3	8	2
1	4	8	9	7	3	5	2	6
3	9	5	2	6	8	4	1	7
6	2	7	1	4	5	9	3	8
4	8	2	6	9	1	7	5	3
9	3	1	7	5	2	8	6	4
5	7	6	8	3	4	2	9	1

151

3	6	8	5	1	2	4	7	9
2	1	4	9	7	8	6	3	5
9	7	5	6	4	3	1	2	8
8	9	1	2	6	5	7	4	3
5	2	6	4	3	7	8	9	1
4	3	7	8	9	1	2	5	6
7	8	3	1	5	4	9	6	2
6	4	2	3	8	9	5	1	7
1	5	9	7	2	6	3	8	4

152

3	8	4	6	1	2	9	7	5
5	1	2	7	9	8	6	3	4
9	6	7	4	3	5	2	1	8
6	2	5	9	4	1	3	8	7
8	4	1	3	2	7	5	9	6
7	9	3	5	8	6	1	4	2
2	7	9	1	6	4	8	5	3
1	5	6	8	7	3	4	2	9
4	3	8	2	5	9	7	6	1

153

8	5	4	3	7	2	6	9	1
1	7	6	9	8	4	3	5	2
3	9	2	1	5	6	4	7	8
2	1	9	8	4	3	5	6	7
6	4	7	2	9	5	8	1	3
5	8	3	7	6	1	9	2	4
4	3	5	6	1	7	2	8	9
9	6	1	4	2	8	7	3	5
7	2	8	5	3	9	1	4	6

154

4	8	1	5	3	9	2	7	6
3	9	7	6	4	2	1	8	5
5	2	6	8	1	7	3	4	9
2	4	5	7	8	1	9	6	3
1	7	8	9	6	3	5	2	4
9	6	3	2	5	4	7	1	8
6	1	9	4	7	5	8	3	2
7	5	4	3	2	8	6	9	1
8	3	2	1	9	6	4	5	7

155

8	7	4	9	1	3	6	2	5
9	6	3	5	4	2	7	8	1
2	1	5	8	7	6	3	9	4
1	5	7	6	2	9	8	4	3
6	8	2	3	5	4	9	1	7
4	3	9	7	8	1	2	5	6
3	9	1	4	6	8	5	7	2
7	2	6	1	9	5	4	3	8
5	4	8	2	3	7	1	6	9

156

3	6	5	1	4	8	2	7	9
8	7	9	2	6	5	3	1	4
4	2	1	3	9	7	6	5	8
2	5	8	4	7	1	9	6	3
6	9	3	8	5	2	1	4	7
7	1	4	6	3	9	5	8	2
1	3	6	9	8	4	7	2	5
5	8	2	7	1	3	4	9	6
9	4	7	5	2	6	8	3	1

157

6	8	5	3	9	2	7	4	1
2	4	9	6	1	7	5	8	3
7	1	3	4	5	8	9	6	2
1	3	6	2	7	5	4	9	8
5	9	8	1	3	4	2	7	6
4	2	7	8	6	9	3	1	5
8	7	1	5	4	3	6	2	9
9	5	2	7	8	6	1	3	4
3	6	4	9	2	1	8	5	7

158

8	7	5	3	4	2	6	9	1
1	6	2	9	5	8	7	4	3
9	3	4	1	7	6	2	8	5
3	1	9	7	6	4	5	2	8
6	5	8	2	9	1	3	7	4
2	4	7	5	8	3	1	6	9
4	2	1	6	3	9	8	5	7
7	9	3	8	2	5	4	1	6
5	8	6	4	1	7	9	3	2

159

6	4	1	3	7	5	8	9	2
2	3	9	4	8	1	5	6	7
7	8	5	2	6	9	1	4	3
3	5	6	9	1	8	7	2	4
8	1	7	6	2	4	3	5	9
4	9	2	5	3	7	6	8	1
9	7	3	8	4	6	2	1	5
1	6	4	7	5	2	9	3	8
5	2	8	1	9	3	4	7	6

160

9	8	5	2	7	3	4	6	1
1	4	2	5	6	9	8	7	3
3	6	7	1	8	4	2	9	5
5	3	8	7	4	2	6	1	9
7	2	1	9	3	6	5	4	8
6	9	4	8	5	1	7	3	2
8	1	6	4	9	5	3	2	7
2	7	3	6	1	8	9	5	4
4	5	9	3	2	7	1	8	6

161

8	2	7	3	9	5	6	4	1
1	5	4	7	2	6	8	9	3
6	3	9	4	1	8	2	7	5
4	9	2	8	3	1	5	6	7
3	8	1	5	6	7	4	2	9
7	6	5	2	4	9	1	3	8
2	1	6	9	5	3	7	8	4
9	4	8	1	7	2	3	5	6
5	7	3	6	8	4	9	1	2

162

2	3	4	7	5	8	6	1	9
8	9	5	6	1	3	7	2	4
7	1	6	2	4	9	3	5	8
6	7	9	8	2	1	4	3	5
5	8	3	9	7	4	1	6	2
1	4	2	3	6	5	8	9	7
9	5	7	4	3	6	2	8	1
3	2	1	5	8	7	9	4	6
4	6	8	1	9	2	5	7	3

163

8	7	3	4	9	5	6	2	1
2	5	4	1	6	3	8	9	7
9	6	1	7	2	8	5	3	4
4	9	6	2	8	7	3	1	5
7	1	2	5	3	4	9	8	6
5	3	8	9	1	6	7	4	2
3	2	7	8	5	1	4	6	9
1	8	5	6	4	9	2	7	3
6	4	9	3	7	2	1	5	8

164

9	2	8	6	7	1	5	4	3
1	5	3	4	8	9	6	7	2
7	6	4	2	3	5	1	8	9
4	7	6	3	5	8	2	9	1
2	9	5	1	6	4	7	3	8
8	3	1	7	9	2	4	6	5
6	4	2	9	1	3	8	5	7
3	8	7	5	2	6	9	1	4
5	1	9	8	4	7	3	2	6

165

4	8	9	5	3	2	7	1	6
3	7	2	4	6	1	8	5	9
5	6	1	7	9	8	3	4	2
1	9	4	3	8	7	6	2	5
7	5	8	1	2	6	9	3	4
2	3	6	9	5	4	1	8	7
9	4	7	8	1	5	2	6	3
6	1	5	2	7	3	4	9	8
8	2	3	6	4	9	5	7	1

166

9	3	2	4	7	1	8	6	5
5	8	7	2	3	6	9	4	1
1	4	6	5	8	9	3	2	7
8	5	4	1	9	2	7	3	6
6	1	3	7	4	8	5	9	2
7	2	9	3	6	5	1	8	4
4	7	8	6	1	3	2	5	9
2	9	1	8	5	4	6	7	3
3	6	5	9	2	7	4	1	8

167

5	2	6	3	4	9	7	1	8
1	8	3	5	6	7	2	9	4
4	9	7	2	8	1	3	6	5
3	7	4	1	2	5	6	8	9
2	5	1	8	9	6	4	7	3
9	6	8	4	7	3	1	5	2
6	3	9	7	5	4	8	2	1
7	1	2	9	3	8	5	4	6
8	4	5	6	1	2	9	3	7

168

8	2	7	4	6	3	5	1	9
1	3	4	5	9	2	6	8	7
6	9	5	8	1	7	4	2	3
7	8	9	3	4	1	2	6	5
4	5	2	9	8	6	3	7	1
3	1	6	2	7	5	8	9	4
9	6	3	1	5	8	7	4	2
5	7	1	6	2	4	9	3	8
2	4	8	7	3	9	1	5	6

169

8	9	6	7	4	5	3	2	1
2	5	7	8	3	1	4	9	6
3	4	1	2	9	6	7	5	8
7	2	4	9	6	8	5	1	3
9	6	5	1	7	3	2	8	4
1	3	8	5	2	4	6	7	9
4	1	2	6	8	7	9	3	5
5	7	3	4	1	9	8	6	2
6	8	9	3	5	2	1	4	7

170

2	4	3	5	1	7	8	9	6
8	7	1	4	9	6	5	2	3
6	5	9	2	8	3	7	1	4
7	6	4	3	5	1	9	8	2
5	9	8	7	2	4	3	6	1
3	1	2	8	6	9	4	7	5
9	2	5	1	4	8	6	3	7
4	3	6	9	7	2	1	5	8
1	8	7	6	3	5	2	4	9

171

3	4	5	1	2	8	6	9	7
6	7	2	3	9	4	8	1	5
9	1	8	5	7	6	4	3	2
4	6	1	2	3	7	5	8	9
7	5	3	9	8	1	2	6	4
8	2	9	4	6	5	3	7	1
5	9	6	8	1	2	7	4	3
2	3	7	6	4	9	1	5	8
1	8	4	7	5	3	9	2	6

172

4	2	8	3	7	1	6	9	5
5	7	1	4	9	6	2	8	3
3	9	6	8	2	5	1	7	4
6	5	7	2	4	9	3	1	8
2	3	9	5	1	8	4	6	7
8	1	4	7	6	3	5	2	9
1	8	5	6	3	7	9	4	2
7	6	2	9	5	4	8	3	1
9	4	3	1	8	2	7	5	6

173

7	8	4	6	5	2	3	9	1
2	1	9	8	7	3	5	6	4
5	3	6	4	9	1	7	8	2
1	4	5	7	6	8	2	3	9
8	7	3	5	2	9	4	1	6
6	9	2	3	1	4	8	7	5
9	5	8	1	4	7	6	2	3
4	2	7	9	3	6	1	5	8
3	6	1	2	8	5	9	4	7

174

5	2	3	9	8	4	7	6	1
8	4	6	7	1	5	3	2	9
7	9	1	6	3	2	4	8	5
6	7	2	1	4	9	5	3	8
9	3	5	2	7	8	1	4	6
1	8	4	3	5	6	2	9	7
4	6	7	8	2	1	9	5	3
3	5	9	4	6	7	8	1	2
2	1	8	5	9	3	6	7	4

175

3	2	8	9	4	6	1	5	7
7	4	6	2	1	5	8	3	9
9	1	5	7	3	8	4	6	2
1	8	3	6	2	9	7	4	5
6	7	4	8	5	1	9	2	3
2	5	9	3	7	4	6	8	1
8	6	2	5	9	7	3	1	4
5	9	1	4	6	3	2	7	8
4	3	7	1	8	2	5	9	6

176

8	1	5	3	4	2	6	7	9
4	9	2	6	7	5	1	3	8
3	6	7	1	9	8	4	5	2
6	7	9	2	8	4	3	1	5
5	2	3	7	1	9	8	6	4
1	4	8	5	3	6	9	2	7
7	3	4	8	5	1	2	9	6
9	5	6	4	2	3	7	8	1
2	8	1	9	6	7	5	4	3

177

6	5	4	9	8	2	7	1	3
3	1	7	5	6	4	2	9	8
2	8	9	7	1	3	4	6	5
8	9	5	1	2	7	6	3	4
7	3	1	6	4	8	9	5	2
4	2	6	3	5	9	1	8	7
5	4	2	8	9	1	3	7	6
1	7	8	4	3	6	5	2	9
9	6	3	2	7	5	8	4	1

178

9	3	7	2	5	8	1	6	4
1	5	2	4	7	6	9	3	8
4	8	6	3	9	1	2	5	7
5	7	4	8	1	3	6	2	9
2	6	9	5	4	7	8	1	3
3	1	8	9	6	2	7	4	5
8	2	1	7	3	4	5	9	6
6	4	5	1	8	9	3	7	2
7	9	3	6	2	5	4	8	1

179

7	5	2	1	8	6	4	3	9
1	9	4	2	5	3	6	7	8
3	6	8	4	9	7	5	1	2
6	4	7	9	1	5	2	8	3
9	2	3	8	7	4	1	6	5
5	8	1	3	6	2	9	4	7
8	7	9	5	4	1	3	2	6
4	3	6	7	2	9	8	5	1
2	1	5	6	3	8	7	9	4

180

8	9	3	2	6	7	4	5	1
4	7	6	5	1	8	2	3	9
2	1	5	9	3	4	8	6	7
9	5	8	7	2	1	3	4	6
1	6	4	8	9	3	7	2	5
7	3	2	6	4	5	1	9	8
6	4	7	1	5	2	9	8	3
3	8	9	4	7	6	5	1	2
5	2	1	3	8	9	6	7	4

The Gigantic Sudoku Puzzle Book

181 **182** **183** **184**

185 **186** **187** **188**

189 **190** **191** **192**

193 **194** **195** **196**

197 **198** **199** **200**

Easy

201

4 5 2 1 7 6 6 8 3 9
1 8 3 5 2 9 6 7 4
6 7 9 4 3 8 1 2 5
8 2 7 3 5 1 4 9 6
5 3 6 9 8 4 2 1 7
9 4 1 7 6 2 3 5 8
3 6 4 2 9 5 7 8 1
2 1 5 8 4 7 9 6 3
7 9 8 6 1 3 5 4 2

202

9 3 2 5 1 7 8 4 6
4 8 1 2 9 6 7 5 3
7 6 5 4 3 8 1 9 2
1 7 3 6 2 5 9 8 4
2 5 8 9 7 4 6 3 1
6 9 4 3 8 1 5 2 7
5 2 7 8 6 3 4 1 9
8 1 9 7 4 2 3 6 5
3 4 6 1 5 9 2 7 8

203

6 3 4 5 9 7 8 1 2
2 9 1 6 3 8 4 7 5
5 8 7 1 4 2 9 6 3
7 4 2 8 6 5 1 3 9
9 1 5 3 7 4 6 2 8
3 6 8 9 2 1 7 5 4
8 7 3 4 5 6 2 9 1
1 5 6 2 8 9 3 4 7
4 2 9 7 1 3 5 8 6

204

2 5 8 6 7 4 9 1 3
9 1 7 5 3 2 4 6 8
4 3 6 9 8 1 5 2 7
6 8 3 4 1 5 7 9 2
5 4 1 7 2 9 8 3 6
7 9 2 3 6 8 1 5 4
3 2 4 1 5 7 6 8 9
1 6 9 8 4 3 2 7 5
8 7 5 2 9 6 3 4 1

205

9 6 1 2 4 7 3 5 8
5 7 2 8 3 9 6 1 4
8 4 3 6 1 5 7 9 2
2 3 9 4 6 8 1 7 5
6 8 4 7 5 1 2 3 9
1 5 7 9 2 3 8 4 6
4 1 6 5 7 2 9 8 3
7 2 8 3 9 4 5 6 1
3 9 5 1 8 6 4 2 7

206

4 9 8 3 2 1 7 5 6
1 5 6 7 8 9 2 4 3
7 2 3 4 6 5 1 9 8
5 6 7 2 4 8 9 3 1
2 3 4 1 9 6 8 7 5
9 8 1 5 7 3 6 2 4
8 7 5 6 3 2 4 1 9
6 1 2 9 5 4 3 8 7
3 4 9 8 1 7 5 6 2

207

1 4 8 2 7 6 3 5 9
7 3 5 9 4 1 8 6 2
6 9 2 5 8 3 1 4 7
9 5 3 4 6 2 7 1 8
4 2 1 8 5 7 6 9 3
8 6 7 1 3 9 4 2 5
5 1 6 7 9 8 2 3 4
2 7 4 3 1 5 9 8 6
3 8 9 6 2 4 5 7 1

208

8 7 6 4 9 2 5 3 1
3 2 1 5 7 6 8 9 4
4 9 5 3 1 8 2 6 7
5 6 4 1 2 7 9 8 3
9 1 3 8 6 4 7 2 5
7 8 2 9 5 3 1 4 6
2 3 9 7 4 1 6 5 8
1 5 8 6 3 9 4 7 2
6 4 7 2 8 5 3 1 9

209

6 3 5 8 4 1 7 9 2
1 2 8 9 7 6 3 5 4
7 9 4 5 3 2 8 1 6
8 7 9 2 5 4 6 3 1
4 6 1 3 8 7 5 2 9
3 5 2 1 6 9 4 8 7
5 1 7 6 2 8 9 4 3
9 4 3 7 1 5 2 6 8
2 8 6 4 9 3 1 7 5

210

2 1 3 9 5 6 8 4 7
4 6 8 7 1 3 5 9 2
9 5 7 4 2 8 3 1 6
8 4 6 2 3 9 1 7 5
1 7 2 5 8 4 9 6 3
3 9 5 1 6 7 4 2 8
5 8 4 6 9 2 7 3 1
6 3 9 8 7 1 2 5 4
7 2 1 3 4 5 6 8 9

211

9 1 2 8 6 5 7 4 3
8 7 4 9 3 2 6 5 1
5 3 6 4 1 7 8 9 2
2 4 1 7 5 6 9 3 8
3 9 7 1 2 8 4 6 5
6 5 8 3 9 4 1 2 7
4 8 3 2 7 9 5 1 6
1 6 9 5 8 3 2 7 4
7 2 5 6 4 1 3 8 9

212

7 3 4 6 5 1 9 8 2
1 2 8 4 9 7 5 3 6
6 9 5 3 8 2 4 1 7
3 5 2 8 4 6 7 9 1
4 8 6 7 1 9 3 2 5
9 7 1 5 2 3 6 4 8
8 6 9 2 7 4 1 5 3
2 4 7 1 3 5 8 6 9
5 1 3 9 6 8 2 7 4

213

1 4 8 2 7 6 3 5 9
6 3 5 9 4 1 8 7 2
7 2 9 5 8 3 1 4 6
9 5 3 4 6 2 7 1 8
4 6 1 8 5 7 9 2 3
8 7 2 1 3 9 4 6 5
5 1 7 6 9 8 2 3 4
2 9 4 3 1 5 6 8 7
3 8 6 7 2 4 5 9 1

214

5 4 3 7 6 2 8 1 9
2 7 1 3 9 8 6 4 5
8 9 6 5 4 1 3 7 2
6 8 9 1 3 7 5 2 4
3 1 7 2 5 4 9 8 6
4 5 2 9 8 6 7 3 1
7 2 8 6 1 5 4 9 3
1 3 5 4 7 9 2 6 8
9 6 4 8 2 3 1 5 7

215

6 2 7 4 1 9 8 5 3
9 4 8 3 7 5 6 1 2
5 3 1 8 6 2 9 7 4
2 9 3 5 8 4 1 6 7
7 1 5 9 3 6 2 4 8
4 8 6 7 2 1 5 3 9
3 7 9 1 5 8 4 2 6
1 6 4 2 9 3 7 8 5
8 5 2 6 4 7 3 9 1

216

2 9 4 3 7 1 8 6 5
7 8 5 6 2 4 1 3 9
3 6 1 9 5 8 2 4 7
4 7 8 2 9 3 5 1 6
5 1 9 8 4 6 7 2 3
6 2 3 5 1 7 9 8 4
9 3 2 1 6 5 4 7 8
8 5 7 4 3 2 6 9 1
1 4 6 7 8 9 3 5 2

217

8 1 5 3 4 2 9 7 6
3 7 6 9 5 1 8 4 2
9 2 4 7 6 8 5 3 1
4 9 7 1 3 5 6 2 8
1 6 8 2 9 7 4 5 3
2 5 3 6 8 4 1 9 7
6 3 2 4 1 9 7 8 5
5 4 1 8 7 3 2 6 9
7 8 9 5 2 6 3 1 4

218

4 8 2 1 7 9 3 5 6
9 3 1 6 2 5 4 8 7
7 5 6 3 4 8 9 2 1
5 2 9 8 6 3 1 7 4
8 6 7 2 1 4 5 9 3
1 4 3 9 5 7 2 6 8
6 7 4 5 3 2 8 1 9
3 9 5 7 8 1 6 4 2
2 1 8 4 9 6 7 3 5

219

8 3 2 7 1 6 5 4 9
4 6 5 2 9 3 1 8 7
9 7 1 4 5 8 6 3 2
5 8 3 9 6 7 4 2 1
6 2 9 1 4 5 8 7 3
1 4 7 3 8 2 9 6 5
3 1 8 5 2 4 7 9 6
2 9 6 8 7 1 3 5 4
7 5 4 6 3 9 2 1 8

220

4 3 6 9 2 7 1 5 8
7 1 9 8 5 3 4 2 6
5 8 2 6 4 1 9 7 3
3 4 7 5 1 9 6 8 2
2 6 1 4 3 8 5 9 7
8 9 5 7 6 2 3 4 1
6 5 8 3 7 4 2 1 9
1 7 3 2 9 5 8 6 4
9 2 4 1 8 6 7 3 5

221
```
7 4 8 1 9 5 6 3 2
1 5 9 3 6 2 7 8 4
2 3 6 4 7 8 1 9 5
8 7 2 5 3 6 4 1 9
5 9 1 8 4 7 2 6 3
3 6 4 2 1 9 5 7 8
6 2 3 9 5 1 8 4 7
4 1 5 7 8 3 9 2 6
9 8 7 6 2 4 3 5 1
```

222
```
5 9 2 4 8 7 1 6 3
3 7 8 1 9 6 2 4 5
4 1 6 5 3 2 7 8 9
8 3 1 7 6 5 9 2 4
6 2 4 3 1 9 8 5 7
9 5 7 8 2 4 3 1 6
1 6 3 9 5 8 4 7 2
7 8 5 2 4 3 6 9 1
2 4 9 6 7 1 5 3 8
```

223
```
2 4 5 9 6 8 3 1 7
9 7 6 4 1 3 5 8 2
1 3 8 5 2 7 6 9 4
6 8 9 2 3 4 1 7 5
4 2 1 6 7 5 9 3 8
3 5 7 1 8 9 4 2 6
7 6 3 8 5 1 2 4 9
8 9 2 3 4 6 7 5 1
5 1 4 7 9 2 8 6 3
```

224
```
1 9 8 4 6 7 5 2 3
5 7 4 9 2 3 8 1 6
3 6 2 1 5 8 4 7 9
6 8 5 3 4 2 1 9 7
7 4 3 6 1 9 2 5 8
9 2 1 8 7 5 3 6 4
2 3 6 7 8 1 9 4 5
4 5 9 2 3 6 7 8 1
8 1 7 5 9 4 6 3 2
```

225
```
8 6 9 1 4 3 7 5 2
7 2 4 5 8 9 1 3 6
3 1 5 6 2 7 4 9 8
6 5 7 2 9 4 3 8 1
9 3 8 7 1 5 2 6 4
1 4 2 8 3 6 9 7 5
5 7 1 3 6 2 8 4 9
2 9 3 4 5 8 6 1 7
4 8 6 9 7 1 5 2 3
```

226
```
6 4 2 9 7 5 1 3 8
9 5 3 4 8 1 6 7 2
8 7 1 2 6 3 4 9 5
2 1 9 6 5 8 3 4 7
3 6 5 7 9 4 8 2 1
7 8 4 1 3 2 5 6 9
5 2 6 8 4 7 9 1 3
4 3 7 5 1 9 2 8 6
1 9 8 3 2 6 7 5 4
```

227
```
8 1 6 4 7 2 5 9 3
4 9 7 6 5 3 8 1 2
3 5 2 9 8 1 4 7 6
5 2 4 7 6 9 3 8 1
9 7 3 8 1 5 2 6 4
1 6 8 3 2 4 7 5 9
2 8 9 1 3 7 6 4 5
6 4 5 2 9 8 1 3 7
7 3 1 5 4 6 9 2 8
```

228
```
9 8 6 2 3 7 5 1 4
3 7 1 8 4 5 9 6 2
2 5 4 1 6 9 7 3 8
5 3 8 4 7 1 6 2 9
6 4 2 9 5 8 1 7 3
1 9 7 3 2 6 4 8 5
4 1 5 7 8 3 2 9 6
8 6 9 5 1 2 3 4 7
7 2 3 6 9 4 8 5 1
```

229
```
4 7 2 5 6 8 9 1 3
6 9 1 3 4 2 5 7 8
8 5 3 1 9 7 2 6 4
9 2 4 7 1 5 3 8 6
7 1 8 2 3 6 4 5 9
3 6 5 9 8 4 7 2 1
2 3 6 4 5 1 8 9 7
1 4 7 8 2 9 6 3 5
5 8 9 6 7 3 1 4 2
```

230
```
4 6 7 9 5 2 1 8 3
9 1 8 4 7 3 5 2 6
3 5 2 8 1 6 9 4 7
2 8 6 5 3 9 4 7 1
5 4 1 6 2 7 3 9 8
7 3 9 1 8 4 2 6 5
6 9 5 7 4 1 8 3 2
8 7 3 2 9 5 6 1 4
1 2 4 3 6 8 7 5 9
```

231
```
6 5 3 4 7 1 8 9 2
7 8 9 6 5 2 1 3 4
1 2 4 8 9 3 6 5 7
2 4 5 1 8 7 3 6 9
3 7 8 9 2 6 5 4 1
9 1 6 5 3 4 7 2 8
8 6 7 3 4 9 2 1 5
5 9 1 2 6 8 4 7 3
4 3 2 7 1 5 9 8 6
```

232
```
3 7 5 2 1 9 4 8 6
4 6 2 5 8 3 1 7 9
1 8 9 6 7 4 5 2 3
9 1 6 8 2 5 3 4 7
8 5 4 7 3 6 9 1 2
2 3 7 9 4 1 6 5 8
7 4 1 3 9 8 2 6 5
5 2 3 4 6 7 8 9 1
6 9 8 1 5 2 7 3 4
```

233
```
8 9 6 3 2 1 7 4 5
5 1 4 6 7 8 3 9 2
7 3 2 4 9 5 6 8 1
3 2 5 7 8 4 1 6 9
9 8 7 1 5 6 2 3 4
4 6 1 2 3 9 8 5 7
6 7 8 5 4 2 9 1 3
2 4 9 8 1 3 5 7 6
1 5 3 9 6 7 4 2 8
```

234
```
7 4 2 3 1 9 5 6 8
8 9 6 5 2 4 3 7 1
1 3 5 8 7 6 4 9 2
4 5 9 7 8 1 2 3 6
2 8 3 9 6 5 1 4 7
6 7 1 2 4 3 9 8 5
5 1 4 6 3 7 8 2 9
3 6 8 1 9 2 7 5 4
9 2 7 4 5 8 6 1 3
```

235
```
3 6 9 4 2 7 5 1 8
8 2 7 1 9 5 4 6 3
4 5 1 6 8 3 9 2 7
6 4 2 8 3 1 7 9 5
5 1 8 9 7 4 6 3 2
9 7 3 2 5 6 8 4 1
1 8 5 3 6 9 2 7 4
7 3 6 5 4 2 1 8 9
2 9 4 7 1 8 3 5 6
```

236
```
2 3 6 8 4 7 5 1 9
5 7 4 9 3 1 6 8 2
1 8 9 6 5 2 7 4 3
8 4 5 7 9 3 2 6 1
7 6 2 1 8 4 3 9 5
3 9 1 5 2 6 8 7 4
6 5 8 3 1 9 4 2 7
4 1 3 2 7 8 9 5 6
9 2 7 4 6 5 1 3 8
```

237
```
7 2 3 6 4 9 8 1 5
8 6 9 1 5 7 2 3 4
5 4 1 3 2 8 7 6 9
6 9 5 8 3 4 1 2 7
3 1 7 2 9 5 6 4 8
2 8 4 7 1 6 5 9 3
9 5 2 4 8 1 3 7 6
1 7 8 9 6 3 4 5 2
4 3 6 5 7 2 9 8 1
```

238
```
4 9 5 3 8 2 7 1 6
6 3 2 1 7 4 5 9 8
8 7 1 9 5 6 4 2 3
7 2 6 5 4 8 9 3 1
1 5 3 7 2 9 6 8 4
9 8 4 6 3 1 2 5 7
2 1 8 4 6 5 3 7 9
3 4 9 2 1 7 8 6 5
5 6 7 8 9 3 1 4 2
```

239
```
4 3 2 9 6 5 1 7 8
9 1 7 2 8 4 3 5 6
6 8 5 7 3 1 9 4 2
1 9 8 5 4 6 7 2 3
5 4 3 8 7 2 6 1 9
7 2 6 3 1 9 5 8 4
8 7 9 4 5 3 2 6 1
2 5 1 6 9 8 4 3 7
3 6 4 1 2 7 8 9 5
```

240
```
9 4 3 1 6 7 8 2 5
2 8 1 5 9 4 7 3 6
5 6 7 3 8 2 1 9 4
3 7 5 2 1 8 6 4 9
6 1 4 7 5 9 2 8 3
8 9 2 4 3 6 5 1 7
4 3 8 6 2 5 9 7 1
1 5 9 8 7 3 4 6 2
7 2 6 9 4 1 3 5 8
```

Easy

241

8	3	6	9	2	5	1	7	4
1	7	2	6	4	3	9	5	8
5	4	9	7	1	8	3	6	2
6	8	5	3	9	4	7	2	1
9	1	7	2	8	6	5	4	3
4	2	3	5	7	1	6	8	9
2	9	8	1	5	7	4	3	6
7	6	4	8	3	9	2	1	5
3	5	1	4	6	2	8	9	7

242

8	9	3	4	7	2	1	6	5
2	5	4	1	6	3	9	8	7
7	6	1	5	9	8	4	2	3
5	7	8	2	1	6	3	4	9
6	3	9	8	5	4	7	1	2
1	4	2	9	3	7	6	5	8
3	2	7	6	4	5	8	9	1
4	1	5	3	8	9	2	7	6
9	8	6	7	2	1	5	3	4

243

7	3	4	6	5	8	9	2	1
1	2	9	4	7	3	8	6	5
8	6	5	1	9	2	4	7	3
9	7	2	5	8	1	3	4	6
3	8	1	2	6	4	5	9	7
5	4	6	7	3	9	1	8	2
4	1	3	8	2	6	7	5	9
6	5	8	9	1	7	2	3	4
2	9	7	3	4	5	6	1	8

244

6	1	9	4	7	2	8	5	3
7	4	3	5	8	6	2	9	1
5	2	8	9	1	3	7	6	4
3	8	7	6	5	1	4	2	9
1	5	4	2	9	8	3	7	6
9	6	2	3	4	7	1	8	5
8	3	6	1	2	9	5	4	7
4	7	1	8	6	5	9	3	2
2	9	5	7	3	4	6	1	8

245

6	7	9	4	3	8	1	5	2
5	8	3	1	6	2	9	7	4
4	1	2	5	7	9	8	3	6
9	3	4	2	1	7	5	6	8
2	5	8	3	9	6	7	4	1
1	6	7	8	5	4	3	2	9
3	4	1	6	8	5	2	9	7
8	9	6	7	2	3	4	1	5
7	2	5	9	4	1	6	8	3

246

4	6	3	8	2	5	1	7	9
8	2	1	4	9	7	5	3	6
7	5	9	6	3	1	8	4	2
9	4	7	2	5	3	6	8	1
6	1	8	9	7	4	2	5	3
5	3	2	1	6	8	7	9	4
3	8	6	7	4	2	9	1	5
2	7	5	3	1	9	4	6	8
1	9	4	5	8	6	3	2	7

247

3	9	4	7	1	6	2	8	5
6	7	2	8	5	4	1	3	9
5	1	8	9	2	3	4	6	7
4	2	9	6	3	8	5	7	1
1	8	3	5	4	7	9	2	6
7	5	6	2	9	1	3	4	8
8	4	5	1	7	2	6	9	3
9	3	7	4	6	5	8	1	2
2	6	1	3	8	9	7	5	4

248

9	5	3	1	8	2	7	6	4
1	7	6	4	5	3	9	8	2
8	2	4	9	6	7	1	5	3
6	4	7	8	3	1	5	2	9
2	1	5	7	9	6	4	3	8
3	9	8	2	4	5	6	1	7
4	6	9	5	2	8	3	7	1
5	8	1	3	7	4	2	9	6
7	3	2	6	1	9	8	4	5

249

4	7	8	6	9	5	3	2	1
9	3	2	7	1	8	4	6	5
1	6	5	2	3	4	7	9	8
3	2	1	5	8	9	6	4	7
5	4	6	1	7	2	8	3	9
7	8	9	4	6	3	5	1	2
6	5	3	9	2	7	1	8	4
2	1	7	8	4	6	9	5	3
8	9	4	3	5	1	2	7	6

250

5	9	2	4	1	7	3	6	8
1	3	7	6	8	5	2	9	4
8	6	4	9	3	2	5	7	1
9	1	3	7	6	8	4	2	5
4	2	6	1	5	9	8	3	7
7	5	8	2	4	3	9	1	6
2	8	1	5	9	6	7	4	3
3	4	9	8	7	1	6	5	2
6	7	5	3	2	4	1	8	9

251

2	9	3	6	8	1	5	4	7
7	4	8	2	5	3	9	1	6
1	6	5	4	7	9	2	8	3
3	5	2	9	1	7	8	6	4
4	8	7	3	2	6	1	5	9
6	1	9	8	4	5	7	3	2
8	7	6	5	9	4	3	2	1
5	3	1	7	6	2	4	9	8
9	2	4	1	3	8	6	7	5

252

4	7	6	9	5	8	3	1	2
9	2	8	1	3	4	6	5	7
3	5	1	6	7	2	4	8	9
6	9	2	5	8	7	1	4	3
5	3	4	2	1	9	8	7	6
8	1	7	4	6	3	9	2	5
2	8	3	7	4	6	5	9	1
1	6	9	8	2	5	7	3	4
7	4	5	3	9	1	2	6	8

Average

253

6	1	3	4	5	2	8	9	7
7	5	8	9	1	3	2	4	6
2	4	9	6	8	7	1	5	3
9	3	5	8	2	4	6	7	1
8	7	4	1	6	9	5	3	2
1	6	2	3	7	5	4	8	9
4	2	7	5	9	6	3	1	8
5	9	1	2	3	8	7	6	4
3	8	6	7	4	1	9	2	5

254

3	2	1	6	8	9	7	5	4
5	9	7	2	3	4	8	1	6
4	8	6	5	7	1	3	9	2
8	7	5	1	4	6	9	2	3
6	3	4	9	2	8	5	7	1
2	1	9	3	5	7	4	6	8
7	6	3	4	1	5	2	8	9
9	5	2	8	6	3	1	4	7
1	4	8	7	9	2	6	3	5

255

4	6	9	8	3	5	2	7	1
5	8	7	1	6	2	4	9	3
3	2	1	9	4	7	5	8	6
7	5	2	6	1	8	3	4	9
1	4	6	3	5	9	8	2	7
8	9	3	7	2	4	1	6	5
6	1	8	2	7	3	9	5	4
9	7	4	5	8	1	6	3	2
2	3	5	4	9	6	7	1	8

256

9	7	4	3	1	5	8	6	2
2	8	5	9	7	6	4	1	3
3	6	1	2	8	4	9	7	5
8	3	7	6	5	9	2	4	1
1	9	2	8	4	7	5	3	6
4	5	6	1	3	2	7	8	9
5	2	8	4	6	3	1	9	7
7	1	3	5	9	8	6	2	4
6	4	9	7	2	1	3	5	8

257

2	7	4	8	6	5	1	9	3
1	8	6	3	9	7	2	5	4
5	3	9	2	1	4	6	8	7
7	5	3	6	8	1	4	2	9
6	9	2	4	5	3	8	7	1
4	1	8	9	7	2	5	3	6
8	4	5	1	3	9	7	6	2
9	6	1	7	2	8	3	4	5
3	2	7	5	4	6	9	1	8

258

3	8	1	5	2	7	4	6	9
7	2	5	9	6	4	8	1	3
6	9	4	3	8	1	7	5	2
2	7	6	1	4	3	9	8	5
4	5	9	2	7	8	1	3	6
1	3	8	6	5	9	2	7	4
9	1	7	4	3	5	6	2	8
5	4	2	8	1	6	3	9	7
8	6	3	7	9	2	5	4	1

259

7	2	6	9	4	3	1	8	5
9	3	5	8	7	1	4	6	2
1	8	4	6	2	5	3	7	9
6	5	8	4	1	2	9	3	7
2	1	3	7	9	6	5	4	8
4	9	7	5	3	8	2	1	6
3	4	9	2	8	7	6	5	1
5	7	2	1	6	4	8	9	3
8	6	1	3	5	9	7	2	4

260

1	6	2	4	7	8	3	5	9
4	3	5	2	6	9	8	1	7
8	9	7	1	3	5	4	6	2
7	4	3	5	2	6	1	9	8
6	1	8	9	4	7	5	2	3
2	5	9	3	8	1	6	7	4
5	8	6	7	9	4	2	3	1
3	7	1	8	5	2	9	4	6
9	2	4	6	1	3	7	8	5

The Gigantic Sudoku Puzzle Book

Average

261 **262** **263** **264**

265 **266** **267** **268**

269 **270** **271** **272**

273 **274** **275** **276**

277 **278** **279** **280**

281   282   283   284

285   286   287   288

289   290   291   292

293   294   295   296

297   298   299   300

Average

301 **302** **303** **304**

305 **306** **307** **308**

309 **310** **311** **312**

313 **314** **315** **316**

317 **318** **319** **320**

321
```
5 8 4 9 6 7 1 2 3
1 2 3 4 5 8 9 7 6
7 6 9 3 2 1 5 8 4
4 9 7 8 3 2 6 5 1
3 1 2 6 9 5 8 4 7
6 5 8 7 1 4 2 3 9
2 4 6 1 8 3 7 9 5
9 7 5 2 4 6 3 1 8
8 3 1 5 7 9 4 6 2
```

322
```
7 9 8 5 6 1 4 2 3
4 5 1 2 3 9 8 7 6
3 2 6 8 4 7 9 1 5
9 7 4 1 2 5 6 3 8
6 8 2 4 9 3 7 5 1
1 3 5 7 8 6 2 4 9
5 4 9 6 1 2 3 8 7
2 1 3 9 7 8 5 6 4
8 6 7 3 5 4 1 9 2
```

323
```
7 5 4 6 8 9 1 2 3
9 3 8 1 4 2 5 6 7
1 6 2 7 5 3 4 8 9
6 4 5 2 9 8 7 3 1
2 8 7 4 3 1 9 5 6
3 1 9 5 7 6 8 4 2
5 2 3 9 1 4 6 7 8
8 7 1 3 6 5 2 9 4
4 9 6 8 2 7 3 1 5
```

324
```
3 5 7 4 1 6 8 9 2
1 6 4 9 8 2 5 3 7
2 8 9 5 7 3 1 6 4
9 7 3 8 4 5 6 2 1
6 1 5 2 3 7 9 4 8
8 4 2 1 6 9 3 7 5
4 3 8 7 9 1 2 5 6
7 2 6 3 5 8 4 1 9
5 9 1 6 2 4 7 8 3
```

325
```
1 7 6 5 8 3 9 2 4
9 4 3 2 6 7 8 5 1
5 8 2 4 1 9 6 7 3
8 3 1 9 4 5 7 6 2
4 2 9 6 7 1 5 3 8
6 5 7 8 3 2 1 4 9
2 6 8 7 9 4 3 1 5
7 1 4 3 5 8 2 9 6
3 9 5 1 2 6 4 8 7
```

326
```
8 3 4 7 2 9 5 1 6
6 9 7 8 1 5 2 4 3
2 5 1 6 3 4 9 7 8
1 4 2 9 5 3 8 6 7
9 8 6 1 7 2 3 5 4
3 7 5 4 6 8 1 9 2
5 6 3 2 9 7 4 8 1
4 1 9 3 8 6 7 2 5
7 2 8 5 4 1 6 3 9
```

327
```
1 4 2 9 6 7 8 3 5
5 6 3 8 1 4 2 9 7
7 8 9 5 3 2 6 1 4
3 5 8 2 9 1 4 7 6
4 9 6 7 8 3 1 5 2
2 1 7 6 4 5 3 8 9
6 3 5 4 7 8 9 2 1
9 2 1 3 5 6 7 4 8
8 7 4 1 2 9 5 6 3
```

328
```
1 3 8 5 4 2 6 7 9
4 7 6 3 8 9 1 5 2
9 5 2 1 6 7 4 8 3
8 1 9 6 7 3 2 4 5
5 6 3 2 9 4 7 1 8
7 2 4 8 5 1 3 9 6
6 8 1 7 2 5 9 3 4
2 9 7 4 3 8 5 6 1
3 4 5 9 1 6 8 2 7
```

329
```
3 2 1 5 7 9 8 6 4
8 6 7 3 4 2 1 9 5
5 4 9 6 1 8 2 7 3
2 7 3 1 6 4 5 8 9
4 9 8 7 2 5 6 3 1
6 1 5 8 9 3 7 4 2
7 5 2 9 3 6 4 1 8
9 8 6 4 5 1 3 2 7
1 3 4 2 8 7 9 5 6
```

330
```
6 7 8 1 4 2 9 5 3
3 5 1 7 6 9 2 8 4
4 2 9 3 5 8 1 7 6
5 1 4 8 7 3 6 9 2
7 9 6 2 1 4 5 3 8
2 8 3 6 9 5 4 1 7
9 3 2 4 8 1 7 6 5
8 6 5 9 2 7 3 4 1
1 4 7 5 3 6 8 2 9
```

331
```
9 2 1 5 7 4 6 3 8
4 5 8 3 6 2 7 9 1
3 6 7 1 8 9 4 5 2
1 9 3 7 4 5 8 2 6
8 7 5 6 2 3 1 4 9
6 4 2 9 1 8 3 7 5
5 1 4 8 9 7 2 6 3
7 3 6 2 5 1 9 8 4
2 8 9 4 3 6 5 1 7
```

332
```
9 2 3 7 4 8 1 6 5
8 6 4 1 5 3 2 7 9
1 7 5 6 9 2 8 3 4
4 9 2 8 6 7 5 1 3
5 1 6 2 3 4 9 8 7
7 3 8 5 1 9 4 2 6
6 4 7 9 2 1 3 5 8
3 8 1 4 7 5 6 9 2
2 5 9 3 8 6 7 4 1
```

333
```
3 6 2 9 5 4 8 1 7
1 8 5 7 6 2 9 3 4
9 4 7 3 1 8 2 6 5
6 5 4 1 9 7 3 8 2
7 9 8 5 2 3 6 4 1
2 3 1 8 4 6 5 7 9
5 1 3 4 8 9 7 2 6
4 7 6 2 3 5 1 9 8
8 2 9 6 7 1 4 5 3
```

334
```
1 6 4 5 9 2 8 7 3
8 3 9 1 4 7 2 5 6
7 5 2 8 6 3 1 9 4
6 4 8 2 5 9 7 3 1
2 9 7 4 3 1 5 6 8
3 1 5 6 7 8 9 4 2
5 2 3 7 1 4 6 8 9
9 7 1 3 8 6 4 2 5
4 8 6 9 2 5 3 1 7
```

335
```
5 2 1 3 7 8 9 6 4
4 9 6 2 5 1 3 7 8
8 3 7 4 6 9 1 2 5
7 1 9 8 2 6 5 4 3
2 8 4 5 3 7 6 9 1
6 5 3 1 9 4 7 8 2
3 6 2 9 8 5 4 1 7
9 4 5 7 1 2 8 3 6
1 7 8 6 4 3 2 5 9
```

336
```
3 1 4 2 6 5 9 8 7
2 5 6 9 7 8 3 4 1
7 8 9 4 3 1 5 2 6
4 3 2 6 5 7 1 9 8
6 9 8 1 4 3 7 5 2
1 7 5 8 9 2 6 3 4
5 2 3 7 8 6 4 1 9
8 4 7 5 1 9 2 6 3
9 6 1 3 2 4 8 7 5
```

337
```
7 6 1 5 8 9 2 4 3
9 3 8 1 2 4 5 6 7
2 5 4 7 6 3 1 8 9
6 2 5 4 9 8 7 3 1
4 8 7 2 3 1 9 5 6
3 1 9 6 5 7 8 2 4
5 4 3 9 1 2 6 7 8
8 9 2 3 7 6 4 1 5
1 7 6 8 4 5 3 9 2
```

338
```
7 5 3 2 9 8 6 4 1
8 1 6 3 5 4 7 2 9
2 4 9 6 1 7 5 8 3
6 3 7 1 8 2 9 5 4
1 9 2 4 3 5 8 7 6
5 8 4 7 6 9 1 3 2
4 6 8 5 2 1 3 9 7
9 7 1 8 4 3 2 6 5
3 2 5 9 7 6 4 1 8
```

339
```
5 4 3 2 6 9 8 7 1
7 1 2 3 8 4 9 5 6
6 8 9 1 7 5 2 4 3
2 5 8 4 1 6 3 9 7
3 6 1 7 9 8 5 2 4
9 7 4 5 2 3 1 6 8
4 9 5 8 3 7 6 1 2
8 2 7 6 5 1 4 3 9
1 3 6 9 4 2 7 8 5
```

340
```
7 1 3 2 4 9 5 6 8
4 5 6 1 3 8 2 9 7
9 8 2 7 6 5 3 4 1
1 3 8 5 9 6 7 2 4
2 6 4 8 7 3 9 1 5
5 7 9 4 1 2 6 8 3
8 2 7 9 5 4 1 3 6
6 4 5 3 2 1 8 7 9
3 9 1 6 8 7 4 5 2
```

Average

341 342 343 344

345 346 347 348

349 350 351 352

353 354 355 356

357 358 359 360

361 **362** **363** **364**

365 **366** **367** **368**

369 **370** **371** **372**

373 **374** **375** **376**

377 **378** **379** **380**

Average

381 **382** **383** **384**

385 **386** **387** **388**

389 **390** **391** **392**

393 **394** **395** **396**

397 **398** **399** **400**

401

402

403

404

405

406

407

408

409

410

411

412

413

414

415

416

417

418

419

420

421
```
4 3 9 2 7 6 8 5 1
2 1 6 5 4 8 7 9 3
7 5 8 3 1 9 6 4 2
1 7 3 6 9 2 4 8 5
8 9 2 4 5 1 3 6 7
5 6 4 8 3 7 1 2 9
6 8 1 7 2 5 9 3 4
9 4 5 1 6 3 2 7 8
3 2 7 9 8 4 5 1 6
```

422
```
9 6 2 8 1 7 4 3 5
4 8 3 2 6 5 9 7 1
1 5 7 9 3 4 6 2 8
5 7 8 1 4 2 3 6 9
2 9 1 6 8 3 5 4 7
3 4 6 7 5 9 8 1 2
6 1 4 5 2 8 7 9 3
7 2 5 3 9 6 1 8 4
8 3 9 4 7 1 2 5 6
```

423
```
4 3 5 9 2 7 8 6 1
9 1 2 6 8 5 4 7 3
7 8 6 3 1 4 5 9 2
8 9 4 7 6 2 3 1 5
5 2 7 8 3 1 9 4 6
1 6 3 4 5 9 7 2 8
2 5 9 1 4 3 6 8 7
6 4 1 5 7 8 2 3 9
3 7 8 2 9 6 1 5 4
```

424
```
4 6 9 8 3 5 2 7 1
5 8 7 1 6 2 4 9 3
3 2 1 9 4 7 5 8 6
7 5 2 6 1 8 3 4 9
1 4 6 3 5 9 8 2 7
8 9 3 7 2 4 1 6 5
6 1 8 2 9 3 7 5 4
9 7 4 5 8 1 6 3 2
2 3 5 4 7 6 9 1 8
```

425
```
6 3 8 4 9 5 2 7 1
4 9 5 2 7 1 3 8 6
1 2 7 8 3 6 9 5 4
5 6 2 3 8 7 4 1 9
3 8 4 1 2 9 7 6 5
9 7 1 5 6 4 8 3 2
2 5 6 7 4 8 1 9 3
8 1 3 9 5 2 6 4 7
7 4 9 6 1 3 5 2 8
```

426
```
6 7 5 8 1 2 9 3 4
9 2 3 4 5 7 6 8 1
1 4 8 3 9 6 5 7 2
2 5 9 1 6 8 3 4 7
3 8 7 5 4 9 2 1 6
4 6 1 2 7 3 8 5 9
7 3 6 9 8 4 1 2 5
8 1 4 6 2 5 7 9 3
5 9 2 7 3 1 4 6 8
```

427
```
2 9 5 7 4 3 1 8 6
7 1 8 5 2 6 4 9 3
4 6 3 9 1 8 2 7 5
8 7 2 6 5 1 9 3 4
3 5 6 4 9 7 8 2 1
1 4 9 3 8 2 6 5 7
9 3 7 2 6 4 5 1 8
6 2 1 8 3 5 7 4 9
5 8 4 1 7 9 3 6 2
```

428
```
9 3 1 7 2 5 4 6 8
2 7 5 4 6 8 3 9 1
4 6 8 9 1 3 2 7 5
1 9 4 2 7 6 5 8 3
6 2 3 5 8 1 9 4 7
8 5 7 3 9 4 1 2 6
7 8 9 1 5 2 6 3 4
3 4 6 8 5 9 7 1 2
5 1 2 6 4 7 8 3 9
```

429
```
5 7 6 3 1 8 9 2 4
3 1 4 2 9 7 8 5 6
9 2 8 6 5 4 1 3 7
1 8 9 5 7 3 6 4 2
7 6 2 8 4 1 3 9 5
4 5 3 9 6 2 7 1 8
6 4 5 7 3 9 2 8 1
8 9 7 1 2 5 4 6 3
2 3 1 4 8 6 5 7 9
```

430
```
9 3 2 5 8 6 1 7 4
6 1 5 3 7 4 2 9 8
4 8 7 1 2 9 6 5 3
8 5 3 6 9 7 4 1 2
1 9 6 2 4 3 5 8 7
2 7 4 8 1 5 3 6 9
7 6 9 4 3 1 8 2 5
3 2 1 9 5 8 7 4 6
5 4 8 7 6 2 9 3 1
```

431
```
7 8 9 4 3 1 5 6 2
5 2 3 7 8 6 4 1 9
1 4 6 9 5 2 3 7 8
2 6 7 3 9 5 8 4 1
8 3 5 1 2 4 7 9 6
9 1 4 8 6 7 2 5 3
4 9 1 2 7 3 6 8 5
3 5 8 6 4 9 1 2 7
6 7 2 5 1 8 9 3 4
```

432
```
5 9 4 6 7 2 1 8 3
8 7 3 9 5 1 2 4 6
6 1 2 3 4 8 7 9 5
1 5 8 4 3 7 9 6 2
9 2 7 8 6 5 4 3 1
4 3 6 1 2 9 8 5 7
7 4 1 5 8 6 3 2 9
3 6 9 2 1 4 5 7 8
2 8 5 7 9 3 6 1 4
```

433
```
5 2 3 1 7 9 4 6 8
1 6 8 5 4 2 7 3 9
7 4 9 8 3 6 2 5 1
6 7 5 4 9 1 8 2 3
2 9 4 3 6 8 1 7 5
8 3 1 7 2 5 9 4 6
3 8 2 6 1 4 5 9 7
9 1 7 2 5 3 6 8 4
4 5 6 9 8 7 3 1 2
```

434
```
1 8 5 2 4 9 3 7 6
7 6 4 1 3 8 2 5 9
9 2 3 6 5 7 8 1 4
2 5 7 9 1 4 6 3 8
8 9 1 7 6 3 4 2 5
4 3 6 8 2 5 1 9 7
6 7 8 3 9 2 5 4 1
5 1 2 4 7 6 9 8 3
3 4 9 5 8 1 7 6 2
```

435
```
8 1 4 9 2 6 7 5 3
7 2 9 5 3 4 6 8 1
6 3 5 8 1 7 9 4 2
3 6 7 2 5 8 1 9 4
2 9 8 4 6 1 5 3 7
4 5 1 7 9 3 2 6 8
9 4 6 1 8 2 3 7 5
1 8 3 6 7 5 4 2 9
5 7 2 3 4 9 8 1 6
```

436
```
7 4 5 9 1 2 8 3 6
6 9 1 8 4 3 2 5 7
2 3 8 7 5 6 4 1 9
8 7 3 2 9 5 1 6 4
9 5 2 4 6 1 3 7 8
1 6 4 3 7 8 5 9 2
3 8 6 5 2 9 7 4 1
5 1 7 6 8 4 9 2 3
4 2 9 1 3 7 6 8 5
```

437
```
3 8 2 6 7 9 1 4 5
5 9 1 2 4 8 7 6 3
4 6 7 5 3 1 2 8 9
9 7 6 4 1 2 3 5 8
1 5 4 8 9 3 6 7 2
8 2 3 7 6 5 4 9 1
6 1 5 9 2 4 8 3 7
7 3 8 1 5 6 9 2 4
2 4 9 3 8 7 5 1 6
```

438
```
7 2 4 8 5 1 6 3 9
6 8 5 9 3 4 7 1 2
9 3 1 7 2 6 5 8 4
2 9 3 4 6 8 1 5 7
8 1 6 5 9 7 4 2 3
4 5 7 3 1 2 8 9 6
1 7 2 6 8 3 9 4 5
3 4 9 1 7 5 2 6 8
5 6 8 2 4 9 3 7 1
```

439
```
3 6 8 5 2 9 7 1 4
9 7 5 4 1 8 2 6 3
2 4 1 3 7 6 5 9 8
5 3 7 6 9 2 8 4 1
1 8 4 7 3 5 6 2 9
6 2 9 8 4 1 3 5 7
7 1 3 2 6 4 9 8 5
4 5 2 9 8 3 1 7 6
8 9 6 1 5 7 4 3 2
```

440
```
2 5 1 8 6 9 7 3 4
9 4 3 7 1 5 6 8 2
7 6 8 4 3 2 5 9 1
8 3 2 6 9 4 1 7 5
5 1 7 3 2 8 9 4 6
4 9 6 1 5 7 8 2 3
6 8 5 9 4 3 2 1 7
1 7 4 2 8 6 3 5 9
3 2 9 5 7 1 4 6 8
```

Average

441 442 443 444
445 446 447 448
449 450 451 452
453 454 455 456
457 458 459 460

461 | **462** | **463** | **464**

465 | **466** | **467** | **468**

469 | **470** | **471** | **472**

473 | **474** | **475** | **476**

477 | **478** | **479** | **480**

481 **482** **483** **484**

485 **486** **487** **488**

489 **490** **491** **492**

493 **494** **495** **496**

497 **498** **499** Challenging **500**

501 **502** **503** **504**

505 **506** **507** **508**

509 **510** **511** **512**

513 **514** **515** **516**

517 **518** **519** **520**

521

```
3 2 5 7 1 9 4 8 6
4 9 1 5 8 6 3 2 7
7 6 8 4 2 3 1 5 9
9 5 4 3 7 2 8 6 1
1 8 7 9 6 4 2 3 5
2 3 6 8 5 1 7 9 4
8 7 9 1 3 5 6 4 2
6 4 3 2 9 7 5 1 8
5 1 2 6 4 8 9 7 3
```

522

```
3 2 9 4 5 7 1 8 6
1 4 5 8 3 6 7 9 2
8 6 7 2 9 1 4 5 3
9 8 2 7 1 5 6 3 4
5 1 4 6 2 3 8 7 9
7 3 6 9 8 4 2 1 5
6 9 3 1 7 2 5 4 8
2 5 1 3 4 8 9 6 7
4 7 8 5 6 9 3 2 1
```

523

```
7 9 5 3 6 4 2 8 1
6 3 8 7 1 2 5 4 9
4 2 1 5 9 8 6 3 7
5 6 2 8 4 7 9 1 3
1 8 3 6 5 9 4 7 2
9 4 7 1 2 3 8 5 6
2 7 6 4 3 5 1 9 8
3 1 4 9 8 6 7 2 5
8 5 9 2 7 1 3 6 4
```

524

```
3 5 9 7 1 2 8 4 6
7 4 6 5 8 9 1 2 3
2 1 8 6 3 4 7 9 5
9 2 1 8 6 7 5 3 4
5 6 7 4 9 3 2 8 1
8 3 4 2 5 1 6 7 9
6 7 2 3 4 5 9 1 8
1 8 3 9 2 6 4 5 7
4 9 5 1 7 8 3 6 2
```

525

```
3 9 1 2 7 5 4 8 6
2 4 5 1 6 8 7 9 3
8 6 7 3 4 9 1 2 5
1 3 8 7 5 6 2 4 9
9 7 2 8 3 4 6 5 1
4 5 6 9 1 2 8 3 7
5 1 4 6 2 3 9 7 8
7 8 3 4 9 1 5 6 2
6 2 9 5 8 7 3 1 4
```

526

```
7 4 5 1 6 8 3 9 2
3 6 9 5 2 4 7 1 8
2 8 1 9 7 3 4 6 5
8 5 3 7 9 6 1 2 4
1 7 4 3 5 2 9 8 6
9 2 6 4 8 1 5 3 7
4 1 2 6 3 5 8 7 9
5 9 8 2 1 7 6 4 3
6 3 7 8 4 9 2 5 1
```

527

```
8 1 9 4 5 6 7 2 3
6 2 3 7 8 9 1 4 5
4 5 7 1 2 3 6 9 8
9 7 6 2 3 4 8 5 1
1 8 2 5 6 7 9 3 4
3 4 5 8 9 1 2 6 7
7 9 4 6 1 5 3 8 2
5 3 8 9 7 2 4 1 6
2 6 1 3 4 8 5 7 9
```

528

```
1 7 6 8 3 4 2 9 5
4 5 9 6 1 2 3 7 8
8 3 2 9 5 7 4 1 6
2 9 5 7 6 3 8 4 1
6 4 7 1 8 9 5 2 3
3 8 1 4 2 5 9 6 7
7 2 8 3 9 1 6 5 4
5 6 4 2 7 8 1 3 9
9 1 3 5 4 6 7 8 2
```

529

```
5 9 7 8 6 3 1 4 2
1 6 8 4 9 2 7 5 3
3 4 2 5 7 1 8 6 9
8 2 5 7 1 6 3 9 4
9 3 4 2 5 8 6 7 1
6 7 1 3 4 9 5 2 8
2 5 6 1 8 4 9 3 7
7 1 3 9 2 5 4 8 6
4 8 9 6 3 7 2 1 5
```

530

```
9 4 6 2 7 3 1 8 5
8 5 7 6 4 1 3 9 2
1 3 2 8 5 9 6 7 4
7 9 3 4 6 5 8 2 1
4 6 8 1 9 2 7 5 3
2 1 5 7 3 8 9 4 6
3 8 1 5 2 7 4 6 9
6 2 9 3 8 4 5 1 7
5 7 4 9 1 6 2 3 8
```

531

```
9 3 6 7 2 5 1 4 8
5 4 1 3 8 9 7 2 6
8 2 7 1 6 4 5 3 9
2 6 8 4 5 7 9 1 3
4 7 9 8 3 1 6 5 2
1 5 3 2 9 6 8 7 4
6 8 2 5 1 3 4 9 7
7 9 5 6 4 2 3 8 1
3 1 4 9 7 8 2 6 5
```

532

```
7 8 1 9 6 4 3 2 5
9 4 2 3 5 8 7 1 6
5 3 6 7 2 1 8 4 9
8 7 5 1 4 9 2 6 3
1 2 9 6 3 5 4 8 7
4 6 3 8 7 2 5 9 1
3 1 7 4 8 6 9 5 2
6 5 8 2 9 7 1 3 4
2 9 4 5 1 3 6 7 8
```

533

```
7 5 3 8 4 6 2 1 9
2 1 9 3 5 7 6 4 8
4 6 8 1 2 9 7 3 5
8 2 1 6 3 5 9 7 4
9 3 6 7 8 4 5 2 1
5 7 4 9 1 2 3 8 6
6 8 2 5 7 1 4 9 3
3 4 5 2 9 8 1 6 7
1 9 7 4 6 3 8 5 2
```

534

```
6 2 1 8 5 3 9 7 4
8 5 4 7 9 1 6 3 2
9 3 7 2 4 6 1 5 8
2 9 5 3 1 4 7 8 6
7 4 6 5 8 9 2 1 3
3 1 8 6 2 7 5 4 9
1 7 2 9 3 8 4 6 5
5 6 3 4 7 2 8 9 1
4 8 9 1 6 5 3 2 7
```

535

```
5 6 8 2 7 4 1 9 3
2 7 4 3 1 9 6 8 5
1 9 3 8 5 6 2 7 4
3 8 7 6 2 1 4 5 9
6 1 5 4 9 8 7 3 2
9 4 2 5 3 7 8 1 6
8 2 9 1 4 5 3 6 7
4 5 1 7 6 3 9 2 8
7 3 6 9 8 2 5 4 1
```

536

```
8 7 1 4 5 6 9 3 2
4 6 3 9 2 7 5 8 1
9 5 2 3 8 1 6 7 4
1 9 7 8 6 4 3 2 5
2 3 4 5 1 9 8 6 7
6 8 5 2 7 3 1 4 9
5 2 6 1 4 8 7 9 3
3 4 8 7 9 5 2 1 6
7 1 9 6 3 2 4 5 8
```

537

```
5 7 6 3 1 2 4 9 8
9 2 1 8 4 6 7 3 5
8 4 3 9 7 5 1 6 2
7 3 5 4 6 9 8 2 1
2 1 9 7 5 8 6 4 3
4 6 8 1 2 3 9 5 7
6 5 4 2 8 1 3 7 9
3 8 7 5 9 4 2 1 6
1 9 2 6 3 7 5 8 4
```

538

```
2 8 6 7 9 4 3 1 5
1 7 9 5 2 3 4 6 8
4 5 3 8 1 6 9 2 7
6 2 5 9 7 8 1 4 3
7 3 1 4 6 5 8 9 2
9 4 8 2 3 1 7 5 6
5 6 7 3 4 9 2 8 1
3 1 4 6 8 2 5 7 9
8 9 2 1 5 7 6 3 4
```

539

```
7 2 4 3 6 9 5 1 8
5 3 8 7 1 4 2 9 6
6 1 9 8 5 2 7 4 3
8 6 2 9 3 7 1 5 4
4 9 5 1 2 6 8 3 7
3 7 1 4 8 5 9 6 2
9 5 3 2 4 8 6 7 1
1 8 6 5 7 3 4 2 9
2 4 7 6 9 1 3 8 5
```

540

```
1 6 7 8 2 9 3 5 4
2 3 9 5 4 6 8 1 7
8 5 4 7 1 3 6 9 2
4 9 1 6 5 8 2 7 3
6 8 5 2 3 7 9 4 1
7 2 3 1 9 4 5 6 8
3 4 6 9 8 1 7 2 5
9 1 2 3 7 5 4 8 6
5 7 8 4 6 2 1 3 9
```

541 **542** **543** **544**

545 **546** **547** **548**

549 **550** **551** **552**

553 **554** **555** **556**

557 **558** **559** **560**

561
```
6 3 1 9 4 8 5 2 7
9 8 5 2 1 7 4 3 6
4 2 7 3 5 6 8 1 9
8 5 6 4 9 2 3 7 1
1 7 2 6 8 3 9 4 5
3 9 4 5 7 1 2 6 8
7 1 9 8 2 4 6 5 3
2 6 8 1 3 5 7 9 4
5 4 3 7 6 9 1 8 2
```

562
```
7 9 2 3 6 8 4 5 1
5 8 4 9 1 7 6 3 2
1 6 3 4 2 5 8 9 7
3 1 8 5 4 9 7 2 6
9 4 7 6 3 2 1 8 5
6 2 5 8 7 1 9 4 3
8 3 6 1 5 4 2 7 9
2 5 9 7 8 6 3 1 4
4 7 1 2 9 3 5 6 8
```

563
```
9 5 4 1 6 2 7 8 3
1 6 3 9 7 8 4 5 2
2 8 7 3 5 4 1 9 6
7 3 1 5 4 9 6 2 8
8 4 9 2 1 6 3 7 5
6 2 5 8 3 7 9 4 1
4 9 8 6 2 1 5 3 7
3 7 6 4 8 5 2 1 9
5 1 2 7 9 3 8 6 4
```

564
```
6 3 1 8 4 5 9 7 2
2 8 9 6 3 7 5 4 1
7 5 4 9 2 1 6 3 8
9 4 5 2 8 3 7 1 6
1 2 3 5 7 6 8 9 4
8 6 7 4 1 9 3 2 5
4 9 8 7 5 2 1 6 3
5 1 6 3 9 4 2 8 7
3 7 2 1 6 8 4 5 9
```

565
```
3 8 4 9 1 2 6 5 7
6 9 7 3 5 8 4 1 2
1 5 2 7 6 4 9 3 8
9 7 5 4 8 1 3 2 6
2 1 3 6 9 7 5 8 4
4 6 8 2 3 5 1 7 9
8 2 6 5 4 3 7 9 1
7 3 9 1 2 6 8 4 5
5 4 1 8 7 9 2 6 3
```

566
```
5 2 1 4 6 8 3 9 7
8 7 4 5 9 3 6 2 1
9 3 6 1 7 2 5 8 4
2 6 8 9 1 7 4 5 3
7 1 5 3 8 4 9 6 2
3 4 9 2 5 6 1 7 8
1 8 2 6 4 5 7 3 9
6 9 7 8 3 1 2 4 5
4 5 3 7 2 9 8 1 6
```

567
```
7 3 2 8 6 5 1 9 4
9 6 4 2 3 1 7 8 5
5 8 1 4 9 7 2 3 6
2 5 9 1 8 4 6 7 3
6 7 3 9 5 2 8 4 1
1 4 8 3 7 6 9 5 2
3 2 7 6 4 9 5 1 8
4 9 6 5 1 8 3 2 7
8 1 5 7 2 3 4 6 9
```

568
```
1 7 2 6 8 4 5 3 9
4 5 8 7 3 9 6 2 1
6 3 9 1 2 5 7 4 8
2 6 4 9 5 1 8 7 3
3 1 7 8 4 6 9 5 2
8 9 5 2 7 3 4 1 6
9 4 1 3 6 7 2 8 5
7 8 3 5 9 2 1 6 4
5 2 6 4 1 8 3 9 7
```

569
```
6 3 2 5 7 8 1 9 4
4 5 7 1 9 2 8 3 6
1 8 9 6 3 4 7 2 5
2 4 6 7 1 3 9 5 8
3 7 5 8 4 9 2 6 1
8 9 1 2 6 5 3 4 7
9 6 8 3 5 1 4 7 2
7 2 3 4 8 6 5 1 9
5 1 4 9 2 7 6 8 3
```

570
```
4 8 9 7 1 5 2 6 3
7 3 1 2 6 9 8 5 4
5 6 2 3 4 8 7 1 9
8 2 4 1 5 3 9 7 6
6 1 7 4 9 2 3 8 5
3 9 5 6 8 7 4 2 1
1 7 8 9 3 6 5 4 2
2 4 3 5 7 1 6 9 8
9 5 6 8 2 4 1 3 7
```

571
```
1 8 2 9 6 3 4 5 7
4 6 7 5 8 2 9 1 3
3 9 5 1 4 7 8 6 2
2 7 1 8 5 4 6 3 9
9 3 8 7 1 6 2 4 5
5 4 6 2 3 9 1 7 8
8 5 4 3 2 1 7 9 6
7 1 3 6 9 8 5 2 4
6 2 9 4 7 5 3 8 1
```

572
```
9 7 2 6 4 3 8 5 1
1 5 4 9 8 2 7 6 3
3 8 6 7 1 5 4 9 2
7 6 9 1 5 4 3 2 8
5 2 8 3 6 7 1 4 9
4 3 1 8 2 9 5 7 6
2 1 7 5 9 8 6 3 4
6 4 3 2 7 1 9 8 5
8 9 5 4 3 6 2 1 7
```

573
```
7 4 6 8 5 1 2 9 3
8 9 3 2 4 7 1 5 6
5 1 2 6 3 9 7 8 4
2 3 1 5 8 4 6 7 9
9 8 7 3 1 6 4 2 5
4 6 5 9 7 2 8 3 1
6 7 8 1 9 5 3 4 2
3 2 9 4 6 8 5 1 7
1 5 4 7 2 3 9 6 8
```

574
```
9 3 8 1 2 7 4 5 6
1 2 6 8 4 5 7 3 9
7 5 4 6 9 3 2 1 8
8 4 5 2 3 1 6 9 7
3 9 2 4 7 6 5 8 1
6 1 7 9 5 8 3 4 2
2 8 9 5 6 4 1 7 3
5 7 1 3 8 2 9 6 4
4 6 3 7 1 9 8 2 5
```

575
```
9 8 6 2 5 1 4 7 3
3 5 4 6 7 9 8 2 1
2 7 1 8 4 3 6 5 9
8 2 5 4 1 6 3 9 7
4 1 9 7 3 2 5 8 6
6 3 7 5 9 8 1 4 2
7 6 3 9 8 4 2 1 5
1 9 8 3 2 5 7 6 4
5 4 2 1 6 7 9 3 8
```

576
```
8 4 3 7 9 2 6 5 1
7 2 1 5 6 8 4 3 9
9 6 5 3 4 1 2 7 8
2 5 4 8 7 9 1 6 3
1 7 8 4 3 6 9 2 5
3 9 6 2 1 5 8 4 7
6 8 2 9 5 3 7 1 4
5 1 7 6 8 4 3 9 2
4 3 9 1 2 7 5 8 6
```

577
```
1 3 2 5 4 9 8 6 7
4 8 7 2 6 1 9 3 5
9 5 6 8 3 7 2 1 4
2 7 3 9 1 4 6 5 8
5 4 9 6 2 8 3 7 1
6 1 8 7 5 3 4 2 9
8 2 4 3 7 5 1 9 6
3 9 5 1 8 6 7 4 2
7 6 1 4 9 2 5 8 3
```

578
```
4 1 6 2 9 5 8 3 7
7 8 3 1 6 4 5 2 9
5 9 2 7 8 3 1 4 6
8 4 9 6 7 2 3 5 1
6 2 7 3 5 1 4 9 8
1 3 5 9 4 8 7 6 2
2 5 1 8 3 9 6 7 4
9 6 4 5 1 7 2 8 3
3 7 8 4 2 6 9 1 5
```

579
```
7 9 5 8 1 6 4 3 2
6 3 2 4 9 7 8 1 5
1 8 4 2 3 5 6 7 9
9 5 1 7 8 2 3 6 4
2 7 3 9 6 4 5 8 1
4 6 8 3 5 1 9 2 7
8 2 6 1 4 9 7 5 3
5 1 9 6 7 3 2 4 8
3 4 7 5 2 8 1 9 6
```

580
```
1 3 8 2 5 7 6 4 9
2 4 7 6 3 9 8 5 1
6 5 9 4 1 8 3 7 2
9 1 6 8 2 5 4 3 7
3 2 4 7 6 1 5 9 8
8 7 5 3 9 4 2 1 6
4 9 1 3 8 2 7 6 5
7 8 3 5 9 6 1 2 4
5 6 2 1 7 4 9 8 3
```

581 **582** **583** **584**

585 **586** **587** **588**

589 **590** **591** **592**

593 **594** **595** **596**

597 **598** **599** **600**

601
```
4 7 3 | 5 1 9 | 6 8 2
8 9 2 | 4 7 6 | 3 5 1
5 1 6 | 2 8 3 | 9 7 4
6 5 4 | 9 2 7 | 8 1 3
3 2 9 | 8 4 1 | 7 6 5
7 8 1 | 6 3 5 | 2 4 9
9 4 5 | 3 6 8 | 1 2 7
2 6 7 | 1 9 4 | 5 3 8
1 3 8 | 7 5 2 | 4 9 6
```

602
```
5 4 6 | 9 1 7 | 8 2 3
1 2 9 | 3 4 8 | 5 6 7
8 7 3 | 2 6 5 | 9 1 4
3 1 4 | 6 7 9 | 2 5 8
9 8 7 | 1 5 2 | 4 3 6
2 6 5 | 4 8 3 | 1 7 9
4 5 2 | 7 9 6 | 3 8 1
6 3 1 | 8 2 4 | 7 9 5
7 9 8 | 5 3 1 | 6 4 2
```

603
```
2 8 6 | 5 1 4 | 9 7 3
5 1 7 | 9 8 3 | 2 6 4
3 9 4 | 6 2 7 | 1 8 5
8 6 2 | 4 5 9 | 3 1 7
9 3 5 | 1 7 8 | 4 2 6
7 4 1 | 2 3 6 | 8 5 9
1 7 9 | 8 4 5 | 6 3 2
6 2 3 | 7 9 1 | 5 4 8
4 5 8 | 3 6 2 | 7 9 1
```

604
```
5 1 7 | 2 6 9 | 8 4 3
8 6 9 | 7 3 4 | 1 2 5
4 2 3 | 8 1 5 | 6 7 9
1 8 6 | 4 7 3 | 5 9 2
2 7 5 | 9 8 6 | 4 3 1
9 3 4 | 1 5 2 | 7 6 8
7 5 2 | 6 9 1 | 3 8 4
6 9 1 | 3 4 8 | 2 5 7
3 4 8 | 5 2 7 | 9 1 6
```

605
```
8 6 3 | 4 2 7 | 5 1 9
1 5 9 | 8 3 6 | 4 7 2
4 2 7 | 1 9 5 | 6 8 3
7 1 8 | 3 4 9 | 2 6 5
6 9 2 | 7 5 1 | 3 4 8
5 3 4 | 2 6 8 | 1 9 7
9 4 1 | 5 7 3 | 8 2 6
3 8 6 | 9 1 2 | 7 5 4
2 7 5 | 6 8 4 | 9 3 1
```

606
```
1 6 9 | 4 5 8 | 7 3 2
8 7 3 | 6 2 1 | 4 5 9
2 5 4 | 3 7 9 | 1 6 8
6 2 5 | 1 4 7 | 8 9 3
3 9 7 | 8 6 2 | 5 4 1
4 1 8 | 9 3 5 | 2 7 6
9 4 2 | 5 8 6 | 3 1 7
5 8 6 | 7 1 3 | 9 2 4
7 3 1 | 2 9 4 | 6 8 5
```

607
```
7 8 2 | 3 5 6 | 9 4 1
4 9 6 | 1 2 8 | 3 7 5
5 3 1 | 9 4 7 | 2 8 6
8 4 3 | 7 6 1 | 5 9 2
6 2 5 | 4 8 9 | 7 1 3
9 1 7 | 2 3 5 | 8 6 4
3 7 9 | 5 1 4 | 6 2 8
1 5 8 | 6 9 2 | 4 3 7
2 6 4 | 8 7 3 | 1 5 9
```

608
```
6 3 5 | 4 9 1 | 8 7 2
1 9 2 | 8 7 3 | 5 4 6
7 4 8 | 5 6 2 | 3 1 9
3 7 6 | 2 1 4 | 9 5 8
4 2 1 | 9 5 8 | 7 6 3
5 8 9 | 7 3 6 | 1 2 4
2 5 7 | 3 4 9 | 6 8 1
9 6 4 | 1 8 5 | 2 3 7
8 1 3 | 6 2 7 | 4 9 5
```

609
```
7 4 5 | 6 8 9 | 2 1 3
2 6 1 | 4 7 3 | 9 8 5
8 3 9 | 2 5 1 | 4 7 6
1 8 4 | 7 6 2 | 5 3 9
9 5 6 | 8 3 4 | 7 2 1
3 2 7 | 9 1 5 | 8 6 4
5 1 2 | 3 9 8 | 6 4 7
4 7 3 | 5 2 6 | 1 9 8
6 9 8 | 1 4 7 | 3 5 2
```

610
```
1 8 5 | 9 4 6 | 3 7 2
6 3 9 | 1 2 7 | 4 5 8
2 7 4 | 8 3 5 | 6 1 9
9 5 2 | 4 8 1 | 7 6 3
8 6 3 | 5 7 9 | 2 4 1
4 1 7 | 3 6 2 | 8 9 5
5 4 8 | 6 1 3 | 9 2 7
3 2 1 | 7 9 4 | 5 8 6
7 9 6 | 2 5 8 | 1 3 4
```

611
```
5 8 7 | 1 4 6 | 2 9 3
3 9 2 | 5 8 7 | 4 1 6
4 1 6 | 9 2 3 | 8 7 5
6 2 3 | 4 9 1 | 5 8 7
9 7 1 | 8 6 5 | 3 4 2
8 4 5 | 3 7 2 | 9 6 1
1 6 8 | 2 5 9 | 7 3 4
7 5 9 | 6 3 4 | 1 2 8
2 3 4 | 7 1 8 | 6 5 9
```

612
```
8 2 4 | 6 5 3 | 1 9 7
3 5 9 | 7 2 1 | 8 6 4
7 1 6 | 8 9 4 | 3 5 2
1 8 5 | 9 4 2 | 7 3 6
4 9 2 | 3 7 6 | 5 1 8
6 3 7 | 1 8 5 | 2 4 9
2 6 1 | 4 3 7 | 9 8 5
9 7 3 | 5 6 8 | 4 2 1
5 4 8 | 2 1 9 | 6 7 3
```

613
```
7 3 5 | 1 2 9 | 4 6 8
9 2 4 | 6 7 8 | 5 1 3
6 1 8 | 4 5 3 | 9 7 2
5 9 2 | 3 6 1 | 7 8 4
8 6 3 | 9 4 7 | 1 2 5
1 4 7 | 2 8 5 | 6 3 9
4 8 9 | 7 1 2 | 3 5 6
3 5 1 | 8 9 6 | 2 4 7
2 7 6 | 5 3 4 | 8 9 1
```

614
```
7 1 4 | 6 8 2 | 5 9 3
5 2 9 | 1 3 7 | 6 4 8
3 8 6 | 9 4 5 | 1 7 2
1 3 8 | 4 5 9 | 7 2 6
6 7 5 | 8 2 1 | 9 3 4
9 4 2 | 3 7 6 | 8 5 1
4 5 3 | 7 6 8 | 2 1 9
2 6 1 | 5 9 3 | 4 8 7
8 9 7 | 2 1 4 | 3 6 5
```

615
```
3 2 9 | 4 7 6 | 5 1 8
1 7 8 | 2 9 5 | 6 3 4
5 4 6 | 3 1 8 | 9 7 2
9 8 5 | 1 4 3 | 7 2 6
7 6 3 | 5 8 2 | 4 9 1
2 1 4 | 7 6 9 | 8 5 3
4 9 2 | 8 3 7 | 1 6 5
8 3 7 | 6 5 1 | 2 4 9
6 5 1 | 9 2 4 | 3 8 7
```

616
```
5 6 8 | 2 9 1 | 7 3 4
4 7 3 | 5 6 8 | 2 1 9
9 1 2 | 3 4 7 | 8 6 5
2 4 1 | 8 5 9 | 6 7 3
3 9 6 | 4 7 2 | 5 8 1
7 8 5 | 1 3 6 | 9 4 2
6 2 7 | 9 1 4 | 3 5 8
8 5 4 | 7 2 3 | 1 9 6
1 3 9 | 6 8 5 | 4 2 7
```

617
```
1 3 2 | 7 5 8 | 9 6 4
8 9 7 | 6 2 4 | 3 5 1
6 5 4 | 9 1 3 | 2 7 8
5 6 8 | 1 7 2 | 4 9 3
7 1 9 | 3 4 5 | 6 8 2
2 4 3 | 8 9 6 | 7 1 5
3 7 1 | 2 8 9 | 5 4 6
9 2 5 | 4 6 1 | 8 3 7
4 8 6 | 5 3 7 | 1 2 9
```

618
```
8 1 5 | 4 7 9 | 3 2 6
7 6 4 | 1 2 3 | 8 5 9
2 3 9 | 8 5 6 | 4 1 7
6 9 2 | 3 7 5 | 1 4 8
4 8 3 | 2 9 1 | 7 6 5
5 7 1 | 6 4 8 | 2 9 3
9 4 7 | 5 8 2 | 6 3 1
1 5 8 | 3 6 4 | 9 7 2
3 2 6 | 9 1 7 | 5 8 4
```

619
```
4 1 6 | 7 8 5 | 9 2 3
7 5 3 | 6 9 2 | 1 8 4
9 2 8 | 3 4 1 | 6 7 5
6 8 1 | 9 2 4 | 5 3 7
5 7 9 | 8 3 6 | 2 4 1
3 4 2 | 1 5 7 | 8 6 9
8 3 7 | 2 1 9 | 4 5 6
2 9 4 | 5 6 3 | 7 1 8
1 6 5 | 4 7 8 | 3 9 2
```

620
```
7 4 8 | 6 2 9 | 3 5 1
2 9 3 | 1 7 5 | 8 6 4
6 1 5 | 8 3 4 | 7 9 2
8 5 4 | 9 1 3 | 2 7 6
1 7 9 | 2 5 6 | 4 8 3
3 2 6 | 7 4 8 | 9 1 5
4 6 7 | 5 8 2 | 1 3 9
9 8 2 | 3 6 1 | 5 4 7
5 3 1 | 4 9 7 | 6 2 8
```

621

```
1 7 5 | 9 4 3 | 2 8 6
8 6 9 | 2 5 1 | 3 4 7
2 3 4 | 8 7 6 | 5 1 9
------+-------+------
3 2 7 | 1 8 9 | 6 5 4
9 1 6 | 4 3 5 | 8 7 2
5 4 8 | 7 6 2 | 9 3 1
------+-------+------
6 8 1 | 5 9 7 | 4 2 3
4 9 2 | 3 1 8 | 7 6 5
7 5 3 | 6 2 4 | 1 9 8
```

622

```
6 7 2 | 1 4 5 | 8 9 3
4 1 3 | 8 6 9 | 7 5 2
8 5 9 | 2 3 7 | 4 6 1
------+-------+------
9 4 1 | 7 2 3 | 6 8 5
2 6 7 | 5 9 8 | 1 3 4
5 3 8 | 4 1 6 | 9 2 7
------+-------+------
1 2 6 | 3 8 4 | 5 7 9
3 8 5 | 9 7 1 | 2 4 6
7 9 4 | 6 5 2 | 3 1 8
```

623

```
7 8 6 | 2 5 4 | 9 1 3
2 3 9 | 6 1 7 | 4 5 8
1 4 5 | 8 9 3 | 6 2 7
------+-------+------
6 1 3 | 7 8 5 | 2 4 9
9 2 7 | 4 6 1 | 8 3 5
4 5 8 | 3 2 9 | 7 6 1
------+-------+------
8 9 2 | 1 3 6 | 5 7 4
5 7 1 | 9 4 2 | 3 8 6
3 6 4 | 5 7 8 | 1 9 2
```

624

```
6 2 1 | 5 9 7 | 8 4 3
3 8 9 | 6 2 4 | 5 1 7
7 5 4 | 8 1 3 | 2 6 9
------+-------+------
9 4 7 | 1 8 6 | 3 5 2
8 1 6 | 2 3 5 | 7 9 4
5 3 2 | 7 4 9 | 6 8 1
------+-------+------
1 7 8 | 9 6 2 | 4 3 5
2 9 3 | 4 5 8 | 1 7 6
4 6 5 | 3 7 1 | 9 2 8
```

625

```
7 6 8 | 2 5 4 | 9 1 3
2 5 9 | 1 3 7 | 8 4 6
1 3 4 | 9 8 6 | 5 7 2
------+-------+------
8 7 3 | 6 9 1 | 2 5 4
9 2 6 | 7 4 5 | 1 3 8
4 1 5 | 8 2 3 | 6 9 7
------+-------+------
3 4 1 | 5 6 2 | 7 8 9
6 9 7 | 4 1 8 | 3 2 5
5 8 2 | 3 7 9 | 4 6 1
```

626

```
2 4 5 | 6 9 1 | 7 3 8
1 9 3 | 8 7 2 | 6 4 5
8 6 7 | 5 4 3 | 1 2 9
------+-------+------
7 2 4 | 1 6 5 | 8 9 3
3 8 6 | 7 2 9 | 4 5 1
5 1 9 | 3 8 4 | 2 7 6
------+-------+------
9 7 1 | 4 5 8 | 3 6 2
4 5 8 | 2 3 6 | 9 1 7
6 3 2 | 9 1 7 | 5 8 4
```

627

```
9 6 1 | 4 8 7 | 2 5 3
3 2 5 | 6 1 9 | 8 4 7
4 7 8 | 5 3 2 | 9 1 6
------+-------+------
7 8 3 | 1 2 6 | 5 9 4
2 1 9 | 7 4 5 | 6 3 8
6 5 4 | 3 9 8 | 1 7 2
------+-------+------
1 3 2 | 9 6 4 | 7 8 5
5 9 6 | 8 7 3 | 4 2 1
8 4 7 | 2 5 1 | 3 6 9
```

628

```
1 5 3 | 9 7 2 | 4 6 8
2 6 8 | 1 3 4 | 5 9 7
7 9 4 | 8 5 6 | 2 1 3
------+-------+------
9 3 7 | 2 8 5 | 6 4 1
6 4 2 | 3 1 9 | 7 8 5
5 8 1 | 6 4 7 | 3 2 9
------+-------+------
4 2 5 | 7 9 8 | 1 3 6
8 1 6 | 5 2 3 | 9 7 4
3 7 9 | 4 6 1 | 8 5 2
```

629

```
7 5 4 | 9 8 2 | 1 6 3
1 2 3 | 5 4 6 | 7 8 9
9 6 8 | 3 1 7 | 2 5 4
------+-------+------
2 9 5 | 6 3 1 | 8 4 7
6 4 7 | 8 2 9 | 5 3 1
8 3 1 | 7 5 4 | 9 2 6
------+-------+------
4 1 6 | 2 9 5 | 3 7 8
5 8 9 | 4 7 3 | 6 1 2
3 7 2 | 1 6 8 | 4 9 5
```

630

```
8 7 9 | 1 6 2 | 5 4 3
6 2 3 | 4 7 5 | 1 8 9
5 4 1 | 8 3 9 | 2 7 6
------+-------+------
7 5 4 | 9 1 3 | 8 6 2
2 3 6 | 5 8 7 | 4 9 1
9 1 8 | 2 4 6 | 7 3 5
------+-------+------
1 9 7 | 6 5 4 | 3 2 8
4 6 5 | 3 2 8 | 9 1 7
3 8 2 | 7 9 1 | 6 5 4
```

631

```
4 7 2 | 9 1 3 | 5 6 8
9 5 8 | 6 7 2 | 4 3 1
6 1 3 | 4 8 5 | 7 9 2
------+-------+------
7 2 5 | 3 6 9 | 1 8 4
8 3 9 | 5 4 1 | 6 2 7
1 4 6 | 7 2 8 | 9 5 3
------+-------+------
3 9 7 | 2 5 4 | 8 1 6
2 6 1 | 8 9 7 | 3 4 5
5 8 4 | 1 3 6 | 2 7 9
```

632

```
4 5 1 | 8 7 9 | 2 3 6
3 8 2 | 1 6 4 | 5 7 9
9 6 7 | 3 5 2 | 1 8 4
------+-------+------
8 2 3 | 7 4 1 | 6 9 5
5 7 9 | 6 2 3 | 4 1 8
6 1 4 | 5 9 8 | 3 2 7
------+-------+------
2 9 8 | 4 1 6 | 7 5 3
7 3 6 | 2 8 5 | 9 4 1
1 4 5 | 9 3 7 | 8 6 2
```

633

```
6 1 8 | 9 4 7 | 5 2 3
2 4 3 | 1 6 5 | 7 9 8
9 7 5 | 3 8 2 | 6 4 1
------+-------+------
8 6 4 | 7 1 3 | 2 5 9
7 9 2 | 8 5 4 | 1 3 6
5 3 1 | 2 9 6 | 4 8 7
------+-------+------
3 5 9 | 6 2 1 | 8 7 4
1 2 7 | 4 3 8 | 9 6 5
4 8 6 | 5 7 9 | 3 1 2
```

634

```
3 7 1 | 6 4 8 | 2 5 9
9 5 2 | 3 7 1 | 4 8 6
4 6 8 | 2 9 5 | 1 7 3
------+-------+------
5 4 3 | 1 6 2 | 7 9 8
6 2 9 | 7 8 4 | 3 1 5
8 1 7 | 5 3 9 | 6 4 2
------+-------+------
1 9 6 | 8 2 7 | 5 3 4
7 3 4 | 9 5 6 | 8 2 1
2 8 5 | 4 1 3 | 9 6 7
```

635

```
4 7 8 | 2 9 5 | 3 6 1
9 6 1 | 7 3 4 | 8 2 5
3 5 2 | 1 8 6 | 7 4 9
------+-------+------
7 2 4 | 5 6 9 | 1 8 3
5 1 3 | 8 7 2 | 4 9 6
8 9 6 | 3 4 1 | 2 5 7
------+-------+------
6 3 7 | 9 2 8 | 5 1 4
2 4 5 | 6 1 7 | 9 3 8
1 8 9 | 4 5 3 | 6 7 2
```

636

```
5 3 1 | 8 2 6 | 4 9 7
9 2 4 | 1 7 5 | 3 6 8
6 7 8 | 3 9 4 | 5 2 1
------+-------+------
7 4 9 | 5 8 2 | 1 3 6
1 8 2 | 6 3 9 | 7 5 4
3 6 5 | 4 1 7 | 2 8 9
------+-------+------
2 1 6 | 7 5 8 | 9 4 3
4 9 7 | 2 6 3 | 8 1 5
8 5 3 | 9 4 1 | 6 7 2
```

637

```
8 9 6 | 1 5 3 | 2 4 7
7 2 1 | 9 8 4 | 5 3 6
3 5 4 | 2 7 6 | 9 1 8
------+-------+------
6 7 8 | 5 4 1 | 3 9 2
9 4 3 | 8 2 7 | 1 6 5
2 1 5 | 6 3 9 | 7 8 4
------+-------+------
1 8 9 | 7 6 2 | 4 5 3
4 6 7 | 3 9 2 | 8 5 1
5 3 2 | 4 1 8 | 6 7 9
```

638

```
8 9 2 | 4 1 5 | 3 7 6
7 3 6 | 2 8 9 | 5 4 1
5 1 4 | 3 6 7 | 2 8 9
------+-------+------
2 6 1 | 5 7 8 | 4 9 3
9 4 5 | 6 2 3 | 7 1 8
3 7 8 | 9 4 1 | 6 5 2
------+-------+------
6 5 9 | 8 3 4 | 1 2 7
4 2 7 | 1 9 6 | 8 3 5
1 8 3 | 7 5 2 | 9 6 4
```

639

```
3 1 4 | 8 5 6 | 7 9 2
2 5 8 | 4 9 7 | 1 3 6
6 7 9 | 2 1 3 | 5 4 8
------+-------+------
1 6 7 | 9 2 8 | 3 5 4
8 4 3 | 6 7 5 | 2 1 9
5 9 2 | 1 3 4 | 6 8 7
------+-------+------
9 3 1 | 7 4 2 | 8 6 5
7 8 5 | 3 6 9 | 4 2 1
4 2 6 | 5 8 1 | 9 7 3
```

640

```
5 4 2 | 8 7 6 | 9 1 3
8 7 1 | 2 9 3 | 5 4 6
6 3 9 | 5 4 1 | 7 8 2
------+-------+------
7 2 6 | 9 5 4 | 1 3 8
3 9 8 | 1 6 2 | 4 7 5
4 1 5 | 7 3 8 | 6 2 9
------+-------+------
1 5 3 | 6 2 9 | 8 4 7
9 8 7 | 4 2 5 | 3 6 1
2 6 4 | 3 1 9 | 8 5 7
```

641

1	2	8	5	9	4	6	3	7
5	4	6	7	3	1	2	9	8
7	3	9	2	8	6	4	1	5
9	5	4	1	2	8	3	7	6
8	7	2	6	5	3	1	4	9
3	6	1	9	4	7	5	8	2
6	1	3	8	7	2	9	5	4
2	9	7	4	1	5	8	6	3
4	8	5	3	6	9	7	2	1

642

8	2	1	7	6	4	5	9	3
3	9	6	5	8	2	1	7	4
4	7	5	1	3	9	8	6	2
5	3	7	9	1	6	4	2	8
1	4	9	2	7	8	6	3	5
6	8	2	4	5	3	9	1	7
9	5	3	6	4	7	2	8	1
7	6	4	8	2	1	3	5	9
2	1	8	3	9	5	7	4	6

643

2	8	6	7	9	3	1	5	4
1	7	9	5	4	6	8	3	2
4	5	3	2	8	1	6	9	7
6	3	2	4	5	8	9	7	1
8	9	5	1	2	7	3	4	6
7	4	1	6	3	9	5	2	8
9	6	4	3	1	2	7	8	5
5	1	8	9	7	4	2	6	3
3	2	7	8	6	5	4	1	9

644

8	3	2	4	6	7	1	5	9
6	9	1	2	5	8	4	7	3
5	4	7	9	1	3	8	2	6
2	7	9	1	8	6	3	4	5
3	8	6	5	4	9	7	1	2
1	5	4	3	7	2	9	6	8
7	2	5	8	3	4	6	9	1
4	1	3	6	9	5	2	8	7
9	6	8	7	2	1	5	3	4

645

6	4	9	2	3	7	8	5	1
7	8	5	9	6	1	3	4	2
1	2	3	5	4	8	6	7	9
3	7	6	1	5	2	4	9	8
8	5	1	3	9	4	2	6	7
2	9	4	8	7	6	1	3	5
4	1	7	6	8	9	5	2	3
9	3	8	4	2	5	7	1	6
5	6	2	7	1	3	9	8	4

646

4	8	2	5	1	6	9	7	3
5	1	7	9	8	3	4	6	2
3	9	6	2	4	7	1	8	5
8	2	4	6	5	9	3	1	7
9	3	5	1	7	8	2	4	6
7	6	1	4	3	2	8	5	9
1	7	9	8	2	5	6	3	4
6	4	3	7	9	1	5	2	8
2	5	8	3	6	4	7	9	1

647

7	4	5	6	8	9	2	1	3
8	6	3	2	5	1	9	7	4
2	1	9	4	7	3	8	6	5
1	8	4	7	6	2	5	3	9
9	5	6	8	3	4	7	2	1
3	2	7	9	1	5	4	8	6
5	3	2	1	9	8	6	4	7
4	7	1	5	2	6	3	9	8
6	9	8	3	4	7	1	5	2

648

2	6	3	8	4	9	7	1	5
5	4	8	1	3	7	9	2	6
7	1	9	5	2	6	4	8	3
6	8	1	2	7	4	5	3	9
4	3	2	9	5	1	6	7	8
9	7	5	6	8	3	1	4	2
1	5	4	3	9	8	2	6	7
8	9	6	7	1	2	3	5	4
3	2	7	4	6	5	8	9	1

649

4	6	5	9	1	7	2	8	3
3	8	1	5	4	2	7	9	6
7	9	2	3	6	8	4	5	1
2	4	9	7	8	3	1	6	5
5	7	8	6	2	1	3	4	9
1	3	6	4	5	9	8	2	7
6	2	3	1	9	4	5	7	8
9	1	4	8	7	5	6	3	2
8	5	7	2	3	6	9	1	4

650

7	3	5	8	6	4	9	2	1
9	4	8	5	1	2	6	7	3
2	6	1	3	7	9	5	4	8
4	5	6	7	2	1	3	8	9
3	7	9	4	8	5	2	1	6
8	1	2	6	9	3	7	5	4
5	2	3	1	4	6	8	9	7
6	8	4	9	5	7	1	3	2
1	9	7	2	3	8	4	6	5

651

4	1	9	5	8	6	2	7	3
8	7	6	9	2	3	4	5	1
3	5	2	7	1	4	6	8	9
5	9	3	2	6	7	8	1	4
6	2	1	8	4	5	3	9	7
7	8	4	1	3	9	5	2	6
1	3	5	6	9	8	7	4	2
9	4	7	3	5	2	1	6	8
2	6	8	4	7	1	9	3	5

652

2	1	4	8	5	3	7	6	9
3	7	9	2	6	4	5	8	1
5	8	6	9	1	7	2	3	4
6	4	3	1	2	5	8	9	7
7	2	8	3	4	9	1	5	6
1	9	5	7	8	6	3	4	2
9	5	2	6	7	8	4	1	3
8	6	7	4	3	1	9	2	5
4	3	1	5	9	2	6	7	8

653

3	7	6	2	5	8	4	9	1
5	8	2	9	1	4	6	7	3
4	1	9	7	3	6	5	8	2
9	5	1	8	6	7	2	3	4
2	3	8	4	9	5	1	6	7
7	6	4	3	2	1	9	5	8
8	2	5	6	4	3	7	1	9
6	4	7	1	8	9	3	2	5
1	9	3	5	7	2	8	4	6

654

2	1	7	8	9	3	4	6	5
3	5	6	7	2	4	9	1	8
9	4	8	6	5	1	2	3	7
7	2	5	4	1	9	3	8	6
1	8	3	2	6	5	7	4	9
6	9	4	3	8	7	5	2	1
4	6	1	9	7	2	8	5	3
5	3	9	1	4	8	6	7	2
8	7	2	5	3	6	1	9	4

655

4	8	2	5	1	6	9	7	3
5	1	7	9	2	3	4	6	8
3	9	6	8	4	7	1	2	5
8	2	4	6	5	9	3	1	7
9	3	5	1	7	2	8	4	6
7	6	1	4	3	8	2	5	9
1	7	9	2	8	5	6	3	4
6	4	3	7	9	1	5	8	2
2	5	8	3	6	4	7	9	1

656

1	6	2	7	4	9	5	8	3
9	7	3	2	5	8	4	1	6
5	8	4	1	3	6	9	7	2
6	1	5	9	2	4	8	3	7
2	9	8	3	6	7	1	5	4
3	4	7	5	8	1	6	2	9
4	2	9	8	7	5	3	6	1
8	3	6	4	1	2	7	9	5
7	5	1	6	9	3	2	4	8

657

6	9	2	4	5	8	1	3	7
5	8	4	7	3	1	2	6	9
3	1	7	6	9	2	5	4	8
2	3	6	1	4	9	8	7	5
4	5	9	8	7	3	6	1	2
1	7	8	2	6	5	3	9	4
7	4	1	5	8	6	9	2	3
8	2	3	9	1	7	4	5	6
9	6	5	3	2	4	7	8	1

658

2	6	5	9	7	1	8	3	4
8	7	1	4	5	3	6	9	2
9	3	4	6	2	8	5	1	7
5	8	9	2	6	4	1	7	3
7	1	3	5	8	9	4	2	6
4	2	6	1	3	7	9	8	5
1	5	2	7	9	6	3	4	8
3	4	7	8	1	5	2	6	9
6	9	8	3	4	2	7	5	1

659

7	4	5	6	8	9	2	1	3
8	6	1	2	5	3	9	7	4
2	3	9	4	7	1	8	6	5
1	8	4	7	6	2	5	3	9
9	5	6	8	3	4	7	2	1
3	2	7	9	1	5	4	8	6
5	1	2	3	9	8	6	4	7
4	7	3	5	2	6	1	9	8
6	9	8	1	4	7	3	5	2

660

3	1	4	7	8	6	5	2	9
8	2	9	4	5	3	1	6	7
5	7	6	2	1	9	4	3	8
1	5	7	8	3	4	6	9	2
6	4	8	5	9	2	3	7	1
9	3	2	1	6	7	8	5	4
4	9	5	6	2	8	7	1	3
7	6	3	9	4	1	2	8	5
2	8	1	3	7	5	9	4	6

661
```
4 8 2 5 1 6 9 7 3
5 1 7 9 2 3 4 6 8
3 9 6 8 4 7 1 2 5
8 2 4 6 5 9 3 1 7
9 3 5 1 7 8 2 4 6
7 6 1 4 3 2 8 5 9
1 7 9 2 8 5 6 3 4
6 4 3 7 9 1 5 8 2
2 5 8 3 6 4 7 9 1
```

662
```
1 2 8 5 7 4 3 9 6
5 4 7 9 3 6 1 8 2
6 3 9 8 2 1 7 4 5
9 1 4 7 8 2 5 6 3
7 5 2 6 4 3 8 1 9
3 8 6 1 5 9 4 2 7
4 6 1 3 9 7 2 5 8
8 9 3 2 1 5 6 7 4
2 7 5 4 6 8 9 3 1
```

663
```
5 2 8 9 6 1 7 4 3
1 4 3 7 5 2 8 6 9
7 9 6 3 4 8 5 2 1
2 7 1 8 3 4 9 5 6
3 8 4 6 9 5 1 7 2
6 5 9 2 1 7 4 3 8
4 6 7 1 8 3 2 9 5
9 1 5 4 2 6 3 8 7
8 3 2 5 7 9 6 1 4
```

664
```
8 4 6 7 2 9 5 1 3
3 1 5 6 8 4 9 7 2
9 7 2 5 1 3 8 6 4
1 3 7 8 9 6 2 4 5
6 9 8 4 5 2 1 3 7
2 5 4 3 7 1 6 8 9
7 6 9 1 4 5 3 2 8
5 8 1 2 3 7 4 9 6
4 2 3 9 6 8 7 5 1
```

665
```
5 9 6 1 2 8 4 3 7
7 8 4 9 5 3 6 2 1
2 1 3 4 6 7 8 9 5
3 7 2 8 1 6 9 5 4
4 5 8 7 3 9 1 6 2
1 6 9 5 4 2 7 8 3
8 3 1 2 9 4 5 7 6
9 2 5 6 7 1 3 4 8
6 4 7 3 8 5 2 1 9
```

666
```
3 4 2 1 5 9 8 6 7
5 8 9 3 7 6 2 4 1
1 7 6 8 2 4 9 3 5
4 6 1 2 9 8 5 7 3
8 9 5 6 3 7 4 1 2
7 2 3 5 4 1 6 9 8
9 3 7 4 8 2 1 5 6
6 5 8 9 1 3 7 2 4
2 1 4 7 6 5 3 8 9
```

667
```
5 6 1 2 9 4 7 8 3
3 2 8 7 6 5 4 1 9
4 7 9 1 8 3 2 5 6
7 3 6 4 1 8 9 2 5
1 5 2 9 3 6 8 4 7
8 9 4 5 2 7 3 6 1
2 8 3 6 7 1 5 9 4
9 1 5 3 4 2 6 7 8
6 4 7 8 5 9 1 3 2
```

668
```
4 2 5 6 9 1 3 7 8
7 3 8 4 5 2 9 1 6
6 9 1 7 8 3 2 4 5
3 8 9 1 2 4 6 5 7
2 6 4 5 7 8 1 3 9
1 5 7 3 6 9 4 8 2
8 4 6 9 1 7 5 2 3
9 7 3 2 4 5 8 6 1
5 1 2 8 3 6 7 9 4
```

669
```
4 9 6 7 5 3 2 8 1
7 1 5 2 6 8 3 9 4
2 3 8 1 9 4 7 5 6
1 5 3 6 2 9 4 7 8
6 7 4 3 8 5 1 2 9
8 2 9 4 1 7 5 6 3
5 8 7 9 4 1 6 3 2
9 6 1 5 3 2 8 4 7
3 4 2 8 7 6 9 1 5
```

670
```
1 6 8 5 3 2 9 7 4
7 9 5 8 1 4 2 6 3
2 3 4 7 9 6 8 5 1
8 5 6 1 7 3 4 9 2
9 7 3 4 2 8 5 1 6
4 2 1 6 5 9 3 8 7
5 8 2 3 6 7 1 4 9
3 1 7 9 4 5 6 2 8
6 4 9 2 8 1 7 3 5
```

671
```
3 7 2 6 5 4 1 8 9
9 4 6 1 7 8 3 2 5
1 5 8 2 3 9 4 6 7
2 9 5 3 8 7 6 1 4
6 1 4 5 9 2 7 3 8
8 3 7 4 1 6 5 9 2
4 8 3 9 6 5 2 7 1
5 6 9 7 2 1 8 4 3
7 2 1 8 4 3 9 5 6
```

672
```
6 9 3 1 4 7 8 2 5
2 5 4 8 6 3 1 7 9
1 7 8 2 5 9 4 6 3
5 2 9 3 1 8 7 4 6
3 1 7 6 9 4 2 5 8
8 4 6 5 7 2 3 9 1
7 8 5 9 2 1 6 3 4
4 6 1 7 3 5 9 8 2
9 3 2 4 8 6 5 1 7
```

673
```
6 9 1 7 4 5 8 3 2
7 5 3 2 8 9 6 1 4
4 2 8 6 3 1 9 7 5
3 4 2 8 5 6 7 9 1
1 8 5 9 7 3 4 2 6
9 7 6 4 1 2 3 5 8
5 1 4 3 6 7 2 8 9
2 6 7 5 9 8 1 4 3
8 3 9 1 2 4 5 6 7
```

674
```
4 9 7 5 1 3 2 6 8
2 5 1 9 8 6 3 7 4
8 6 3 2 7 4 9 5 1
3 1 9 6 4 5 8 2 7
5 8 4 7 2 9 1 3 6
6 7 2 1 3 8 4 9 5
1 4 5 3 9 7 6 8 2
9 2 6 8 5 1 7 4 3
7 3 8 4 6 2 5 1 9
```

675
```
4 9 3 1 2 5 8 7 6
5 2 8 4 6 7 3 9 1
7 1 6 9 3 8 2 5 4
1 5 4 7 8 2 6 3 9
8 6 9 3 4 1 7 2 5
2 3 7 6 5 9 4 1 8
9 7 2 8 1 6 5 4 3
3 8 1 5 7 4 9 6 2
6 4 5 2 9 3 1 8 7
```

676
```
7 1 4 6 9 5 2 3 8
8 2 9 7 4 3 1 5 6
6 5 3 1 8 2 4 7 9
3 9 8 5 1 4 6 2 7
2 6 1 3 7 9 5 8 4
5 4 7 2 6 8 9 1 3
1 7 5 9 3 6 8 4 2
4 3 6 8 2 1 7 9 5
9 8 2 4 5 7 3 6 1
```

677
```
6 2 1 9 7 5 8 4 3
7 3 8 1 2 4 5 9 6
4 9 5 8 6 3 2 7 1
2 5 3 7 4 1 6 8 9
9 1 6 2 3 8 4 5 7
8 7 4 6 5 9 1 3 2
1 6 9 5 8 7 3 2 4
5 4 2 3 9 6 7 1 8
3 8 7 4 1 2 9 6 5
```

678
```
9 5 6 7 8 2 1 3 4
2 7 4 5 1 3 9 6 8
8 3 1 4 6 9 5 2 7
4 6 8 2 9 5 3 7 1
3 1 2 8 4 7 6 9 5
5 9 7 1 3 6 4 8 2
7 4 3 9 2 1 8 5 6
1 2 9 6 5 8 7 4 3
6 8 5 3 7 4 2 1 9
```

679
```
3 7 8 2 1 6 4 5 9
1 5 9 4 3 8 6 7 2
2 6 4 7 9 5 1 3 8
9 8 6 3 4 1 7 2 5
5 2 1 6 7 9 8 4 3
4 3 7 8 5 2 9 1 6
7 9 2 5 8 4 3 6 1
6 1 3 9 2 7 5 8 4
8 4 5 1 6 3 2 9 7
```

680
```
2 7 8 1 9 5 3 6 4
9 6 4 7 3 2 8 1 5
3 5 1 4 8 6 7 2 9
7 4 2 5 6 9 1 8 3
5 1 3 8 7 4 2 9 6
8 9 6 3 2 1 4 5 7
6 3 7 9 1 8 5 4 2
1 2 5 6 4 7 9 3 8
4 8 9 2 5 3 6 7 1
```

Challenging

681 | **682** | **683** | **684**

685 | **686** | **687** | **688**

689 | **690** | **691** | **692**

693 | **694** | **695** | **696**

697 | **698** | **699** | **700**

Challenging

701
```
2 4 1 9 8 5 3 6 7
9 3 5 2 6 7 8 1 4
6 7 8 4 3 1 2 5 9
1 6 7 3 5 9 4 8 2
5 2 4 7 1 8 6 9 3
8 9 3 6 2 4 5 7 1
3 1 6 5 9 2 7 4 8
4 5 9 8 7 3 1 2 6
7 8 2 1 4 6 9 3 5
```

702
```
6 5 4 3 7 8 2 1 9
1 9 2 4 6 5 7 8 3
3 7 8 2 9 1 4 5 6
9 3 1 7 8 2 6 4 5
2 6 7 9 5 4 1 3 8
8 4 5 6 1 3 9 2 7
7 8 3 1 4 9 5 6 2
4 2 6 5 3 7 8 9 1
5 1 9 8 2 6 3 7 4
```

703
```
6 9 3 2 8 4 5 7 1
8 5 7 6 1 3 2 4 9
2 4 1 5 9 7 8 3 6
5 1 2 8 4 9 3 6 7
4 7 8 3 6 5 1 9 2
9 3 6 7 2 1 4 5 8
1 2 5 4 7 6 9 8 3
3 6 9 1 5 8 7 2 4
7 8 4 9 3 2 6 1 5
```

704
```
7 8 9 2 6 3 5 1 4
6 3 2 5 4 1 7 8 9
4 5 1 8 7 9 2 6 3
8 6 7 9 2 5 4 3 1
1 9 5 7 3 4 8 2 6
3 2 4 6 1 8 9 7 5
5 7 3 1 9 2 6 4 8
9 4 6 3 8 7 1 5 2
2 1 8 4 5 6 3 9 7
```

705
```
7 1 3 4 6 2 9 8 5
4 6 9 8 5 7 3 2 1
5 8 2 1 3 9 4 6 7
9 7 1 6 2 5 8 3 4
3 4 6 7 9 8 5 1 2
2 5 8 3 4 1 7 9 6
8 9 4 2 7 6 1 5 3
6 3 5 9 1 4 2 7 8
1 2 7 5 8 3 6 4 9
```

706
```
8 2 7 4 5 6 9 1 3
4 5 6 1 9 3 2 7 8
1 3 9 2 7 8 6 5 4
6 7 4 8 3 5 1 2 9
2 1 5 7 4 9 8 3 6
9 8 3 6 2 1 5 4 7
7 9 1 3 6 2 4 8 5
5 4 8 9 1 7 3 6 2
3 6 2 5 8 4 7 9 1
```

707
```
5 3 1 4 9 2 8 7 6
6 4 2 5 7 8 9 1 3
7 9 8 6 1 3 5 2 4
2 5 9 1 8 6 3 4 7
4 8 3 2 5 7 6 9 1
1 6 7 3 4 9 2 5 8
9 7 4 8 3 5 1 6 2
3 1 6 9 2 4 7 8 5
8 2 5 7 6 1 4 3 9
```

708
```
1 9 4 6 3 5 8 2 7
8 2 3 7 4 9 1 5 6
5 6 7 1 2 8 9 3 4
2 4 6 5 8 7 3 9 1
9 7 5 4 1 3 6 8 2
3 1 8 2 9 6 4 7 5
4 8 2 3 5 1 7 6 9
7 3 1 9 6 2 5 4 8
6 5 9 8 7 4 2 1 3
```

709
```
3 8 4 2 9 5 6 7 1
5 6 7 4 1 3 9 8 2
2 1 9 7 8 6 3 5 4
8 3 2 6 4 1 5 9 7
9 4 6 5 7 2 1 3 8
7 5 1 8 3 9 4 2 6
1 2 5 3 6 7 8 4 9
4 9 3 1 2 8 7 6 5
6 7 8 9 5 4 2 1 3
```

710
```
4 5 3 7 6 8 1 9 2
6 2 8 9 1 4 7 5 3
7 1 9 3 5 2 8 4 6
8 9 6 1 7 3 4 2 5
1 4 7 2 9 5 6 3 8
5 3 2 4 8 6 9 7 1
9 6 1 5 2 7 3 8 4
3 8 5 6 4 9 2 1 7
2 7 4 8 3 1 5 6 9
```

711
```
7 3 9 8 1 5 4 6 2
5 8 4 9 2 6 3 7 1
1 2 6 4 7 3 5 8 9
4 6 1 5 9 8 2 3 7
3 5 2 7 6 1 9 4 8
9 7 8 2 3 4 1 5 6
8 1 5 6 4 2 7 9 3
2 4 7 3 8 9 6 1 5
6 9 3 1 5 7 8 2 4
```

712
```
3 6 4 9 2 1 5 7 8
1 9 7 8 6 5 2 4 3
8 5 2 7 4 3 9 1 6
5 2 8 3 7 6 4 9 1
4 7 9 1 8 2 6 3 5
6 3 1 5 9 4 7 8 2
7 4 5 2 3 8 1 6 9
9 1 3 6 5 7 8 2 4
2 8 6 4 1 9 3 5 7
```

713
```
9 8 6 5 1 3 4 7 2
5 1 3 2 4 7 6 9 8
7 4 2 9 8 6 5 1 3
4 7 8 6 5 9 3 2 1
1 6 9 8 3 2 7 5 4
2 3 5 4 7 1 9 8 6
6 9 4 7 2 8 1 3 5
8 5 1 3 9 4 2 6 7
3 2 7 1 6 5 8 4 9
```

714
```
9 8 5 3 2 1 7 4 6
3 6 7 8 5 4 1 2 9
1 4 2 6 9 7 3 5 8
7 5 1 2 8 6 9 3 4
2 3 8 9 4 5 6 7 1
6 9 4 1 7 3 5 8 2
8 2 3 7 1 9 4 6 5
4 7 9 5 6 8 2 1 3
5 1 6 4 3 2 8 9 7
```

715
```
9 5 4 8 3 7 2 6 1
7 8 2 1 9 6 3 5 4
1 6 3 2 4 5 8 9 7
2 1 9 4 6 3 7 8 5
5 7 8 9 1 2 6 4 3
3 4 6 7 5 8 1 2 9
8 3 1 5 2 9 4 7 6
6 2 5 3 7 4 9 1 8
4 9 7 6 8 1 5 3 2
```

716
```
6 2 1 3 5 8 7 9 4
5 8 9 2 7 4 1 3 6
3 7 4 9 1 6 5 8 2
7 6 2 8 4 1 9 5 3
4 9 5 6 3 7 2 1 8
8 1 3 5 2 9 4 6 7
1 4 8 7 6 5 3 2 9
2 5 6 4 9 3 8 7 1
9 3 7 1 8 2 6 4 5
```

717
```
4 5 3 8 1 9 7 2 6
2 8 9 7 6 3 4 1 5
1 6 7 4 5 2 3 8 9
3 1 6 2 8 5 9 7 4
7 9 2 3 4 6 1 5 8
8 4 5 9 7 1 6 3 2
9 7 1 6 2 8 5 4 3
6 2 4 5 3 7 8 9 1
5 3 8 1 9 4 2 6 7
```

718
```
2 4 5 3 6 9 8 1 7
3 7 9 1 5 8 4 2 6
6 8 1 4 7 2 5 9 3
4 5 8 7 2 6 9 3 1
7 3 6 9 1 4 2 8 5
9 1 2 8 3 5 7 6 4
5 9 3 2 4 1 6 7 8
8 6 7 5 9 3 1 4 2
1 2 4 6 8 7 3 5 9
```

719
```
7 2 8 1 6 4 5 9 3
5 3 6 7 9 8 1 4 2
1 9 4 5 2 3 8 7 6
4 6 3 9 1 2 7 5 8
8 5 9 3 7 6 2 1 4
2 1 7 4 8 5 9 3 6
9 4 2 8 5 1 3 6 7
6 7 5 2 3 9 4 8 1
3 8 1 6 4 7 9 2 5
```

720
```
4 7 2 6 9 8 1 5 3
3 9 8 5 1 4 6 2 7
6 5 1 3 2 7 4 9 8
5 1 4 8 7 6 2 3 9
7 2 3 9 4 5 8 1 6
8 6 9 1 3 2 5 7 4
9 4 5 2 6 3 7 8 1
2 3 6 7 8 1 9 4 5
1 8 7 4 5 9 3 6 2
```

Challenging

721 **722** **723** **724**

725 **726** **727** **728**

729 **730** **731** **732**

733 **734** **735** **736**

737 **738** **739** **740**

Challenging

741 **742** **743** **744**

745 **746** **747** **748**

749 ## Tough **750** **751** **752**

753 **754** **755** **756**

757 **758** **759** **760**

761

2	8	9	3	4	1	5	6	7
4	1	5	8	7	6	2	3	9
7	3	6	2	5	9	8	4	1
5	6	7	9	2	4	1	8	3
8	9	3	7	1	5	4	2	6
1	4	2	6	8	3	7	9	5
9	5	8	4	3	7	6	1	2
3	7	4	1	6	2	9	5	8
6	2	1	5	9	8	3	7	4

762

1	4	8	6	5	9	7	2	3
3	5	7	2	4	8	6	9	1
6	9	2	1	3	7	8	4	5
7	8	1	4	6	3	9	5	2
9	3	6	8	2	5	4	1	7
5	2	4	9	7	1	3	6	8
4	7	3	5	9	2	1	8	6
2	1	9	3	8	6	5	7	4
8	6	5	7	1	4	2	3	9

763

6	9	4	5	3	1	2	7	8
7	5	8	2	9	4	6	3	1
1	3	2	6	7	8	4	9	5
9	8	6	7	4	3	1	5	2
5	1	3	8	2	9	7	6	4
4	2	7	1	5	6	9	8	3
2	6	9	4	8	5	3	1	7
8	7	1	3	6	2	5	4	9
3	4	5	9	1	7	8	2	6

764

2	9	8	5	4	7	1	6	3
4	1	5	2	6	3	8	9	7
3	7	6	9	8	1	5	2	4
7	5	2	4	1	8	6	3	9
1	8	3	7	9	6	2	4	5
6	4	9	3	2	5	7	8	1
9	6	7	8	5	4	3	1	2
8	3	4	1	7	2	9	5	6
5	2	1	6	3	9	4	7	8

765

1	6	2	9	3	8	5	4	7
7	4	5	1	6	2	3	8	9
8	3	9	5	7	4	2	1	6
4	2	1	6	5	3	9	7	8
6	9	8	4	2	7	1	5	3
3	5	7	8	1	9	6	2	4
2	8	6	3	4	1	7	9	5
5	7	4	2	9	6	8	3	1
9	1	3	7	8	5	4	6	2

766

6	2	7	1	4	3	5	8	9
4	9	1	6	8	5	3	2	7
8	5	3	9	2	7	4	1	6
9	7	6	3	5	2	8	4	1
1	8	5	4	9	6	2	7	3
2	3	4	8	7	1	6	9	5
3	4	2	5	1	9	7	6	8
5	1	8	7	6	4	9	3	2
7	6	9	2	3	8	1	5	4

767

6	8	1	5	7	2	9	3	4
9	2	4	1	3	8	5	6	7
5	3	7	6	9	4	8	2	1
7	6	9	8	2	3	4	1	5
4	1	2	9	5	7	6	8	3
3	5	8	4	6	1	7	9	2
2	4	3	7	8	6	1	5	9
1	9	6	3	4	5	2	7	8
8	7	5	2	1	9	3	4	6

768

5	6	2	9	1	3	8	4	7
9	7	4	6	5	8	3	2	1
8	1	3	2	4	7	5	9	6
6	5	7	8	2	1	9	3	4
3	8	1	7	9	4	2	6	5
4	2	9	3	6	5	1	7	8
7	9	5	4	8	2	6	1	3
2	4	8	1	3	6	7	5	9
1	3	6	5	7	9	4	8	2

769

2	1	7	4	9	6	5	3	8
6	4	3	8	1	5	7	2	9
8	9	5	2	3	7	6	4	1
1	7	2	3	6	9	4	8	5
4	8	6	5	7	2	1	9	3
5	3	9	1	4	8	2	6	7
9	2	4	7	5	3	8	1	6
3	5	8	6	2	1	9	7	4
7	6	1	9	8	4	3	5	2

770

8	4	2	9	3	1	7	6	5
5	9	7	2	6	8	1	4	3
3	6	1	4	7	5	8	2	9
2	3	6	8	9	4	5	1	7
7	1	8	5	2	3	6	9	4
9	5	4	6	1	7	3	8	2
1	2	3	7	8	9	4	5	6
6	7	5	1	4	2	9	3	8
4	8	9	3	5	6	2	7	1

771

4	8	9	5	6	3	1	2	7
6	2	3	1	7	9	4	8	5
7	1	5	8	2	4	6	3	9
2	5	6	7	3	8	9	1	4
8	3	4	9	1	6	7	5	2
1	9	7	2	4	5	3	6	8
5	6	8	4	9	1	2	7	3
9	7	1	3	8	2	5	4	6
3	4	2	6	5	7	8	9	1

772

2	9	8	1	3	4	5	6	7
3	4	5	6	2	7	9	1	8
1	6	7	5	9	8	4	2	3
7	1	4	8	6	9	2	3	5
8	5	2	7	1	3	6	4	9
6	3	9	4	5	2	8	7	1
4	7	3	2	8	5	1	9	6
5	2	6	9	7	1	3	8	4
9	8	1	3	4	6	7	5	2

773

4	1	3	9	5	8	7	2	6
8	5	9	6	2	7	4	3	1
2	7	6	1	4	3	5	8	9
3	8	1	2	9	4	6	5	7
9	4	7	8	6	5	3	1	2
6	2	5	7	3	1	9	4	8
5	9	2	4	8	6	1	7	3
1	6	4	3	7	2	8	9	5
7	3	8	5	1	9	2	6	4

774

6	1	2	5	8	3	9	7	4
8	7	3	4	2	9	6	1	5
4	9	5	7	6	1	3	2	8
5	2	7	9	4	6	1	8	3
3	4	1	8	7	2	5	6	9
9	8	6	1	3	5	2	4	7
2	5	8	6	9	7	4	3	1
1	3	4	2	5	8	7	9	6
7	6	9	3	1	4	8	5	2

775

5	1	9	6	3	4	2	8	7
6	3	2	8	7	1	9	4	5
7	4	8	9	5	2	3	1	6
1	2	7	4	9	3	6	5	8
8	5	3	2	1	6	4	7	9
4	9	6	5	8	7	1	3	2
9	7	4	3	6	5	8	2	1
2	8	5	1	4	9	7	6	3
3	6	1	7	2	8	5	9	4

776

3	7	1	2	5	4	9	8	6
9	4	2	8	3	6	5	1	7
8	6	5	1	7	9	3	2	4
6	2	7	5	9	1	8	4	3
1	8	4	3	6	7	2	9	5
5	9	3	4	8	2	6	7	1
7	1	9	6	2	5	4	3	8
4	3	6	9	1	8	7	5	2
2	5	8	7	4	3	1	6	9

777

8	1	4	3	7	2	6	9	5
3	7	6	9	5	8	2	4	1
9	2	5	1	4	6	7	8	3
2	5	1	4	6	7	9	3	8
6	9	3	2	8	1	4	5	7
7	4	8	5	9	3	1	6	2
1	8	7	6	3	9	5	2	4
5	6	2	8	1	4	3	7	9
4	3	9	7	2	5	8	1	6

778

8	5	9	7	3	4	2	6	1
3	4	7	1	6	2	9	8	5
2	1	6	9	5	8	7	4	3
9	2	8	4	1	6	3	5	7
6	3	5	2	9	7	4	1	8
1	7	4	3	8	5	6	2	9
7	8	1	6	4	9	5	3	2
4	9	3	5	2	1	8	7	6
5	6	2	8	7	3	1	9	4

779

4	5	1	9	3	2	7	6	8
6	9	8	7	1	4	5	3	2
7	3	2	8	6	5	9	1	4
3	7	5	4	9	6	2	8	1
1	4	6	2	5	8	3	9	7
8	2	9	1	7	3	6	4	5
9	8	7	6	2	1	4	5	3
2	1	3	5	4	9	8	7	6
5	6	4	3	8	7	1	2	9

780

6	2	9	8	5	1	4	3	7
1	8	4	9	7	3	2	5	6
3	7	5	4	6	2	1	8	9
5	3	1	6	2	4	9	7	8
8	6	2	3	9	7	5	1	4
4	9	7	5	1	8	3	6	2
2	4	3	7	8	5	6	9	1
7	5	6	1	4	9	8	2	3
9	1	8	2	3	6	7	4	5

781 782 783 784

785 786 787 788

789 790 791 792

793 794 795 796

797 798 799 800

801

7	1	3	5	4	6	2	8	9
8	4	6	2	9	3	1	5	7
9	5	2	7	1	8	6	3	4
6	2	7	4	5	9	3	1	8
4	9	5	3	8	1	7	6	2
1	3	8	6	2	7	9	4	5
5	6	1	8	7	2	4	9	3
3	7	4	9	6	5	8	2	1
2	8	9	1	3	4	5	7	6

802

1	3	9	8	2	5	6	4	7
4	6	2	1	9	7	5	3	8
8	5	7	6	4	3	2	1	9
3	4	1	9	6	8	7	5	2
2	9	6	5	7	1	3	8	4
7	8	5	4	3	2	1	9	6
5	2	4	3	8	6	9	7	1
6	1	8	7	5	9	4	2	3
9	7	3	2	1	4	8	6	5

803

2	3	4	9	6	8	7	5	1
5	6	7	4	1	3	2	9	8
8	1	9	5	7	2	4	6	3
3	4	5	1	9	6	8	2	7
6	7	8	2	4	5	1	3	9
1	9	2	3	8	7	6	4	5
7	5	1	6	3	4	9	8	2
9	2	6	8	5	1	3	7	4
4	8	3	7	2	9	5	1	6

804

6	1	5	9	3	4	8	7	2
3	2	7	5	6	8	9	1	4
8	9	4	7	2	1	5	6	3
7	3	8	2	4	9	1	5	6
9	4	6	3	1	5	2	8	7
2	5	1	6	8	7	3	4	9
4	8	2	1	9	6	7	3	5
1	7	3	4	5	2	6	9	8
5	6	9	8	7	3	4	2	1

805

9	6	5	2	4	7	8	1	3
1	7	4	8	6	3	2	5	9
3	8	2	1	5	9	6	4	7
7	1	6	4	8	5	9	3	2
5	2	3	9	1	6	4	7	8
4	9	8	3	7	2	5	6	1
6	3	9	7	2	4	1	8	5
2	4	1	5	3	8	7	9	6
8	5	7	6	9	1	3	2	4

806

6	7	4	1	2	3	5	9	8
2	1	8	6	9	5	3	7	4
5	3	9	4	7	8	2	6	1
9	4	5	3	8	6	7	1	2
8	6	7	2	1	9	4	3	5
1	2	3	5	4	7	9	8	6
7	5	1	9	6	2	8	4	3
4	8	2	7	3	1	6	5	9
3	9	6	8	5	4	1	2	7

807

6	1	5	9	3	2	4	7	8
3	4	7	5	6	8	9	1	2
8	9	2	7	4	1	5	6	3
7	3	8	4	2	9	6	5	1
9	2	6	3	1	5	7	8	4
4	5	1	6	8	7	3	2	9
5	8	4	1	9	6	2	3	7
1	7	3	2	5	4	8	9	6
2	6	9	8	7	3	1	4	5

808

2	1	7	8	5	6	3	4	9
3	4	5	9	7	2	6	8	1
9	6	8	4	3	1	7	2	5
8	2	4	5	9	3	1	7	6
5	9	6	2	1	7	4	3	8
1	7	3	6	8	4	9	5	2
6	3	9	7	2	8	5	1	4
7	8	2	1	4	9	5	6	3
4	5	1	3	6	8	2	9	7

809

8	2	6	4	5	3	7	1	9
4	5	9	1	8	7	2	6	3
1	7	3	6	9	2	8	5	4
2	6	1	7	4	5	9	3	8
9	4	7	3	6	8	5	2	1
3	8	5	2	1	9	4	7	6
6	9	2	8	7	1	3	4	5
5	3	4	9	2	6	1	8	7
7	1	8	5	3	4	6	9	2

810

8	1	9	7	5	4	6	3	2
7	6	5	1	2	3	9	8	4
3	2	4	9	8	6	5	1	7
2	4	3	6	9	7	8	5	1
6	7	8	5	1	2	3	4	9
9	5	1	3	4	8	2	7	6
1	9	2	8	7	5	4	6	3
5	3	7	4	6	9	1	2	8
4	8	6	2	3	1	7	9	5

811

2	4	3	7	5	9	6	8	1
6	8	9	2	1	3	7	4	5
5	1	7	8	4	6	3	2	9
7	9	4	3	2	1	8	5	6
3	5	6	9	8	4	2	1	7
1	2	8	6	7	5	4	9	3
9	6	2	5	3	8	1	7	4
8	3	1	4	9	7	5	6	2
4	7	5	1	6	2	9	3	8

812

8	2	3	7	5	9	1	6	4
1	6	9	8	4	3	7	2	5
5	4	7	6	2	1	3	8	9
7	9	2	3	6	4	8	5	1
3	5	1	9	8	2	6	4	7
4	8	6	1	7	5	2	9	3
9	1	8	5	3	6	4	7	2
6	3	4	2	9	7	5	1	8
2	7	5	4	1	8	9	3	6

813

3	4	6	5	8	1	2	9	7
2	5	7	6	9	4	3	8	1
8	1	9	3	7	2	5	4	6
1	7	2	9	4	3	6	5	8
4	8	5	7	2	6	9	1	3
9	6	3	8	1	5	4	7	2
6	2	8	1	5	9	7	3	4
7	9	4	2	3	8	1	6	5
5	3	1	4	6	7	8	2	9

814

7	8	9	6	1	4	2	3	5
2	3	5	8	9	7	1	4	6
4	6	1	2	3	5	9	7	8
8	4	6	5	7	2	3	9	1
1	7	2	9	8	3	6	5	4
5	9	3	1	4	6	8	2	7
9	5	4	3	6	8	7	1	2
6	1	7	4	2	9	5	8	3
3	2	8	7	5	1	4	6	9

815

1	4	8	7	2	3	9	5	6
5	7	2	4	9	6	1	3	8
6	3	9	8	1	5	4	2	7
4	2	6	3	7	9	8	1	5
9	8	7	1	5	2	6	4	3
3	5	1	6	4	8	7	9	2
7	6	5	9	3	1	2	8	4
8	9	3	2	6	4	5	7	1
2	1	4	5	8	7	3	6	9

816

4	1	9	5	8	6	2	7	3
5	3	8	2	4	7	9	6	1
6	2	7	9	3	1	4	8	5
2	8	4	6	1	9	5	3	7
3	7	6	4	2	5	8	1	9
9	5	1	3	7	8	6	4	2
8	6	2	7	5	3	1	9	4
7	9	5	1	6	4	3	2	8
1	4	3	8	9	2	7	5	6

817

4	1	5	6	7	3	2	9	8
6	8	3	2	4	9	5	7	1
9	7	2	1	5	8	3	6	4
5	3	1	8	6	7	9	4	2
2	4	6	9	1	5	7	8	3
7	9	8	3	2	4	6	1	5
1	2	4	5	9	6	8	3	7
3	6	7	4	8	2	1	5	9
8	5	9	7	3	1	4	2	6

818

5	8	2	4	3	6	9	7	1
3	7	6	1	8	9	5	2	4
1	9	4	7	2	5	3	6	8
2	1	5	9	7	8	6	4	3
8	6	9	2	4	3	7	1	5
4	3	7	6	5	1	8	9	2
7	2	3	5	9	4	1	8	6
6	4	8	3	1	7	2	5	9
9	5	1	8	6	2	4	3	7

819

2	1	4	5	3	9	7	6	8
3	6	9	8	1	7	2	4	5
5	7	8	6	2	4	9	1	3
6	3	2	7	9	1	5	8	4
7	8	1	2	4	5	6	3	9
4	9	5	3	8	6	1	7	2
9	5	3	1	7	8	4	2	6
8	4	7	9	6	2	3	5	1
1	2	6	4	5	3	8	9	7

820

2	4	3	6	9	8	7	5	1
7	1	9	2	5	3	6	4	8
5	8	6	4	7	1	2	9	3
9	5	1	8	6	7	4	3	2
4	7	2	1	3	9	5	8	6
6	3	8	5	2	4	1	7	9
3	2	5	9	1	4	8	6	7
1	9	4	7	8	6	3	2	5
8	6	7	3	4	2	9	1	4

821
```
9 1 3 | 8 2 6 | 7 4 5
5 6 4 | 9 7 1 | 8 3 2
8 2 7 | 5 3 4 | 6 9 1
------+-------+------
7 5 1 | 3 8 9 | 4 2 6
2 9 8 | 4 6 7 | 1 5 3
3 4 6 | 1 5 2 | 9 8 7
------+-------+------
6 3 9 | 7 4 5 | 2 1 8
1 8 2 | 6 9 3 | 5 7 4
4 7 5 | 2 1 8 | 3 6 9
```

822
```
7 5 6 | 3 8 9 | 4 2 1
3 9 8 | 2 4 1 | 5 7 6
4 1 2 | 6 5 7 | 9 3 8
------+-------+------
1 6 4 | 9 7 3 | 8 5 2
9 2 3 | 5 6 8 | 7 1 4
5 8 7 | 1 2 4 | 3 6 9
------+-------+------
2 7 1 | 4 9 5 | 6 8 3
8 3 9 | 7 1 6 | 2 4 5
6 4 5 | 8 3 2 | 1 9 7
```

823
```
4 5 3 | 8 2 1 | 7 6 9
2 1 9 | 7 5 6 | 3 8 4
6 8 7 | 3 9 4 | 2 5 1
------+-------+------
8 3 4 | 6 7 9 | 5 1 2
9 2 1 | 4 8 5 | 6 3 7
7 6 5 | 1 3 2 | 9 4 8
------+-------+------
5 7 6 | 2 4 8 | 1 9 3
1 4 2 | 9 6 3 | 8 7 5
3 9 8 | 5 1 7 | 4 2 6
```

824
```
7 5 8 | 4 9 3 | 1 2 6
3 4 6 | 8 2 1 | 7 9 5
1 2 9 | 5 7 6 | 8 3 4
------+-------+------
9 3 1 | 6 8 7 | 4 5 2
8 7 4 | 3 5 2 | 9 6 1
5 6 2 | 1 4 9 | 3 8 7
------+-------+------
6 9 7 | 2 3 4 | 5 1 8
4 1 5 | 9 6 8 | 2 7 3
2 8 3 | 7 1 5 | 6 4 9
```

825
```
9 2 5 | 7 1 8 | 6 4 3
4 6 1 | 5 3 9 | 2 7 8
3 7 8 | 4 2 6 | 9 1 5
------+-------+------
1 4 6 | 3 5 2 | 7 8 9
8 9 7 | 1 6 4 | 3 5 2
5 3 2 | 9 8 7 | 4 6 1
------+-------+------
2 1 4 | 8 7 3 | 5 9 6
7 5 3 | 6 9 1 | 8 2 4
6 8 9 | 2 4 5 | 1 3 7
```

826
```
1 9 6 | 5 8 7 | 3 2 4
7 8 5 | 2 4 3 | 9 6 1
3 2 4 | 1 6 9 | 7 8 5
------+-------+------
9 4 7 | 6 3 8 | 5 1 2
5 6 2 | 7 9 1 | 8 4 3
8 1 3 | 4 2 5 | 6 9 7
------+-------+------
4 5 9 | 3 1 6 | 2 7 8
6 3 1 | 8 7 2 | 4 5 9
2 7 8 | 9 5 4 | 1 3 6
```

827
```
7 5 1 | 3 6 9 | 2 8 4
4 8 2 | 5 7 1 | 9 6 3
9 6 3 | 4 8 2 | 5 1 7
------+-------+------
8 3 9 | 6 5 4 | 7 2 1
5 4 6 | 1 2 7 | 8 3 9
2 1 7 | 8 9 3 | 6 4 5
------+-------+------
1 7 8 | 9 4 6 | 3 5 2
3 2 5 | 7 1 8 | 4 9 6
6 9 4 | 2 3 5 | 1 7 8
```

828
```
5 4 6 | 9 1 8 | 3 7 2
1 7 9 | 2 6 3 | 8 5 4
2 3 8 | 7 5 4 | 1 9 6
------+-------+------
7 6 5 | 3 8 2 | 9 4 1
9 8 2 | 4 7 1 | 6 3 5
3 1 4 | 5 9 6 | 2 8 7
------+-------+------
4 9 1 | 8 2 5 | 7 6 3
6 5 7 | 1 3 9 | 4 2 8
8 2 3 | 6 4 7 | 5 1 9
```

829
```
9 8 1 | 3 7 5 | 6 4 2
2 4 7 | 8 6 1 | 9 5 3
3 5 6 | 4 2 9 | 8 7 1
------+-------+------
1 7 9 | 6 3 4 | 5 2 8
5 2 8 | 9 1 7 | 4 3 6
6 3 4 | 5 8 2 | 7 1 9
------+-------+------
7 6 3 | 2 4 8 | 1 9 5
4 9 2 | 1 5 6 | 3 8 7
8 1 5 | 7 9 3 | 2 6 4
```

830
```
4 9 8 | 2 6 7 | 5 1 3
3 6 5 | 1 9 8 | 7 2 4
7 1 2 | 5 4 3 | 9 8 6
------+-------+------
1 4 3 | 9 8 2 | 6 5 7
9 5 7 | 3 1 6 | 2 4 8
8 2 6 | 7 5 4 | 1 3 9
------+-------+------
2 8 1 | 4 7 9 | 3 6 5
6 3 9 | 8 2 5 | 4 7 1
5 7 4 | 6 3 1 | 8 9 2
```

831
```
7 1 9 | 2 6 5 | 3 4 8
8 4 3 | 1 9 7 | 5 2 6
2 5 6 | 3 8 4 | 7 1 9
------+-------+------
3 2 1 | 9 5 6 | 4 8 7
9 6 8 | 4 7 1 | 2 3 5
5 7 4 | 8 2 3 | 9 6 1
------+-------+------
4 9 5 | 6 3 8 | 1 7 2
1 8 2 | 7 4 9 | 6 5 3
6 3 7 | 5 1 2 | 8 9 4
```

832
```
3 1 2 | 8 6 4 | 5 9 7
4 7 5 | 2 9 3 | 6 8 1
6 9 8 | 5 7 1 | 3 2 4
------+-------+------
7 6 9 | 1 5 2 | 4 3 8
2 5 4 | 3 8 7 | 9 1 6
8 3 1 | 6 4 9 | 7 5 2
------+-------+------
5 8 3 | 7 2 6 | 1 4 9
9 2 7 | 4 1 5 | 8 6 3
1 4 6 | 9 3 8 | 2 7 5
```

833
```
5 7 1 | 2 9 4 | 8 6 3
9 6 8 | 7 5 3 | 4 2 1
3 4 2 | 6 1 8 | 7 5 9
------+-------+------
7 5 9 | 1 8 2 | 3 4 6
1 3 4 | 5 6 9 | 2 7 8
8 2 6 | 4 3 7 | 1 9 5
------+-------+------
6 8 7 | 9 2 1 | 5 3 4
2 9 3 | 8 4 5 | 6 1 7
4 1 5 | 3 7 6 | 9 8 2
```

834
```
6 4 8 | 5 1 9 | 2 3 7
7 5 1 | 3 6 2 | 8 4 9
2 3 9 | 4 7 8 | 6 1 5
------+-------+------
1 7 2 | 9 4 3 | 5 6 8
9 8 3 | 6 5 7 | 1 2 4
4 6 5 | 2 8 1 | 7 9 3
------+-------+------
8 9 6 | 1 3 5 | 4 7 2
3 1 7 | 8 2 4 | 9 5 6
5 2 4 | 7 9 6 | 3 8 1
```

835
```
2 8 1 | 5 9 3 | 4 6 7
7 4 3 | 6 8 1 | 5 9 2
5 9 6 | 2 4 7 | 1 3 8
------+-------+------
6 3 8 | 4 2 9 | 7 5 1
9 7 4 | 3 1 5 | 2 8 6
1 2 5 | 8 7 6 | 9 4 3
------+-------+------
4 6 2 | 7 5 8 | 3 1 9
3 5 9 | 1 6 2 | 8 7 4
8 1 7 | 9 3 4 | 6 2 5
```

836
```
1 6 9 | 2 7 5 | 3 8 4
3 7 8 | 1 6 4 | 9 2 5
5 2 4 | 9 3 8 | 6 7 1
------+-------+------
9 1 7 | 8 5 2 | 4 3 6
6 5 2 | 7 4 3 | 8 1 9
8 4 3 | 6 9 1 | 7 5 2
------+-------+------
2 3 1 | 4 8 9 | 5 6 7
7 9 5 | 3 1 6 | 2 4 8
4 8 6 | 5 2 7 | 1 9 3
```

837
```
3 8 1 | 5 9 4 | 7 2 6
9 5 6 | 7 2 3 | 1 8 4
4 2 7 | 8 6 1 | 3 9 5
------+-------+------
1 9 8 | 6 4 7 | 5 3 2
7 6 4 | 3 5 2 | 9 1 8
5 3 2 | 1 8 9 | 6 4 7
------+-------+------
6 4 3 | 9 7 8 | 2 5 1
8 1 5 | 2 3 6 | 4 7 9
2 7 9 | 4 1 5 | 8 6 3
```

838
```
4 3 1 | 7 2 8 | 5 9 6
8 6 2 | 9 5 1 | 7 3 4
7 5 9 | 4 3 6 | 1 2 8
------+-------+------
9 1 4 | 6 7 2 | 8 5 3
3 7 5 | 8 1 9 | 4 6 2
6 2 8 | 3 4 5 | 9 7 1
------+-------+------
2 4 3 | 5 8 7 | 6 1 9
5 8 6 | 1 9 3 | 2 4 7
1 9 7 | 2 6 4 | 3 8 5
```

839
```
6 4 1 | 9 5 8 | 7 2 3
9 2 8 | 7 1 3 | 6 4 5
3 7 5 | 4 6 2 | 8 9 1
------+-------+------
1 8 6 | 5 4 9 | 3 7 2
4 5 3 | 1 2 7 | 9 8 6
2 9 7 | 3 8 6 | 5 1 4
------+-------+------
5 3 2 | 8 7 1 | 4 6 9
8 6 4 | 2 9 5 | 1 3 7
7 1 9 | 6 3 4 | 2 5 8
```

840
```
9 1 5 | 6 2 4 | 7 8 3
3 8 6 | 1 5 7 | 2 9 4
4 7 2 | 3 8 9 | 5 6 1
------+-------+------
6 2 4 | 8 3 1 | 9 5 7
7 5 3 | 4 9 2 | 6 1 8
1 9 8 | 5 7 6 | 3 4 2
------+-------+------
8 6 9 | 7 4 3 | 1 2 5
2 4 7 | 9 1 5 | 8 3 6
5 3 1 | 2 6 8 | 4 7 9
```

841 842 843 844

845 846 847 848

849 850 851 852

853 854 855 856

857 858 859 860

861 **862** **863** **864**

865 **866** **867** **868**

869 **870** **871** **872**

873 **874** **875** **876**

877 **878** **879** **880**

881 882 883 884

885 886 887 888

889 890 891 892

893 894 895 896

897 898 899 900

901

2	8	5	7	4	1	9	3	6
4	1	6	8	3	9	7	2	5
9	3	7	6	2	5	4	8	1
1	7	9	2	6	8	5	4	3
5	2	3	1	7	4	6	9	8
6	4	8	9	5	3	1	7	2
7	9	1	5	8	2	3	6	4
3	5	2	4	9	6	8	1	7
8	6	4	3	1	7	2	5	9

902

5	4	1	8	9	2	7	3	6
6	7	2	3	4	5	9	8	1
9	8	3	6	1	7	5	4	2
3	9	7	1	6	4	8	2	5
1	6	4	5	2	8	3	9	7
2	5	8	9	7	3	1	6	4
8	2	6	7	5	9	4	1	3
4	3	5	2	8	1	6	7	9
7	1	9	4	3	6	2	5	8

903

1	3	4	7	2	9	5	8	6
2	8	5	3	4	6	1	9	7
7	6	9	1	8	5	2	4	3
5	2	3	9	6	4	7	1	8
8	9	1	5	7	2	3	6	4
4	7	6	8	1	3	9	2	5
6	1	8	2	3	7	4	5	9
3	5	2	4	9	8	6	7	1
9	4	7	6	5	1	8	3	2

904

3	1	6	8	2	5	7	9	4
7	9	8	1	6	4	2	5	3
4	2	5	7	3	9	1	8	6
8	5	3	2	4	1	6	7	9
1	4	9	5	7	6	8	3	2
6	7	2	3	9	8	5	4	1
2	6	7	4	5	3	9	1	8
5	3	1	9	8	2	4	6	7
9	8	4	6	1	7	3	2	5

905

5	8	6	9	7	4	1	3	2
4	3	1	2	8	6	7	9	5
2	9	7	1	5	3	8	6	4
1	2	9	6	3	7	5	4	8
7	5	4	8	9	2	6	1	3
8	6	3	5	4	1	2	7	9
6	4	2	3	1	5	9	8	7
9	7	5	4	6	8	3	2	1
3	1	8	7	2	9	4	5	6

906

3	8	4	7	9	1	6	5	2
9	1	2	5	6	4	8	7	3
5	6	7	2	3	8	9	4	1
1	7	3	9	5	2	4	6	8
2	9	8	6	4	7	3	1	5
4	5	6	8	1	3	2	9	7
8	2	9	4	7	5	1	3	6
6	3	5	1	8	9	7	2	4
7	4	1	3	2	6	5	8	9

907

2	5	1	6	8	7	9	4	3
8	6	9	2	4	3	7	5	1
3	4	7	9	1	5	6	2	8
4	7	5	3	6	8	2	1	9
1	3	6	7	9	2	4	8	5
9	2	8	4	5	1	3	6	7
5	9	2	8	7	4	1	3	6
6	1	4	5	3	9	8	7	2
7	8	3	1	2	6	5	9	4

908

4	1	3	8	2	5	6	9	7
9	7	6	3	1	4	2	5	8
5	8	2	9	7	6	1	4	3
2	9	5	4	8	1	3	7	6
8	4	7	5	6	3	9	1	2
3	6	1	7	9	2	5	8	4
6	5	8	2	4	9	7	3	1
7	2	9	1	3	8	4	6	5
1	3	4	6	5	7	8	2	9

909

7	9	1	8	5	4	2	3	6
4	5	3	7	2	6	1	9	8
2	6	8	9	3	1	5	4	7
9	3	2	1	7	5	6	8	4
8	4	6	3	9	2	7	5	1
5	1	7	6	4	8	3	2	9
1	2	4	5	6	9	8	7	3
6	7	5	4	8	3	9	1	2
3	8	9	2	1	7	4	6	5

910

4	3	1	8	2	6	7	5	9
2	7	5	9	1	3	6	4	8
9	6	8	7	4	5	1	3	2
1	8	3	4	7	2	9	6	5
7	4	2	6	5	9	8	1	3
5	9	6	1	3	8	2	7	4
6	2	7	5	8	4	3	9	1
8	1	4	3	9	7	5	2	6
3	5	9	2	6	1	4	8	7

911

2	5	3	7	4	9	8	6	1
4	9	1	2	6	8	3	7	5
7	8	6	3	5	1	4	9	2
8	1	2	4	7	6	5	3	9
5	6	4	1	9	3	7	2	8
9	3	7	5	8	2	1	4	6
3	7	8	9	2	5	6	1	4
1	2	5	6	3	4	9	8	7
6	4	9	8	1	7	2	5	3

912

1	5	3	7	4	9	8	2	6
4	9	6	2	8	1	3	7	5
7	8	2	3	5	6	4	9	1
8	6	1	4	7	2	5	3	9
5	2	4	1	9	3	7	6	8
9	3	7	5	6	8	1	4	2
3	7	8	9	2	5	6	1	4
2	1	5	6	3	4	9	8	7
6	4	9	8	1	7	2	5	3

913

4	8	1	5	3	2	6	7	9
6	7	3	9	4	8	5	1	2
5	2	9	1	6	7	3	8	4
8	5	6	2	7	3	9	4	1
9	1	7	8	5	4	2	6	3
2	3	4	6	1	9	7	5	8
1	6	8	3	9	5	4	2	7
3	4	2	7	8	6	1	9	5
7	9	5	4	2	1	8	3	6

914

6	8	5	9	7	3	4	2	1
3	7	9	2	1	4	6	8	5
1	2	4	5	6	8	7	9	3
9	1	8	6	4	5	3	7	2
5	4	7	3	8	2	9	1	6
2	3	6	1	9	7	5	4	8
4	9	3	8	2	6	1	5	7
8	6	1	7	5	9	2	3	4
7	5	2	4	3	1	8	6	9

915

5	2	6	8	3	7	4	9	1
7	9	4	1	5	2	6	8	3
8	1	3	6	9	4	7	2	5
1	3	5	2	6	8	9	4	7
2	7	9	4	1	3	8	5	6
4	6	8	9	7	5	3	1	2
6	5	1	7	4	9	2	3	8
3	4	2	5	8	6	1	7	9
9	8	7	3	2	1	5	6	4

916

1	7	6	8	5	3	2	4	9
9	4	3	1	2	7	6	5	8
8	2	5	4	9	6	3	1	7
2	5	8	6	4	9	1	7	3
3	6	7	5	8	1	4	9	2
4	9	1	7	3	2	5	8	6
5	1	9	2	6	8	7	3	4
6	3	4	9	7	5	8	2	1
7	8	2	3	1	4	9	6	5

917

7	8	1	6	4	3	5	9	2
5	9	4	1	2	7	6	3	8
6	2	3	9	8	5	4	7	1
8	3	5	7	1	6	9	2	4
4	6	9	2	3	8	1	5	7
2	1	7	4	5	9	8	6	3
1	5	8	3	6	2	7	4	9
3	7	6	8	9	4	2	1	5
9	4	2	5	7	1	3	8	6

918

8	6	2	3	1	7	9	5	4
9	7	4	6	5	2	1	8	3
5	3	1	8	4	9	2	7	6
2	5	7	9	6	4	8	3	1
4	8	9	7	3	1	5	6	2
3	1	6	2	8	5	7	4	9
7	9	3	4	2	8	6	1	5
6	2	5	1	7	3	4	9	8
1	4	8	5	9	6	3	2	7

919

6	2	3	8	5	9	7	4	1
7	1	5	6	4	2	9	3	8
9	4	8	3	7	1	2	6	5
8	7	1	9	6	5	3	2	4
5	9	4	2	1	3	6	8	7
3	6	2	7	8	4	5	1	9
4	5	6	1	3	7	8	9	2
1	8	9	5	2	6	4	7	3
2	3	7	4	9	8	1	5	6

920

2	1	4	8	7	3	6	5	9
9	8	3	6	2	5	4	7	1
7	5	6	9	4	1	8	2	3
1	7	9	4	5	6	2	3	8
5	4	2	3	8	9	1	6	7
6	3	8	2	1	7	5	9	4
8	6	5	7	9	4	3	1	2
3	2	7	1	6	8	9	4	5
4	9	1	5	3	2	7	8	6

921

2	1	6	7	4	9	3	5	8
7	9	8	3	5	6	4	2	1
4	3	5	2	8	1	6	9	7
1	5	2	6	9	4	7	8	3
8	6	7	5	1	3	9	4	2
9	4	3	8	2	7	5	1	6
5	7	1	4	6	2	8	3	9
6	2	4	9	3	8	1	7	5
3	8	9	1	7	5	2	6	4

922

7	2	1	9	3	5	8	6	4
3	4	6	8	7	2	1	9	5
9	5	8	4	6	1	2	3	7
5	8	7	6	9	4	3	1	2
4	6	3	2	1	7	9	5	8
1	9	2	3	5	8	4	7	6
6	1	4	5	8	3	7	2	9
2	3	9	7	4	6	5	8	1
8	7	5	1	2	9	6	4	3

923

1	4	8	5	6	2	7	3	9
2	5	3	9	1	7	4	8	6
6	7	9	8	3	4	2	1	5
3	2	4	7	9	8	6	5	1
8	6	5	4	2	1	3	9	7
9	1	7	6	5	3	8	4	2
7	8	1	2	4	9	5	6	3
4	9	6	3	7	5	1	2	8
5	3	2	1	8	6	9	7	4

924

2	5	8	7	3	4	1	9	6
3	1	7	8	6	9	2	4	5
6	4	9	1	5	2	3	7	8
5	2	3	4	9	8	6	1	7
9	8	1	2	7	6	5	3	4
4	7	6	3	1	5	8	2	9
8	3	5	9	4	1	7	6	2
1	9	2	6	8	7	4	5	3
7	6	4	5	2	3	9	8	1

925

7	1	8	2	6	4	9	5	3
4	5	2	3	9	1	7	8	6
3	6	9	5	8	7	4	1	2
1	2	7	4	3	5	6	9	8
8	3	6	1	7	9	5	2	4
9	4	5	8	2	6	1	3	7
2	7	1	9	4	8	3	6	5
6	9	3	7	5	2	8	4	1
5	8	4	6	1	3	2	7	9

926

1	7	5	4	6	3	8	2	9
8	6	9	2	1	5	7	3	4
4	3	2	7	9	8	5	6	1
3	9	1	5	8	4	6	7	2
6	4	8	9	2	7	3	1	5
2	5	7	6	3	1	4	9	8
5	1	3	8	7	2	9	4	6
7	8	6	1	4	9	2	5	3
9	2	4	3	5	6	1	8	7

927

6	1	2	8	9	7	4	3	5
7	4	8	3	5	1	2	6	9
9	5	3	4	2	6	7	1	8
5	2	4	6	7	3	8	9	1
3	7	9	5	1	8	6	4	2
1	8	6	9	4	2	5	7	3
4	6	1	2	8	9	3	5	7
2	3	7	1	6	5	9	8	4
8	9	5	7	3	4	1	2	6

928

9	3	5	2	6	1	8	7	4
2	4	1	5	8	7	3	6	9
8	6	7	3	9	4	1	2	5
1	2	4	7	3	5	6	9	8
3	9	6	8	4	2	5	1	7
5	7	8	6	1	9	4	3	2
6	8	9	4	2	3	7	5	1
4	5	2	1	7	6	9	8	3
7	1	3	9	5	8	2	4	6

929

8	5	2	7	4	3	9	6	1
3	4	1	6	9	2	8	7	5
9	7	6	1	8	5	2	4	3
5	6	9	4	2	1	7	3	8
7	2	4	3	5	8	1	9	6
1	8	3	9	6	7	4	5	2
2	9	5	8	3	4	6	1	7
4	3	7	2	1	6	5	8	9
6	1	8	5	7	9	3	2	4

930

7	4	6	1	3	5	8	2	9
5	3	1	8	9	2	6	7	4
2	9	8	7	6	4	5	3	1
1	2	3	9	8	6	4	5	7
9	8	4	5	1	7	3	6	2
6	7	5	4	2	3	9	1	8
8	5	9	3	7	1	2	4	6
3	1	2	6	4	9	7	8	5
4	6	7	2	5	8	1	9	3

931

1	6	7	8	5	3	9	2	4
3	9	8	6	2	4	7	5	1
2	5	4	1	9	7	3	6	8
9	4	2	7	1	6	5	8	3
5	7	3	2	4	8	1	9	6
6	8	1	5	3	9	4	7	2
8	1	9	3	7	2	6	4	5
7	2	5	4	6	1	8	3	9
4	3	6	9	8	5	2	1	7

932

3	2	1	4	9	5	8	7	6
8	5	6	7	3	1	2	9	4
4	9	7	8	6	2	1	3	5
1	6	9	3	2	8	5	4	7
5	3	8	1	7	4	9	6	2
2	7	4	9	5	6	3	8	1
9	1	5	6	8	7	4	2	3
6	4	3	2	1	9	7	5	8
7	8	2	5	4	3	6	1	9

933

7	9	1	3	4	6	2	8	5
6	5	4	2	1	8	3	7	9
8	2	3	7	5	9	4	1	6
4	7	2	8	6	5	9	3	1
1	6	8	4	9	3	7	5	2
5	3	9	1	2	7	8	6	4
2	8	6	9	3	1	5	4	7
3	4	5	6	7	2	1	9	8
9	1	7	5	8	4	6	2	3

934

6	9	2	7	5	4	1	8	3
4	3	7	6	8	1	5	9	2
5	8	1	2	3	9	7	6	4
2	1	9	3	7	8	6	4	5
7	6	3	4	9	5	2	1	8
8	4	5	1	2	6	3	7	9
1	5	6	8	4	2	9	3	7
3	2	4	9	6	7	8	5	1
9	7	8	5	1	3	4	2	6

935

3	4	9	1	7	6	8	5	2
8	5	2	9	3	4	1	6	7
1	7	6	2	5	8	4	9	3
5	2	4	3	9	1	7	8	6
9	6	1	7	8	2	5	3	4
7	3	8	6	4	5	9	2	1
4	1	3	8	6	9	2	7	5
6	8	5	4	2	7	3	1	9
2	9	7	5	1	3	6	4	8

936

5	1	9	6	4	2	7	3	8
7	3	6	5	9	8	1	4	2
2	4	8	7	1	3	9	5	6
8	2	5	1	6	9	4	7	3
1	6	4	2	3	7	8	9	5
3	9	7	4	8	5	6	2	1
4	7	3	8	2	1	5	6	9
9	5	1	3	7	6	2	8	4
6	8	2	9	5	4	3	1	7

937

9	1	6	8	4	7	5	2	3
3	7	2	1	5	9	4	6	8
8	4	5	2	6	3	9	7	1
4	5	8	9	2	6	1	3	7
7	6	3	5	1	4	8	9	2
1	2	9	7	3	8	6	4	5
2	9	7	6	8	1	3	5	4
5	3	1	4	9	2	7	8	6
6	8	4	3	7	5	2	1	9

938

7	3	1	8	2	9	5	6	4
6	8	2	5	4	3	9	7	1
4	9	5	7	1	6	3	8	2
5	7	9	1	6	2	4	3	8
2	1	4	9	3	8	7	5	6
8	6	3	4	5	7	1	2	9
3	4	8	6	9	5	2	1	7
1	5	6	2	7	4	8	9	3
9	2	7	3	8	1	6	4	5

939

8	9	2	5	7	3	4	6	1
7	6	1	2	4	8	3	5	9
3	4	5	6	1	9	8	7	2
6	2	4	3	5	7	1	9	8
9	8	3	4	6	1	7	2	5
5	1	7	9	8	2	6	3	4
2	7	6	8	3	5	9	1	4
1	3	9	7	2	4	5	8	6
4	5	8	1	9	6	2	3	7

940

4	2	8	9	6	3	5	1	7
3	9	5	1	2	7	4	8	6
1	7	6	8	4	5	3	9	2
2	3	9	6	7	8	1	4	5
6	4	1	5	3	2	8	7	9
5	8	7	4	9	1	2	6	3
8	6	4	3	5	9	7	2	1
9	5	2	7	1	4	6	3	8
7	1	3	2	8	6	9	5	4

941

8	4	6	1	9	7	3	5	2
9	3	2	8	5	4	6	1	7
7	5	1	2	6	3	8	9	4
6	2	7	4	3	9	1	8	5
4	8	3	5	1	2	9	7	6
5	1	9	7	8	6	4	2	3
3	6	8	9	2	5	7	4	1
1	7	5	6	4	8	2	3	9
2	9	4	3	7	1	5	6	8

942

4	5	2	6	3	1	7	9	8
3	6	9	5	8	7	4	1	2
1	8	7	4	9	2	6	3	5
5	3	6	1	2	8	9	7	4
9	2	8	7	4	3	5	6	1
7	1	4	9	5	6	2	8	3
6	4	3	2	1	9	8	5	7
2	9	1	8	7	5	3	4	6
8	7	5	3	6	4	1	2	9

943

2	5	8	9	1	6	7	4	3
1	7	6	8	3	4	5	9	2
4	9	3	5	7	2	1	8	6
3	1	9	4	6	8	2	5	7
5	6	4	7	2	1	8	3	9
7	8	2	3	9	5	4	6	1
8	3	7	1	4	9	6	2	5
6	4	1	2	5	3	9	7	8
9	2	5	6	8	7	3	1	4

944

1	4	7	3	8	5	2	6	9
6	3	2	9	7	4	8	5	1
8	9	5	1	2	6	4	3	7
9	8	1	5	3	2	6	7	4
3	5	6	4	9	7	1	2	8
7	2	4	6	1	8	3	9	5
5	7	3	8	6	1	9	4	2
2	6	8	7	4	9	5	1	3
4	1	9	2	5	3	7	8	6

945

9	5	2	7	4	6	3	8	1
3	1	6	8	2	5	7	4	9
7	8	4	3	9	1	5	2	6
5	4	3	1	8	9	6	7	2
1	2	8	6	5	7	4	9	3
6	7	9	2	3	4	1	5	8
8	9	7	5	1	3	2	6	4
4	6	1	9	7	2	8	3	5
2	3	5	4	6	8	9	1	7

946

1	5	9	2	8	4	7	3	6
2	3	7	5	6	1	4	8	9
6	4	8	7	9	3	5	1	2
7	2	5	3	4	9	8	6	1
4	9	6	1	5	8	3	2	7
8	1	3	6	7	2	9	4	5
5	8	2	9	3	6	1	7	4
9	6	4	8	1	7	2	5	3
3	7	1	4	2	5	6	9	8

947

7	8	5	2	3	4	9	6	1
1	4	2	6	7	9	3	8	5
6	9	3	5	1	8	2	4	7
2	6	7	4	5	1	8	3	9
4	5	9	8	6	3	1	7	2
8	3	1	7	9	2	4	5	6
3	7	8	9	2	5	6	1	4
5	2	4	1	8	6	7	9	3
9	1	6	3	4	7	5	2	8

948

5	6	8	9	3	4	7	1	2
4	3	7	5	1	2	6	8	9
1	2	9	7	8	6	3	4	5
3	1	5	2	9	8	4	7	6
7	9	4	6	5	1	8	2	3
6	8	2	4	7	3	9	5	1
2	7	1	3	4	9	5	6	8
9	5	6	8	2	7	1	3	4
8	4	3	1	6	5	2	9	7

949

6	2	7	5	9	4	8	1	3
4	8	1	3	7	2	9	6	5
9	3	5	6	8	1	7	2	4
5	4	9	7	1	6	2	3	8
3	7	6	2	4	8	1	5	9
8	1	2	9	5	3	6	4	7
1	9	3	8	2	5	4	7	6
7	6	4	1	3	9	5	8	2
2	5	8	4	6	7	3	9	1

950

7	6	5	8	9	4	1	2	3
1	4	3	6	2	7	8	5	9
2	9	8	3	5	1	6	7	4
5	2	9	1	6	3	7	4	8
8	7	6	9	4	5	3	1	2
3	1	4	2	7	8	5	9	6
6	5	2	7	8	9	4	3	1
4	8	1	5	3	2	9	6	7
9	3	7	4	1	6	2	8	5

951

6	5	1	7	2	8	3	9	4
4	7	9	1	3	6	2	8	5
8	3	2	9	5	4	7	6	1
2	9	4	8	1	5	6	7	3
5	6	7	3	4	9	1	2	8
1	8	3	2	6	7	4	5	9
9	1	5	4	7	2	8	3	6
7	4	8	6	9	3	5	1	2
3	2	6	5	8	1	9	4	7

952

5	8	9	3	7	2	4	1	6
6	7	4	8	1	5	3	2	9
2	3	1	9	6	4	5	7	8
7	1	5	2	9	3	8	6	4
8	6	3	4	5	1	2	9	7
9	4	2	7	8	6	1	3	5
4	2	8	6	3	9	7	5	1
1	9	7	5	2	8	6	4	3
3	5	6	1	4	7	9	8	2

953

4	7	2	1	9	5	8	3	6
6	5	3	8	4	2	9	1	7
1	8	9	6	7	3	4	5	2
2	1	5	4	3	7	6	8	9
9	3	8	2	6	1	5	7	4
7	4	6	5	8	9	3	2	1
5	6	1	9	2	8	7	4	3
8	9	7	3	1	4	2	6	5
3	2	4	7	5	6	1	9	8

954

6	7	5	1	4	2	3	9	8
4	9	1	8	7	3	6	5	2
2	8	3	5	6	9	4	7	1
5	2	4	9	3	7	8	1	6
1	6	8	2	5	4	9	3	7
7	3	9	6	8	1	2	4	5
9	5	2	4	1	6	7	8	3
3	1	6	7	9	8	5	2	4
8	4	7	3	2	5	1	6	9

955

7	6	4	1	8	3	2	9	5
5	3	8	9	6	2	4	7	1
9	2	1	5	4	7	8	3	6
2	1	5	7	9	4	6	8	3
8	9	7	6	3	1	5	4	2
3	4	6	2	5	8	7	1	9
4	8	9	3	2	5	1	6	7
1	5	3	4	7	6	9	2	8
6	7	2	8	1	9	3	5	4

956

7	2	6	8	4	9	1	5	3
9	4	8	3	5	1	7	6	2
1	5	3	6	7	2	4	8	9
5	7	9	4	3	6	2	1	8
3	6	4	2	1	8	9	7	5
8	1	2	7	9	5	3	4	6
6	3	7	5	2	4	8	9	1
2	9	5	1	8	7	6	3	4
4	8	1	9	6	3	5	2	7

957

3	8	7	2	4	9	1	5	6
9	1	6	3	7	5	2	4	8
5	2	4	6	1	8	7	3	9
6	7	2	4	5	3	9	8	1
1	4	5	9	8	7	3	6	2
8	9	3	1	6	2	4	7	5
4	5	1	7	9	6	8	2	3
7	3	8	5	2	1	6	9	4
2	6	9	8	3	4	5	1	7

958

5	9	7	8	2	6	4	3	1
6	3	8	1	4	9	5	2	7
2	1	4	5	7	3	9	8	6
8	2	9	6	1	5	7	4	3
4	5	1	3	8	7	6	9	2
3	7	6	2	9	4	8	1	5
1	6	3	4	5	8	2	7	9
9	4	2	7	6	1	3	5	8
7	8	5	9	3	2	1	6	4

959

4	7	9	8	5	3	2	1	6
2	5	3	1	4	6	7	9	8
8	6	1	9	7	2	3	5	4
9	1	6	2	8	7	4	3	5
5	8	4	3	6	9	1	2	7
7	3	2	5	1	4	6	8	9
3	9	7	6	2	5	8	4	1
6	2	8	4	9	1	5	7	3
1	4	5	7	3	8	9	6	2

960

9	5	6	8	3	4	2	1	7
2	1	7	6	5	9	8	4	3
3	4	8	7	2	1	5	9	6
4	8	3	5	1	7	6	2	9
1	7	5	2	9	6	4	3	8
6	2	9	4	8	3	1	7	5
7	9	4	1	6	8	3	5	2
8	3	2	9	4	5	7	6	1
5	6	1	3	7	2	9	8	4

961 962 963 964

965 966 967 968

969 970 971 972

973 974 975 976

977 978 979 980

981

4	7	3	5	9	8	1	6	2
5	1	8	3	6	2	4	9	7
9	2	6	1	7	4	3	5	8
2	4	7	9	5	3	8	1	6
1	6	5	2	8	7	9	4	3
3	8	9	6	4	1	2	7	5
6	5	2	8	1	9	7	3	4
8	9	4	7	3	6	5	2	1
7	3	1	4	2	5	6	8	9

982

9	4	1	3	8	6	5	7	2
2	3	8	5	7	9	6	4	1
5	6	7	1	4	2	8	9	3
7	1	6	4	3	5	2	8	9
8	9	4	2	6	1	3	5	7
3	5	2	7	9	8	1	6	4
4	8	3	6	2	7	9	1	5
1	2	9	8	5	4	7	3	6
6	7	5	9	1	3	4	2	8

983

5	8	3	6	9	4	1	2	7
2	1	7	8	3	5	6	4	9
6	4	9	1	7	2	5	3	8
9	2	1	3	5	7	8	6	4
4	5	6	2	8	9	7	1	3
3	7	8	4	1	6	9	5	2
1	6	4	7	2	8	3	9	5
7	3	5	9	4	1	2	8	6
8	9	2	5	6	3	4	7	1

984

1	2	5	9	8	6	7	4	3
7	8	4	3	2	5	9	6	1
9	6	3	1	4	7	5	8	2
2	4	7	8	5	3	6	1	9
8	1	9	7	6	2	4	3	5
3	5	6	4	1	9	8	2	7
5	3	8	6	7	1	2	9	4
6	7	1	2	9	4	3	5	8
4	9	2	5	3	8	1	7	6

985

9	8	1	2	5	4	6	7	3
4	6	7	9	1	3	8	2	5
2	5	3	7	8	6	4	1	9
1	3	4	8	2	9	5	6	7
6	9	2	4	7	5	3	8	1
8	7	5	6	3	1	2	9	4
3	2	6	5	9	7	1	4	8
7	1	8	3	4	2	9	5	6
5	4	9	1	6	8	7	3	2

986

3	2	4	6	1	9	8	7	5
6	9	7	5	4	8	3	2	1
5	8	1	7	2	3	4	9	6
4	7	6	3	9	5	2	1	8
9	5	2	8	7	1	6	4	3
1	3	8	4	6	2	7	5	9
8	4	9	2	5	6	1	3	7
2	6	5	1	3	7	9	8	4
7	1	3	9	8	4	5	6	2

987

5	4	2	3	6	8	9	1	7
3	7	9	5	1	2	6	8	4
6	1	8	7	4	9	2	3	5
1	9	5	2	8	3	7	4	6
7	8	6	1	5	4	3	9	2
4	2	3	6	9	7	1	5	8
9	5	1	4	7	6	8	2	3
8	3	7	9	2	5	4	6	1
2	6	4	8	3	1	5	7	9

988

5	4	8	9	7	3	6	2	1
1	7	6	5	2	8	4	9	3
9	2	3	1	6	4	5	7	8
2	1	5	4	9	7	3	8	6
6	8	7	2	3	1	9	5	4
4	3	9	6	8	5	2	1	7
7	9	1	3	5	6	8	4	2
8	6	2	7	4	9	1	3	5
3	5	4	8	1	2	7	6	9

989

8	5	2	7	4	3	1	6	9
3	7	6	9	1	8	4	5	2
4	9	1	2	5	6	8	7	3
6	2	7	5	8	4	3	9	1
9	3	8	1	7	2	6	4	5
5	1	4	6	3	9	2	8	7
2	4	3	8	9	5	7	1	6
1	8	5	3	6	7	9	2	4
7	6	9	4	2	1	5	3	8

990

1	4	3	9	6	7	2	8	5
8	5	9	4	2	1	3	7	6
2	6	7	5	3	8	4	9	1
3	8	5	1	7	4	9	6	2
7	1	4	2	9	6	5	3	8
6	9	2	3	8	5	7	1	4
5	7	8	6	4	3	1	2	9
4	2	6	7	1	9	8	5	3
9	3	1	8	5	2	6	4	7

991

4	1	6	7	2	9	8	5	3
8	3	7	5	1	6	4	2	9
5	9	2	4	8	3	7	1	6
6	2	5	3	7	4	1	9	8
3	4	9	1	5	8	2	6	7
7	8	1	9	6	2	3	4	5
1	6	3	8	4	5	9	7	2
2	7	8	6	9	1	5	3	4
9	5	4	2	3	7	6	8	1

992

4	5	9	1	6	8	3	2	7
3	2	8	5	4	7	6	9	1
7	6	1	3	2	9	8	4	5
1	7	6	8	5	2	4	3	9
2	8	5	4	9	3	7	1	6
9	3	4	6	7	1	2	5	8
6	9	2	7	1	4	5	8	3
8	4	7	9	3	5	1	6	2
5	1	3	2	8	6	9	7	4

993

6	2	8	4	9	3	7	1	5
1	4	3	6	5	7	2	8	9
5	7	9	2	8	1	3	6	4
7	9	2	5	4	6	8	3	1
3	8	5	1	7	2	4	9	6
4	1	6	8	3	9	5	2	7
9	5	4	3	1	8	6	7	2
2	3	1	7	6	5	9	4	8
8	6	7	9	2	4	1	5	3

994

6	2	1	9	7	4	8	5	3
4	8	9	2	3	5	1	6	7
3	5	7	8	1	6	2	9	4
7	1	3	5	9	8	6	4	2
5	4	8	7	6	2	3	1	9
2	9	6	1	4	3	5	7	8
8	7	2	6	5	9	4	3	1
1	3	5	4	2	7	9	8	6
9	6	4	3	8	1	7	2	5

995

5	4	6	9	3	1	7	8	2
7	3	2	5	6	8	4	1	9
8	9	1	4	7	2	3	6	5
2	1	7	3	8	4	9	5	6
4	5	8	7	9	6	2	3	1
9	6	3	1	2	5	8	7	4
1	8	9	6	4	7	5	2	3
3	2	5	8	1	9	6	4	7
6	7	4	2	5	3	1	9	8

996

9	1	4	3	6	8	5	2	7
5	3	6	4	7	2	9	1	8
2	8	7	9	5	1	6	3	4
1	2	5	6	4	7	8	9	3
3	7	8	2	9	5	1	4	6
6	4	9	8	1	3	7	5	2
4	6	1	7	2	9	3	8	5
7	5	3	1	8	4	2	6	9
8	9	2	5	3	6	4	7	1

997

8	9	2	5	4	1	6	7	3
1	4	7	6	3	2	9	5	8
3	6	5	7	9	8	2	4	1
4	5	3	1	7	9	8	6	2
6	8	1	3	2	5	4	9	7
2	7	9	4	8	6	3	1	5
7	3	6	8	1	4	5	2	9
5	2	8	9	6	7	1	3	4
9	1	4	2	5	3	7	8	6

998

4	5	1	8	9	2	7	6	3
9	7	8	6	3	4	1	2	5
6	2	3	5	1	7	4	9	8
1	6	7	3	2	8	9	5	4
3	9	5	1	4	6	8	7	2
8	4	2	7	5	9	6	3	1
7	8	4	2	6	5	3	1	9
2	3	9	4	7	1	5	8	6
5	1	6	9	8	3	2	4	7

999

4	2	9	6	1	8	5	7	3
8	1	3	5	2	7	6	9	4
5	7	6	9	3	4	8	1	2
3	9	4	2	6	5	7	8	1
2	5	7	8	4	1	9	3	6
1	6	8	3	7	9	2	4	5
7	3	5	4	8	6	1	2	9
9	8	2	1	5	3	4	6	7
6	4	1	7	9	2	3	5	8

1000

4	7	2	9	6	1	8	3	5
9	6	8	3	2	5	4	1	7
3	5	1	4	7	8	6	2	9
5	9	3	8	4	2	7	6	1
6	1	4	5	3	7	9	8	2
2	8	7	6	1	9	5	4	3
1	4	6	7	9	3	2	5	8
7	3	5	2	8	6	1	9	4
8	2	9	1	5	4	3	7	6

Nail Biting

1001 1002 1003 1004

1005 1006 1007 1008

1009 1010 1011 1012

1013 1014 1015 1016

1017 1018 1019 1020

Nail Biting

1021 **1022** **1023** **1024**

1025 **1026** **1027** **1028**

1029 **1030** **1031** **1032**

1033 **1034** **1035** **1036**

1037 **1038** **1039** **1040**

Nail Biting

1041 **1042** **1043** **1044**

1045 **1046** **1047** **1048**

1049 **1050** **1051** **1052**

1053 **1054** **1055** **1056**

1057 **1058** **1059** **1060**

1061 · **1062** · **1063** · **1064**

1065 · **1066** · **1067** · **1068**

1069 · **1070** · **1071** · **1072**

1073 · **1074** · **1075** · **1076**

1077 · **1078** · **1079** · **1080**

Nail Biting

Nail Biting

1101 **1102** **1103** **1104**

1105 **1106** **1107** **1108**

1109 **1110** **1111** **1112**

1113 **1114** **1115** **1116**

1117 **1118** **1119** **1120**

Nail Biting

1121 **1122** **1123** **1124**

1125 **1126** **1127** **1128**

1129 **1130** **1131** **1132**

1133 **1134** **1135** **1136**

1137 **1138** **1139** **1140**

Nail Biting

1141 **1142** **1143** **1144**

1145 **1146** **1147** **1148**

1149 **1150** **1151** **1152**

1153 **1154** **1155** **1156**

1157 **1158** **1159** **1160**

Nail Biting

1161 **1162** **1163** **1164**

1165 **1166** **1167** **1168**

1169 **1170** **1171** **1172**

1173 **1174** **1175** **1176**

1177 **1178** **1179** **1180**

1181 **1182** **1183** **1184**

1185 **1186** **1187** **1188**

1189 **1190** **1191** **1192**

1193 **1194** **1195** **1196**

1197 **1198** **1199** **1200**

Nail Biting

1201 **1202** **1203** **1204**

1205 **1206** **1207** **1208**

1209 **1210** **1211** **1212**

1213 **1214** **1215** **1216**

1217 **1218** **1219** **1220**

1221

5	4	7	9	8	1	3	6	2
8	6	9	4	2	3	5	7	1
1	2	3	7	5	6	8	4	9
3	9	8	1	6	7	2	5	4
7	5	4	3	9	2	1	8	6
2	1	6	5	4	8	9	3	7
4	8	2	6	1	5	7	9	3
9	7	5	2	3	4	6	1	8
6	3	1	8	7	9	4	2	5

1222

6	1	8	2	3	4	7	5	9
2	9	5	8	7	6	4	1	3
7	3	4	1	9	5	6	8	2
3	6	2	9	5	7	1	4	8
5	7	9	4	1	8	3	2	6
8	4	1	3	6	2	9	7	5
4	8	3	7	2	9	5	6	1
1	5	7	6	8	3	2	9	4
9	2	6	5	4	1	8	3	7

1223

5	4	2	1	6	9	7	8	3
9	1	7	4	3	8	2	5	6
3	8	6	2	5	7	9	1	4
4	2	1	6	7	3	5	9	8
6	5	3	9	8	2	4	7	1
8	7	9	5	1	4	3	6	2
2	3	8	7	9	6	1	4	5
1	9	4	8	2	5	6	3	7
7	6	5	3	4	1	8	2	9

1224

3	5	9	4	6	1	8	2	7
8	6	4	3	2	7	1	9	5
7	2	1	5	8	9	6	3	4
2	1	5	6	4	3	7	8	9
9	4	8	7	5	2	3	6	1
6	7	3	9	1	8	5	4	2
4	3	6	1	9	5	2	7	8
5	8	7	2	3	4	9	1	6
1	9	2	8	7	6	4	5	3

1225

2	9	4	6	3	8	1	5	7
7	8	3	5	1	4	2	6	9
6	5	1	9	2	7	8	3	4
5	1	6	7	8	2	4	9	3
8	4	2	3	9	6	7	1	5
9	3	7	4	5	1	6	2	8
4	7	9	2	6	3	5	8	1
1	2	5	8	4	9	3	7	6
3	6	8	1	7	5	9	4	2

1226

2	6	9	4	1	7	8	5	3
5	4	3	2	6	8	9	7	1
8	7	1	5	3	9	4	6	2
3	2	6	8	7	5	1	9	4
7	8	4	1	9	3	5	2	6
9	1	5	6	2	4	7	3	8
1	5	2	9	8	6	3	4	7
6	9	7	3	4	1	2	8	5
4	3	8	7	5	2	6	1	9

1227

8	5	2	3	7	6	9	1	4
6	3	7	4	1	9	2	8	5
9	1	4	5	2	8	3	6	7
4	6	3	8	9	7	1	5	2
7	2	8	1	4	5	6	3	9
1	9	5	6	3	2	7	4	8
2	4	6	7	5	1	8	9	3
5	7	1	9	8	3	4	2	6
3	8	9	2	6	4	5	7	1

1228

9	3	2	7	1	5	4	6	8
7	6	1	8	3	4	9	2	5
5	4	8	9	2	6	3	7	1
4	8	9	1	6	7	2	5	3
3	2	7	4	5	8	6	1	9
6	1	5	2	9	3	8	4	7
1	5	4	6	8	9	7	3	2
8	7	3	5	4	2	1	9	6
2	9	6	3	7	1	5	8	4

1229

2	5	4	3	8	6	7	1	9
3	6	7	9	4	1	2	5	8
1	8	9	2	7	5	4	6	3
4	9	3	5	2	8	6	7	1
6	2	8	1	9	7	5	3	4
7	1	5	6	3	4	8	9	2
9	7	1	8	5	2	3	4	6
8	4	6	7	1	3	9	2	5
5	3	2	4	6	9	1	8	7

1230

7	3	9	5	8	6	4	1	2
4	8	5	3	2	1	6	7	9
6	2	1	7	9	4	3	5	8
9	5	4	6	3	7	8	2	1
2	7	6	1	5	8	9	4	3
8	1	3	9	4	2	5	6	7
1	6	8	4	7	9	2	3	5
3	9	7	2	6	5	1	8	4
5	4	2	8	1	3	7	9	6

1231

8	7	4	1	2	6	9	3	5
2	1	9	5	3	8	7	6	4
5	3	6	9	4	7	2	1	8
6	8	7	3	9	5	4	2	1
4	5	1	7	8	2	3	9	6
9	2	3	6	1	4	5	8	7
1	6	5	2	7	9	8	4	3
3	4	2	8	5	1	6	7	9
7	9	8	4	6	3	1	5	2

1232

3	2	9	1	8	5	6	4	7
5	7	8	4	6	3	2	1	9
6	1	4	7	9	2	8	3	5
7	4	2	5	3	8	1	9	6
8	6	1	2	4	9	5	7	3
9	3	5	6	7	1	4	2	8
2	5	7	9	1	6	3	8	4
4	8	6	3	2	7	9	5	1
1	9	3	8	5	4	7	6	2

1233

2	4	9	6	8	3	7	1	5
8	5	7	9	2	1	6	3	4
1	3	6	7	5	4	8	9	2
6	9	3	2	4	7	1	5	8
4	8	1	5	6	9	3	2	7
7	2	5	1	3	8	9	4	6
9	1	4	8	7	2	5	6	3
3	6	8	4	1	5	2	7	9
5	7	2	3	9	6	4	8	1

1234

6	3	9	5	4	7	8	1	2
2	8	5	1	6	9	4	3	7
4	7	1	8	2	3	9	5	6
1	9	7	6	5	8	3	2	4
3	6	4	7	1	2	5	8	9
5	2	8	9	3	4	6	7	1
7	4	6	3	8	1	2	9	5
8	1	2	4	9	5	7	6	3
9	5	3	2	7	6	1	4	8

1235

4	6	1	7	5	9	3	8	2
2	5	8	1	3	4	6	9	7
3	9	7	2	8	6	5	4	1
9	8	4	6	2	7	1	5	3
1	2	3	4	9	5	8	7	6
5	7	6	8	1	3	4	2	9
6	4	2	5	7	1	9	3	8
7	1	9	3	4	8	2	6	5
8	3	5	9	6	2	7	1	4

1236

4	9	7	5	8	3	2	6	1
8	1	5	2	4	6	3	9	7
6	2	3	7	1	9	8	5	4
3	7	1	4	6	8	5	2	9
9	5	8	1	3	2	7	4	6
2	6	4	9	7	5	1	3	8
1	4	2	3	9	7	6	8	5
5	8	9	6	2	1	4	7	3
7	3	6	8	5	4	9	1	2

1237

5	3	2	7	4	9	8	6	1
4	7	8	1	6	3	9	5	2
1	9	6	5	2	8	3	7	4
7	5	9	8	1	6	2	4	3
8	2	1	3	5	4	7	9	6
3	6	4	2	9	7	1	8	5
2	4	3	9	7	5	6	1	8
6	1	7	4	8	2	5	3	9
9	8	5	6	3	1	4	2	7

1238

4	9	6	5	2	3	7	1	8
1	3	7	4	8	6	5	9	2
2	5	8	7	1	9	6	4	3
8	2	4	9	5	1	3	6	7
3	6	5	2	7	4	9	8	1
9	7	1	6	3	8	2	5	4
6	8	2	1	9	7	4	3	5
5	4	3	8	6	2	1	7	9
7	1	9	3	4	5	8	2	6

1239

2	1	7	8	6	9	3	5	4
8	9	4	5	3	7	2	6	1
5	3	6	1	4	2	8	7	9
4	5	2	3	7	8	1	9	6
6	8	3	4	9	1	7	2	5
1	7	9	6	2	5	4	8	3
7	6	5	2	1	3	9	4	8
9	4	1	7	8	6	5	3	2
3	2	8	9	5	4	6	1	7

1240

8	3	2	9	7	6	4	5	1
1	6	5	4	2	3	9	7	8
9	7	4	1	8	5	6	2	3
5	2	9	7	3	1	8	4	6
7	8	6	5	4	9	3	1	2
3	4	1	8	6	2	5	9	7
2	9	3	6	5	7	1	8	4
4	1	7	3	9	8	2	6	5
6	5	8	2	1	4	7	3	9

Nail Biting

1241
```
1 3 5 4 9 8 7 6 2
9 7 2 6 5 1 4 3 8
4 8 6 3 2 7 1 9 5
7 5 8 1 3 9 6 2 4
6 1 9 5 4 2 8 7 3
2 4 3 8 7 6 9 5 1
3 6 4 7 8 5 2 1 9
8 2 1 9 6 3 5 4 7
5 9 7 2 1 4 3 8 6
```

1242
```
4 9 7 5 8 3 2 1 6
6 8 5 7 2 1 9 4 3
2 1 3 6 4 9 7 5 8
7 6 8 4 3 5 1 2 9
9 5 1 2 6 8 3 7 4
3 4 2 9 1 7 8 6 5
8 7 4 1 9 6 5 3 2
5 2 9 3 7 4 6 8 1
1 3 6 8 5 2 4 9 7
```

1243
```
5 4 1 8 6 2 9 7 3
7 6 9 1 4 3 2 5 8
8 3 2 9 5 7 4 1 6
3 9 7 6 2 5 8 4 1
1 8 6 4 3 9 7 2 5
2 5 4 7 1 8 3 6 9
4 1 3 2 9 6 5 8 7
9 2 8 5 7 1 6 3 4
6 7 5 3 8 4 1 9 2
```

1244
```
6 8 1 7 9 2 4 5 3
2 9 4 6 5 3 8 1 7
7 5 3 8 4 1 9 2 6
3 6 5 9 2 4 7 8 1
1 2 8 3 7 6 5 9 4
4 7 9 5 1 8 6 3 2
5 4 7 2 3 9 1 6 8
8 1 2 4 6 5 3 7 9
9 3 6 1 8 7 2 4 5
```

1245
```
5 2 3 6 1 9 4 8 7
4 7 8 5 2 3 9 6 1
6 9 1 8 7 4 5 3 2
8 3 5 1 9 2 6 7 4
1 6 2 4 5 7 3 9 8
7 4 9 3 6 8 1 2 5
3 1 7 9 8 5 2 4 6
9 8 6 2 4 1 7 5 3
2 5 4 7 3 6 8 1 9
```

1246
```
6 1 5 8 9 7 3 2 4
2 9 8 4 3 5 7 1 6
7 4 3 6 2 1 5 8 9
8 6 2 1 7 3 4 9 5
4 5 7 9 6 8 2 3 1
1 3 9 2 5 4 8 6 7
5 7 1 3 8 9 6 4 2
3 2 4 5 1 6 9 7 8
9 8 6 7 4 2 1 5 3
```

1247
```
2 3 9 6 1 8 7 5 4
1 6 7 9 5 4 2 8 3
4 8 5 7 3 2 9 6 1
7 4 3 2 6 9 8 1 5
9 1 8 5 7 3 6 4 2
6 5 2 8 4 1 3 7 9
5 7 1 3 2 6 4 9 8
3 9 6 4 8 5 1 2 7
8 2 4 1 9 7 5 3 6
```

1248
```
2 4 5 7 3 1 6 8 9
9 7 6 5 4 8 2 1 3
8 3 1 9 6 2 7 5 4
4 8 3 6 5 9 1 7 2
7 6 2 8 1 4 9 3 5
5 1 9 3 2 7 4 6 8
6 2 4 1 8 5 3 9 7
3 5 7 2 9 6 8 4 1
1 9 8 4 7 3 5 2 6
```

1249
```
5 1 9 3 6 4 7 2 8
8 2 7 5 9 1 6 4 3
3 6 4 7 8 2 1 9 5
6 9 3 1 5 8 4 7 2
7 4 8 2 3 6 9 5 1
2 5 1 4 7 9 8 3 6
1 7 6 9 2 5 3 8 4
9 8 2 6 4 3 5 1 7
4 3 5 8 1 7 2 6 9
```

1250
```
1 2 6 5 4 7 3 8 9
8 5 7 3 2 9 6 1 4
4 9 3 1 8 6 7 2 5
3 6 2 8 5 1 4 9 7
9 8 4 7 6 3 2 5 1
7 1 5 4 9 2 8 6 3
2 3 8 9 1 4 5 7 6
5 4 1 6 7 8 9 3 2
6 7 9 2 3 5 1 4 8
```

1251
```
7 9 6 1 2 5 8 3 4
5 1 8 3 6 4 7 9 2
3 4 2 7 9 8 6 5 1
2 3 4 5 8 7 1 6 9
8 5 9 4 1 6 2 7 3
1 6 7 9 3 2 5 4 8
6 8 3 2 5 9 4 1 7
9 7 5 8 4 1 3 2 6
4 2 1 6 7 3 9 8 5
```

1252
```
9 8 4 6 2 7 3 1 5
2 3 7 8 5 1 4 6 9
6 5 1 4 3 9 2 7 8
1 4 2 9 7 8 6 5 3
8 6 5 1 4 3 7 9 2
3 7 9 5 6 2 1 8 4
4 1 6 3 9 5 8 2 7
5 2 8 7 1 4 9 3 6
7 9 3 2 8 6 5 4 1
```

1253
```
5 2 1 9 4 6 7 3 8
8 7 4 3 2 1 9 5 6
3 6 9 7 8 5 1 4 2
2 3 7 4 1 8 6 9 5
1 4 8 6 5 9 3 2 7
9 5 6 2 7 3 4 8 1
4 9 2 8 6 7 5 1 3
7 1 3 5 9 2 8 6 4
6 8 5 1 3 4 2 7 9
```

Torturous

1254
```
6 8 1 7 9 2 4 5 3
2 9 3 6 5 4 8 1 7
7 5 4 8 3 1 9 2 6
1 6 5 9 2 3 7 8 4
3 2 8 4 7 6 5 9 1
4 7 9 5 1 8 6 3 2
5 3 7 2 4 9 1 6 8
8 4 2 1 6 5 3 7 9
9 1 6 3 8 7 2 4 5
```

1255
```
9 5 4 2 6 7 1 8 3
6 3 1 5 8 9 7 2 4
2 8 7 3 4 1 6 9 5
7 9 5 8 3 6 2 4 1
1 6 8 7 2 4 5 3 9
4 2 3 1 9 5 8 6 7
5 4 2 6 1 3 9 7 8
8 7 9 4 5 2 3 1 6
3 1 6 9 7 8 4 5 2
```

1256
```
8 5 7 3 9 1 6 2 4
2 1 9 7 6 4 5 3 8
4 6 3 5 2 8 1 7 9
1 3 8 9 4 5 7 6 2
5 7 2 8 1 6 4 9 3
6 9 4 2 3 7 8 5 1
7 2 1 6 8 3 9 4 5
3 8 5 4 7 9 2 1 6
9 4 6 1 5 2 3 8 7
```

1257
```
3 1 6 7 9 8 5 2 4
5 4 9 3 6 2 7 8 1
8 7 2 5 4 1 9 3 6
9 2 4 6 3 5 1 7 8
1 3 7 9 8 4 2 6 5
6 5 8 1 2 7 3 4 9
2 9 1 8 7 6 4 5 3
7 8 5 4 1 3 6 9 2
4 6 3 2 5 9 8 1 7
```

1258
```
3 2 6 8 5 9 1 7 4
4 1 5 2 6 7 3 8 9
7 9 8 3 4 1 5 2 6
2 3 9 6 7 5 4 1 8
8 7 1 9 3 4 2 6 5
6 5 4 1 8 2 7 9 3
9 6 2 5 1 3 8 4 7
1 4 3 7 9 8 6 5 2
5 8 7 4 2 6 9 3 1
```

1259
```
2 5 3 4 9 1 8 6 7
4 1 7 5 8 6 2 9 3
9 8 6 7 3 2 4 5 1
5 3 9 6 2 4 1 7 8
8 4 1 9 7 3 6 2 5
7 6 2 8 1 5 9 3 4
3 7 4 2 6 8 5 1 9
1 2 8 3 5 9 7 4 6
6 9 5 1 4 7 3 8 2
```

1260
```
5 1 7 4 6 9 8 3 2
2 8 3 5 1 7 6 9 4
6 9 4 8 3 2 5 1 7
9 5 8 1 4 6 7 2 3
7 6 1 2 8 3 9 4 5
4 3 2 9 7 5 1 6 8
8 2 5 3 9 1 4 7 6
1 4 6 7 2 8 3 5 9
3 7 9 6 5 4 2 8 1
```

1261
```
9 6 2 7 4 8 5 1 3
8 3 4 2 1 5 7 6 9
5 7 1 9 6 3 4 8 2
6 4 8 5 3 1 2 9 7
1 5 9 6 7 2 8 3 4
7 2 3 4 8 9 6 5 1
4 9 7 1 5 6 3 2 8
2 8 6 3 9 7 1 4 5
3 1 5 8 2 4 9 7 6
```

1262
```
6 3 4 8 2 7 1 9 5
1 5 2 3 6 9 4 8 7
8 7 9 4 5 1 2 6 3
3 6 1 9 4 5 7 2 8
9 4 8 7 3 2 5 1 6
5 2 7 1 8 6 3 4 9
4 1 5 6 9 3 8 7 2
7 9 3 2 1 8 6 5 4
2 8 6 5 7 4 9 3 1
```

1263
```
8 2 7 6 9 4 5 3 1
6 4 9 3 5 1 7 8 2
3 5 1 2 7 8 9 6 4
1 6 5 7 8 2 4 9 3
9 7 8 5 4 3 2 1 6
2 3 4 1 6 9 8 5 7
4 1 3 9 2 5 6 7 8
7 9 2 8 3 6 1 4 5
5 8 6 4 1 7 3 2 9
```

1264
```
8 1 3 5 9 4 2 7 6
9 6 5 2 7 1 4 3 8
7 4 2 8 6 3 9 1 5
2 8 6 7 1 9 5 4 3
3 9 1 4 5 8 7 6 2
5 7 4 3 2 6 1 8 9
4 2 8 1 3 5 6 9 7
6 3 7 9 4 2 8 5 1
1 5 9 6 8 7 3 2 4
```

1265
```
2 9 4 8 5 1 7 6 3
6 7 1 4 3 9 2 5 8
8 3 5 7 2 6 1 9 4
3 2 9 6 8 7 4 1 5
5 4 8 3 1 2 6 7 9
7 1 6 9 4 5 3 8 2
9 5 2 1 7 3 8 4 6
1 8 3 5 6 4 9 2 7
4 6 7 2 9 8 5 3 1
```

1266
```
6 8 2 9 7 5 4 1 3
4 7 3 2 1 6 5 8 9
5 9 1 4 8 3 2 7 6
1 2 5 3 9 7 8 6 4
3 6 9 5 4 8 7 2 1
8 4 7 6 2 1 3 9 5
9 1 4 7 5 2 6 3 8
7 5 6 8 3 9 1 4 2
2 3 8 1 6 4 9 5 7
```

1267
```
1 4 5 8 3 2 7 9 6
3 7 9 6 5 1 2 4 8
6 8 2 9 7 4 1 3 5
4 5 3 7 2 9 8 6 1
8 2 6 4 1 5 9 7 3
7 9 1 3 8 6 4 5 2
9 3 4 2 6 8 5 1 7
5 6 8 1 9 7 3 2 4
2 1 7 5 4 3 6 8 9
```

1268
```
8 5 7 9 4 3 1 2 6
6 3 1 8 2 7 9 4 5
9 2 4 5 1 6 8 3 7
1 7 3 6 9 2 5 8 4
4 8 5 7 3 1 6 9 2
2 9 6 4 5 8 7 1 3
7 4 9 2 8 5 3 6 1
3 6 8 1 7 4 2 5 9
5 1 2 3 6 9 4 7 8
```

1269
```
7 4 8 6 2 9 5 3 1
9 5 1 7 4 3 8 2 6
2 3 6 5 8 1 9 7 4
4 1 7 3 5 8 6 9 2
3 8 5 2 9 6 1 4 7
6 2 9 1 7 4 3 5 8
1 7 3 4 6 5 2 8 9
8 6 2 9 3 7 4 1 5
5 9 4 8 1 2 7 6 3
```

1270
```
2 6 4 9 3 1 5 7 8
9 1 5 6 7 8 2 4 3
8 3 7 2 4 5 1 6 9
1 7 2 8 9 4 3 5 6
4 9 6 1 5 3 7 8 2
3 5 8 7 6 2 9 1 4
6 4 1 3 2 7 8 9 5
5 8 3 4 1 9 6 2 7
7 2 9 5 8 6 4 3 1
```

1271
```
7 3 4 9 8 1 5 6 2
5 2 6 7 3 4 9 8 1
1 8 9 2 6 5 4 3 7
9 4 8 5 2 3 7 1 6
3 7 2 1 9 6 8 5 4
6 5 1 4 7 8 3 2 9
8 1 5 6 4 9 2 7 3
4 6 7 3 5 2 1 9 8
2 9 3 8 1 7 6 4 5
```

1272
```
4 1 2 7 6 5 9 8 3
3 9 7 4 1 8 2 5 6
5 6 8 9 2 3 4 1 7
8 2 5 6 3 4 1 7 9
1 3 6 8 9 7 5 4 2
9 7 4 1 5 2 3 6 8
2 4 9 5 8 6 7 3 1
7 8 1 3 4 9 6 2 5
6 5 3 2 7 1 8 9 4
```

1273
```
1 4 6 3 7 8 2 5 9
8 5 2 4 9 6 1 7 3
3 9 7 2 1 5 6 4 8
4 7 3 1 5 2 9 8 6
9 6 8 7 3 4 5 2 1
5 2 1 6 8 9 7 3 4
6 1 5 8 2 3 4 9 7
7 8 9 5 4 1 3 6 2
2 3 4 9 6 7 8 1 5
```

1274
```
5 3 9 7 2 1 8 4 6
6 4 2 5 8 3 1 7 9
1 8 7 4 9 6 2 3 5
9 6 8 2 3 4 5 1 7
2 5 4 1 6 7 9 8 3
7 1 3 9 5 8 6 2 4
8 7 5 3 1 9 4 6 2
4 2 6 8 7 5 3 9 1
3 9 1 6 4 2 7 5 8
```

1275
```
2 5 3 4 8 6 9 7 1
7 9 4 3 5 1 2 8 6
1 6 8 7 9 2 4 3 5
5 3 2 6 1 8 7 4 9
9 8 1 5 4 7 3 6 2
6 4 7 2 3 9 5 1 8
8 2 6 9 7 3 1 5 4
4 7 9 1 6 5 8 2 3
3 1 5 8 2 4 6 9 7
```

1276
```
9 4 3 6 2 8 7 1 5
6 2 7 5 1 4 8 3 9
8 5 1 9 3 7 2 6 4
1 8 4 3 7 9 5 2 6
7 9 2 4 6 5 3 8 1
5 3 6 2 8 1 9 4 7
2 1 8 7 9 6 4 5 3
3 7 5 1 4 2 6 9 8
4 6 9 8 5 3 1 7 2
```

1277
```
5 3 4 2 8 9 6 1 7
1 2 9 6 5 7 8 3 4
8 7 6 4 3 1 9 2 5
9 6 5 1 7 3 4 8 2
4 1 2 5 6 8 3 7 9
7 8 3 9 2 4 1 5 6
3 4 8 7 9 2 5 6 1
2 5 1 3 4 6 7 9 8
6 9 7 8 1 5 2 4 3
```

1278
```
3 7 8 9 5 6 1 2 4
6 5 1 4 2 3 7 9 8
2 4 9 1 7 8 3 6 5
7 3 4 8 6 1 2 5 9
9 2 6 7 4 5 8 3 1
8 1 5 2 3 9 4 7 6
5 8 2 6 1 7 9 4 3
1 6 7 3 9 4 5 8 2
4 9 3 5 8 2 6 1 7
```

1279
```
5 8 1 4 2 3 6 7 9
4 6 3 9 1 7 5 8 2
7 2 9 6 5 8 3 1 4
1 5 2 8 4 6 9 3 7
3 4 8 7 9 5 2 6 1
9 7 6 2 3 1 4 5 8
6 9 5 1 7 4 8 2 3
8 1 4 3 6 2 7 9 5
2 3 7 5 8 9 1 4 6
```

1280
```
3 5 4 8 2 6 7 9 1
2 9 8 5 1 7 3 6 4
6 1 7 9 3 4 8 5 2
5 8 6 3 9 2 4 1 7
9 7 3 6 4 1 2 8 5
1 4 2 7 8 5 9 3 6
7 2 9 1 6 8 5 4 3
8 6 5 4 7 3 1 2 9
4 3 1 2 5 9 6 7 8
```

1281
```
4 9 8 7 6 3 1 5 2
2 3 5 4 9 1 7 6 8
6 1 7 8 5 2 4 3 9
1 6 4 2 3 7 9 8 5
5 8 2 1 4 9 6 7 3
3 7 9 6 8 5 2 1 4
8 5 6 9 1 4 3 2 7
7 4 3 5 2 6 8 9 1
9 2 1 3 7 8 5 4 6
```

1282
```
2 6 7 3 8 1 9 5 4
3 9 1 4 2 5 8 7 6
8 4 5 7 6 9 3 1 2
9 7 4 5 1 2 6 8 3
6 1 3 9 4 8 5 2 7
5 8 2 6 7 3 4 9 1
7 2 9 8 3 6 1 4 5
4 3 8 1 5 7 2 6 9
1 5 6 2 9 4 7 3 8
```

1283
```
1 5 3 9 2 4 6 7 8
2 7 8 6 1 5 9 4 3
9 6 4 3 7 8 1 5 2
6 4 7 1 9 2 3 8 5
8 9 2 4 5 3 7 1 6
3 1 5 8 6 7 2 9 4
4 3 9 2 8 1 5 6 7
7 2 6 5 4 9 8 3 1
5 8 1 7 3 6 4 2 9
```

1284
```
3 2 9 5 1 4 8 7 6
5 7 8 2 6 3 1 9 4
6 4 1 9 8 7 5 3 2
2 9 3 6 4 5 7 8 1
7 1 5 8 3 2 4 6 9
4 8 6 1 7 9 3 2 5
8 6 7 4 9 1 2 5 3
9 5 4 3 2 8 6 1 7
1 3 2 7 5 6 9 4 8
```

1285
```
8 2 1 5 6 9 7 4 3
9 6 4 1 7 3 5 2 8
7 3 5 2 4 8 1 6 9
1 5 2 8 3 6 9 7 4
3 7 9 4 2 5 8 1 6
4 8 6 9 1 7 3 5 2
2 9 7 3 5 4 6 8 1
5 4 3 6 8 1 2 9 7
6 1 8 7 9 2 4 3 5
```

1286
```
9 2 6 5 1 4 7 8 3
7 4 3 9 2 8 5 1 6
1 5 8 3 7 6 2 4 9
6 7 4 8 5 3 1 9 2
8 3 1 2 9 7 6 5 4
2 9 5 4 6 1 3 7 8
4 8 7 1 3 2 9 6 5
3 6 9 7 4 5 8 2 1
5 1 2 6 8 9 4 3 7
```

1287
```
1 7 6 8 5 3 2 4 9
8 2 3 4 9 1 6 5 7
9 4 5 7 6 2 3 1 8
2 5 8 6 4 9 1 7 3
4 6 7 1 3 8 5 9 2
3 9 1 5 2 7 4 8 6
5 1 9 2 8 6 7 3 4
6 3 4 9 7 5 8 2 1
7 8 2 3 1 4 9 6 5
```

1288
```
9 3 4 6 7 5 1 8 2
5 2 7 8 9 1 4 6 3
6 8 1 3 2 4 5 9 7
2 4 9 7 1 3 6 5 8
1 7 3 5 6 8 2 4 9
8 5 6 2 4 9 3 7 1
4 1 5 9 3 7 8 2 6
3 9 2 4 8 6 7 1 5
7 6 8 1 5 2 9 3 4
```

1289
```
6 8 2 3 4 1 7 5 9
7 3 1 6 9 5 8 2 4
9 5 4 2 7 8 1 3 6
5 6 8 7 3 2 4 9 1
2 4 3 9 1 6 5 8 7
1 9 7 5 8 4 3 6 2
4 7 5 8 2 9 6 1 3
8 1 9 4 6 3 2 7 5
3 2 6 1 5 7 9 4 8
```

1290
```
1 6 9 2 8 3 5 7 4
5 3 2 7 4 6 1 9 8
8 4 7 1 5 9 6 3 2
2 1 4 3 9 7 8 6 5
3 7 8 4 6 5 2 1 9
9 5 6 8 1 2 3 4 7
4 8 3 5 7 1 9 2 6
6 2 5 9 3 4 7 8 1
7 9 1 6 2 8 4 5 3
```

1291
```
9 8 2 5 3 7 1 4 6
7 3 1 6 8 4 5 2 9
4 5 6 2 1 9 7 3 8
8 4 3 1 5 6 9 7 2
1 7 9 4 2 3 6 8 5
2 6 5 7 9 8 3 1 4
3 2 4 9 6 1 8 5 7
5 9 8 3 7 2 4 6 1
6 1 7 8 4 5 2 9 3
```

1292
```
3 9 4 5 2 1 8 6 7
6 8 5 7 9 3 4 2 1
2 1 7 6 4 8 5 3 9
8 4 1 9 7 6 2 5 3
9 7 6 2 3 5 1 8 4
5 2 3 8 1 4 9 7 6
1 6 8 3 5 9 7 4 2
4 5 2 1 6 7 3 9 8
7 3 9 4 8 2 6 1 5
```

1293
```
8 5 2 7 6 3 4 9 1
1 4 9 2 5 8 7 3 6
3 6 7 1 9 4 5 2 8
6 9 1 3 4 5 2 8 7
4 2 3 8 1 7 6 5 9
7 8 5 9 2 6 1 4 3
5 1 8 4 7 9 3 6 2
2 3 6 5 8 1 9 7 4
9 7 4 6 3 2 8 1 5
```

1294
```
2 7 1 3 8 4 6 5 9
9 3 6 5 2 1 4 7 8
5 8 4 7 6 9 2 1 3
3 4 8 6 5 7 9 2 1
1 9 7 4 3 2 8 6 5
6 5 2 1 9 8 7 3 4
8 6 5 9 7 3 1 4 2
4 2 3 8 1 6 5 9 7
7 1 9 2 4 5 3 8 6
```

1295
```
6 4 1 2 9 7 5 3 8
7 8 9 5 6 3 2 4 1
2 3 5 8 4 1 9 7 6
3 9 6 4 5 2 8 1 7
4 7 2 1 8 9 3 6 5
1 5 8 7 3 6 4 2 9
5 2 3 6 1 8 7 9 4
8 6 7 9 2 4 1 5 3
9 1 4 3 7 5 6 8 2
```

1296
```
8 5 6 9 3 7 4 2 1
2 3 4 8 1 5 9 7 6
7 9 1 4 2 6 3 8 5
4 7 8 1 9 2 6 5 3
5 6 3 7 8 4 2 1 9
9 1 2 6 5 3 8 4 7
1 2 7 3 6 8 5 9 4
3 8 9 5 4 1 7 6 2
6 4 5 2 7 9 1 3 8
```

1297
```
5 8 4 7 9 6 3 2 1
7 2 3 5 1 8 6 4 9
6 9 1 4 2 3 5 7 8
1 6 5 8 4 2 7 9 3
2 7 8 3 5 9 4 1 6
3 4 9 6 7 1 2 8 5
9 5 2 1 3 7 8 6 4
8 3 7 9 6 4 1 5 2
4 1 6 2 8 5 9 3 7
```

1298
```
9 8 2 6 1 4 7 5 3
5 3 6 7 8 9 1 4 2
1 4 7 3 5 2 8 9 6
7 6 4 1 9 5 2 3 8
8 1 9 2 6 3 5 7 4
2 5 3 8 4 7 6 1 9
6 9 8 4 7 1 3 2 5
4 2 1 5 3 8 9 6 7
3 7 5 9 2 6 4 8 1
```

1299
```
8 7 3 4 1 2 6 5 9
4 2 1 6 5 9 3 8 7
6 5 9 8 3 7 4 1 2
7 1 4 2 6 8 5 9 3
2 8 5 3 9 1 7 6 4
9 3 6 5 7 4 1 2 8
1 9 8 7 4 6 2 3 5
5 4 2 1 8 3 9 7 6
3 6 7 9 2 5 8 4 1
```

1300
```
1 5 7 3 9 4 6 8 2
9 2 6 7 8 5 1 4 3
8 4 3 1 2 6 5 9 7
2 1 4 8 3 9 7 5 6
3 6 5 4 7 1 8 2 9
7 8 9 6 5 2 3 1 4
6 3 2 5 1 8 9 7 4
4 7 8 9 3 2 1 5 6
5 9 1 2 4 7 3 6 8
```

1301
```
5 8 6 9 4 3 7 1 2
9 7 3 1 2 6 8 5 4
2 4 1 8 7 5 9 6 3
3 6 4 5 8 9 2 7 1
1 2 5 3 6 7 4 8 9
7 9 8 4 1 2 6 3 5
8 5 7 2 3 4 1 9 6
6 3 2 7 9 1 5 4 8
4 1 9 6 5 8 3 2 7
```

1302
```
8 7 6 9 1 4 5 2 3
9 3 1 2 8 5 6 7 4
5 4 2 6 7 3 8 1 9
3 6 8 4 2 7 1 9 5
4 2 9 5 3 1 7 8 6
7 1 5 8 6 9 3 4 2
2 5 3 7 4 8 9 6 1
6 9 7 1 5 2 4 3 8
1 8 4 3 9 6 2 5 7
```

1303
```
3 4 1 2 7 6 9 5 8
8 2 5 9 1 4 6 7 3
6 7 9 3 5 8 2 1 4
5 9 6 1 4 3 8 2 7
7 1 3 8 9 2 5 4 6
2 8 4 7 6 5 1 3 9
9 3 2 4 8 1 7 6 5
1 6 8 5 3 7 4 9 2
4 5 7 6 2 9 3 8 1
```

1304
```
6 9 4 5 2 3 7 1 8
3 1 8 7 6 9 4 5 2
2 7 5 4 1 8 6 3 9
7 5 3 1 9 2 8 6 4
9 8 2 3 4 6 1 7 5
1 4 6 8 7 5 9 2 3
4 2 7 9 5 1 3 8 6
8 6 9 2 3 7 5 4 1
5 3 1 6 8 4 2 9 7
```

1305
```
4 1 5 9 3 7 2 6 8
2 3 7 8 6 1 9 4 5
6 9 8 2 4 5 1 7 3
8 4 3 7 9 6 5 2 1
5 7 2 4 1 3 6 8 9
1 6 9 5 8 2 7 3 4
9 2 1 3 7 4 8 5 6
3 5 6 1 2 4 8 9 7
7 8 4 6 5 9 3 1 2
```

1306
```
9 7 6 1 8 2 3 4 5
4 2 3 6 9 5 7 8 1
5 1 8 4 3 7 2 9 6
8 5 7 2 6 3 4 1 9
1 6 2 9 4 8 5 7 3
3 9 4 7 5 1 8 6 2
7 4 5 3 1 6 9 2 8
2 8 1 5 7 9 6 3 4
6 3 9 8 2 4 1 5 7
```

1307
```
7 6 1 2 3 8 9 4 5
8 9 3 7 5 4 1 2 6
5 2 4 9 1 6 3 8 7
9 4 7 5 8 1 2 6 3
3 1 8 6 2 7 5 9 4
2 5 6 3 4 9 7 1 8
1 3 5 4 6 2 8 7 9
6 8 9 1 7 5 4 3 2
4 7 2 8 9 3 6 5 1
```

1308
```
5 3 2 8 9 6 7 1 4
6 1 8 7 3 4 5 2 9
9 4 7 2 5 1 3 6 8
4 8 5 3 2 9 1 7 6
1 2 9 6 4 7 8 3 5
3 7 6 1 8 5 9 4 2
7 5 4 9 1 2 6 8 3
8 9 1 4 6 3 2 5 7
2 6 3 5 7 8 4 9 1
```

1309
```
9 1 3 8 5 4 6 2 7
2 8 6 7 3 9 1 5 4
4 7 5 2 6 1 9 8 3
8 6 9 5 7 2 4 3 1
7 4 1 3 9 8 2 6 5
3 5 2 1 4 6 8 7 9
6 3 8 4 1 5 7 9 2
5 2 4 9 8 7 3 1 6
1 9 7 6 2 3 5 4 8
```

1310
```
8 7 1 5 2 6 9 4 3
3 4 2 1 8 9 6 7 5
5 9 6 4 7 3 1 2 8
9 6 5 2 3 1 4 8 7
7 2 8 9 5 4 3 1 6
4 1 3 7 6 8 2 5 9
6 3 4 8 1 5 7 9 2
1 5 7 3 9 2 8 6 4
2 8 9 6 4 7 5 3 1
```

1311
```
6 9 2 5 7 3 4 1 8
5 4 8 1 9 2 7 6 3
7 3 1 6 8 4 9 5 2
3 6 5 9 2 1 8 4 7
2 7 4 8 3 5 1 9 6
8 1 9 4 6 7 2 3 5
4 2 6 7 5 9 3 8 1
1 8 3 2 4 6 5 7 9
9 5 7 3 1 8 6 2 4
```

1312
```
1 8 4 7 6 3 9 2 5
2 7 5 1 9 4 3 6 8
9 6 3 8 5 2 4 1 7
4 3 1 5 8 6 2 7 9
7 9 2 3 4 1 8 5 6
6 5 8 2 7 9 1 3 4
8 2 6 4 3 7 5 9 1
3 4 7 9 1 5 6 8 2
5 1 9 6 2 8 7 4 3
```

1313
```
4 7 5 6 9 2 1 8 3
2 6 1 8 5 3 4 7 9
9 3 8 4 7 1 5 2 6
8 2 4 7 6 5 3 9 1
3 5 7 9 1 8 6 4 2
1 9 6 3 2 4 8 5 7
5 1 3 2 4 7 9 6 8
7 4 9 1 8 6 2 3 5
6 8 2 5 3 9 7 1 4
```

1314
```
3 5 6 2 4 7 8 9 1
8 4 1 9 6 3 2 7 5
7 2 9 8 1 5 3 6 4
4 1 2 6 3 9 7 5 8
5 9 7 1 2 8 6 4 3
6 3 8 7 5 4 9 1 2
9 8 4 3 7 1 5 2 6
2 7 5 4 8 6 1 3 9
1 6 3 5 9 2 4 8 7
```

1315
```
9 5 8 6 7 4 3 1 2
4 7 1 2 8 3 6 9 5
3 2 6 5 9 1 7 4 8
7 9 4 8 1 2 5 6 3
2 1 3 4 6 5 8 7 9
8 6 5 7 3 9 4 2 1
6 8 2 1 5 7 9 3 4
5 4 9 3 2 6 1 8 7
1 3 7 9 4 8 2 5 6
```

1316
```
7 5 4 1 8 6 2 9 3
2 8 9 7 3 5 1 6 4
6 1 3 9 2 4 5 8 7
1 4 7 2 9 8 3 5 6
3 9 5 6 4 7 8 1 2
8 6 2 3 5 1 7 4 9
9 7 6 5 1 3 4 2 8
5 3 8 4 6 2 9 7 1
4 2 1 8 7 9 6 3 5
```

1317
```
5 1 8 4 2 3 6 9 7
9 4 3 5 6 7 8 2 1
2 6 7 1 9 8 5 3 4
3 2 6 9 5 1 4 7 8
4 9 5 8 7 2 1 6 3
7 8 1 6 3 4 9 5 2
6 3 4 2 8 5 7 1 9
1 5 2 7 4 9 3 8 6
8 7 9 3 1 6 2 4 5
```

1318
```
6 1 9 4 7 8 2 5 3
4 8 2 5 3 1 6 9 7
3 5 7 2 9 6 4 1 8
1 7 3 6 2 5 8 4 9
9 2 4 8 1 7 3 6 5
5 6 8 3 4 9 1 7 2
8 9 6 1 5 3 7 2 4
2 3 5 7 6 4 9 8 1
7 4 1 9 8 2 5 3 6
```

1319
```
7 9 2 1 5 8 6 4 3
6 5 3 7 9 4 1 8 2
8 1 4 3 6 2 9 7 5
2 4 9 6 8 3 7 5 1
3 7 5 9 4 1 8 2 6
1 8 6 5 2 7 3 9 4
9 3 8 4 1 5 2 6 7
5 2 7 8 3 6 4 1 9
4 6 1 2 7 9 5 3 8
```

1320
```
8 9 7 6 3 2 4 1 5
5 1 3 8 9 4 2 6 7
2 6 4 7 5 1 9 8 3
6 4 1 3 7 5 8 2 9
9 3 8 4 2 6 5 7 1
7 2 5 9 1 8 6 3 4
4 7 2 1 6 9 3 5 8
1 5 9 2 8 3 7 4 6
3 8 6 5 4 7 1 9 2
```

Torturous

1321

6	3	4	8	1	2	7	9	5
8	7	5	9	6	3	4	2	1
2	1	9	7	4	5	3	8	6
5	8	6	3	9	1	2	7	4
4	2	7	5	8	6	9	1	3
3	9	1	4	2	7	6	5	8
7	6	3	2	5	8	1	4	9
9	5	2	1	3	4	8	6	7
1	4	8	6	7	9	5	3	2

1322

1	5	7	4	6	8	9	3	2
8	3	4	9	1	2	5	7	6
6	9	2	5	7	3	1	4	8
7	2	8	3	9	6	4	1	5
4	1	3	2	5	7	8	6	9
9	6	5	1	8	4	3	2	7
3	8	9	7	2	1	6	5	4
5	7	1	6	4	9	2	8	3
2	4	6	8	3	5	7	9	1

1323

6	1	5	9	7	3	4	2	8
3	8	9	4	2	6	5	7	1
4	2	7	8	5	1	6	9	3
8	5	4	6	9	2	1	3	7
7	9	3	5	1	8	2	6	4
2	6	1	3	4	7	9	8	5
9	7	8	1	6	4	3	5	2
1	3	6	2	8	5	7	4	9
5	4	2	7	3	9	8	1	6

1324

8	4	3	7	9	1	5	2	6
6	9	7	3	2	5	4	8	1
5	2	1	6	4	8	3	9	7
4	7	2	9	8	6	1	5	3
1	3	5	2	7	4	8	6	9
9	6	8	5	1	3	2	7	4
3	8	9	4	5	7	6	1	2
2	1	6	8	3	9	7	4	5
7	5	4	1	6	2	9	3	8

1325

7	3	1	5	6	8	4	2	9
4	8	2	1	3	9	6	5	7
9	5	6	4	2	7	8	3	1
3	7	9	2	4	6	5	1	8
2	1	4	9	8	5	3	7	6
8	6	5	3	7	1	2	9	4
5	4	7	6	1	3	9	8	2
6	9	8	7	5	2	1	4	3
1	2	3	8	9	4	7	6	5

1326

5	4	7	1	9	3	8	6	2
9	3	8	2	6	5	4	7	1
6	1	2	7	4	8	5	3	9
7	5	3	4	8	1	2	9	6
8	2	9	6	3	7	1	4	5
1	6	4	9	5	2	3	8	7
4	7	1	3	2	9	6	5	8
2	8	6	5	7	4	9	1	3
3	9	5	8	1	6	7	2	4

1327

7	1	6	9	2	3	8	5	4
5	9	3	4	6	8	7	1	2
2	8	4	7	1	5	6	9	3
3	5	9	2	8	7	4	6	1
1	2	7	3	4	6	9	8	5
4	6	8	1	5	9	3	2	7
8	3	2	5	9	4	1	7	6
9	4	1	6	7	2	5	3	8
6	7	5	8	3	1	2	4	9

1328

8	9	1	6	2	7	4	5	3
7	6	2	3	4	5	9	8	1
5	3	4	8	1	9	6	7	2
6	8	9	5	3	2	7	1	4
3	4	7	9	8	1	5	2	6
1	2	5	4	7	6	8	3	9
2	7	8	1	6	4	3	9	5
4	5	3	2	9	8	1	6	7
9	1	6	7	5	3	2	4	8

1329

8	2	4	5	6	1	7	9	3
3	9	1	2	7	8	5	4	6
6	5	7	3	4	9	1	2	8
4	7	3	1	2	6	8	5	9
1	8	2	9	3	5	6	7	4
5	6	9	7	8	4	3	1	2
2	3	6	4	1	7	9	8	5
9	1	8	6	5	2	4	3	7
7	4	5	8	9	3	2	6	1

1330

8	2	3	9	7	5	4	6	1
1	9	4	6	8	2	7	5	3
5	7	6	3	1	4	9	2	8
7	4	5	8	6	3	1	9	2
2	1	8	4	9	7	6	3	5
3	6	9	5	2	1	8	4	7
4	8	7	2	5	6	3	1	9
6	5	1	7	3	9	2	8	4
9	3	2	1	4	8	5	7	6

1331

4	3	5	6	2	7	9	8	1
8	9	7	1	5	4	2	3	6
2	6	1	8	3	9	5	7	4
9	8	4	2	7	1	6	5	3
5	1	2	3	8	6	7	4	9
6	7	3	4	9	5	8	1	2
3	5	9	7	4	2	1	6	8
1	2	8	5	6	3	4	9	7
7	4	6	9	1	8	3	2	5

1332

9	1	3	6	5	8	7	2	4
2	4	6	9	7	3	5	1	8
8	5	7	1	4	2	9	3	6
6	8	1	4	3	7	2	5	9
3	2	5	8	6	9	1	4	7
7	9	4	2	1	5	8	6	3
5	7	8	3	2	4	6	9	1
1	3	2	7	9	6	4	8	5
4	6	9	5	8	1	3	7	2

1333

1	2	3	5	8	9	6	7	4
6	8	5	1	7	4	2	9	3
7	4	9	3	2	6	1	8	5
5	9	1	6	3	8	7	4	2
2	3	8	7	4	1	9	5	6
4	7	6	2	9	5	8	3	1
3	5	2	9	1	7	4	6	8
9	1	4	8	6	3	5	2	7
8	6	7	4	5	2	3	1	9

1334

6	4	2	5	8	1	3	9	7
7	8	9	6	3	2	4	5	1
5	1	3	4	9	7	8	6	2
9	5	1	3	6	8	7	2	4
4	3	7	1	2	5	9	8	6
8	2	6	9	7	4	5	1	3
3	6	8	2	4	9	1	7	5
1	9	4	7	5	6	2	3	8
2	7	5	8	1	3	6	4	9

1335

3	6	1	2	9	4	5	8	7
9	2	4	8	7	5	6	1	3
5	8	7	1	6	3	9	2	4
2	5	3	7	1	9	4	6	8
8	1	9	4	3	6	7	5	2
7	4	6	5	2	8	3	9	1
6	7	2	9	4	1	8	3	5
4	9	8	3	5	2	1	7	6
1	3	5	6	8	7	2	4	9

1336

5	8	7	2	6	9	1	4	3
4	2	3	8	1	5	7	6	9
1	9	6	4	3	7	2	5	8
6	3	5	7	2	1	8	9	4
7	4	9	3	5	8	6	1	2
8	1	2	9	4	6	5	3	7
2	6	8	1	9	4	3	7	5
9	7	1	5	8	3	4	2	6
3	5	4	6	7	2	9	8	1

1337

8	9	2	7	4	6	5	1	3
1	6	7	5	2	3	4	9	8
5	4	3	1	8	9	2	6	7
3	5	6	2	1	8	7	4	9
4	8	1	9	5	7	3	2	6
2	7	9	6	3	4	8	5	1
7	1	4	3	9	5	6	8	2
9	3	5	8	6	2	1	7	4
6	2	8	4	7	1	9	3	5

1338

4	2	3	1	8	6	9	7	5
1	5	8	9	2	7	3	6	4
6	9	7	4	5	3	1	8	2
3	8	9	6	1	2	5	4	7
2	1	4	5	7	8	6	3	9
7	6	5	3	9	4	8	2	1
8	7	1	2	3	9	4	5	6
9	4	2	8	6	5	7	1	3
5	3	6	7	4	1	2	9	8

1339

5	2	1	7	8	9	4	6	3
3	6	7	2	5	4	9	1	8
4	8	9	1	3	6	2	7	5
1	4	2	3	7	8	5	9	6
6	9	5	4	2	1	3	8	7
8	7	3	6	9	5	1	4	2
9	5	6	8	4	3	7	2	1
7	1	4	5	6	2	8	3	9
2	3	8	9	1	7	6	5	4

1340

7	2	5	8	9	1	3	6	4
6	9	4	7	2	3	1	8	5
8	3	1	6	5	4	9	2	7
4	7	3	9	1	8	6	5	2
1	5	6	2	3	7	8	4	9
9	8	2	4	6	5	7	3	1
3	6	7	5	4	9	2	1	8
2	4	8	1	7	6	5	9	3
5	1	9	3	8	2	4	7	6

Torturous

Puzzles: 1341, 1342, 1343, 1344, 1345, 1346, 1347, 1348, 1349, 1350, 1351, 1352, 1353, 1354, 1355, 1356, 1357, 1358, 1359, 1360

Torturous

1361 **1362** **1363** **1364**

1365 **1366** **1367** **1368**

1369 **1370** **1371** **1372**

1373 **1374** **1375** **1376**

1377 **1378** **1379** **1380**

1381
```
5 8 7 4 1 2 9 6 3
6 1 4 7 3 9 8 5 2
3 9 2 8 5 6 4 1 7
9 4 3 1 8 5 7 2 6
1 5 8 6 2 7 3 4 9
7 2 6 9 4 3 1 8 5
2 6 1 3 7 4 5 9 8
4 7 9 5 6 8 2 3 1
8 3 5 2 9 1 6 7 4
```

1382
```
4 3 6 7 2 8 5 1 9
2 8 7 9 5 1 6 3 4
1 9 5 3 4 6 8 7 2
6 1 3 4 8 5 2 9 7
8 7 4 2 1 9 3 5 6
5 2 9 6 7 3 1 4 8
3 4 8 1 6 7 9 2 5
9 6 2 5 3 4 7 8 1
7 5 1 8 9 2 4 6 3
```

1383
```
3 8 6 2 4 5 7 1 9
1 9 2 8 6 7 4 5 3
4 5 7 3 9 1 6 8 2
2 6 1 5 3 8 9 4 7
9 3 5 1 7 4 2 6 8
8 7 4 6 2 9 1 3 5
5 2 3 7 1 6 8 9 4
7 1 9 4 8 3 5 2 6
6 4 8 9 5 2 3 7 1
```

1384
```
1 5 6 2 8 7 3 4 9
4 2 3 5 6 9 7 1 8
8 7 9 3 4 1 5 6 2
9 4 5 8 1 3 6 2 7
3 8 1 7 2 6 9 5 4
2 6 7 9 5 4 1 8 3
6 3 8 4 7 5 2 9 1
7 1 4 6 9 2 8 3 5
5 9 2 1 3 8 4 7 6
```

1385
```
6 1 5 8 9 3 7 4 2
4 8 7 1 5 2 9 3 6
3 9 2 7 4 6 5 8 1
5 7 1 2 8 9 3 6 4
9 2 6 3 1 4 8 7 5
8 3 4 5 6 7 2 1 9
7 4 9 6 2 8 1 5 3
1 6 3 9 7 5 4 2 8
2 5 8 4 3 1 6 9 7
```

1386
```
8 5 3 2 7 9 4 1 6
1 6 7 4 8 3 2 9 5
2 4 9 5 6 1 7 3 8
6 2 8 9 1 4 5 7 3
9 3 1 7 5 8 6 2 4
4 7 5 3 2 6 1 8 9
7 1 6 8 9 5 3 4 2
5 8 4 1 3 2 9 6 7
3 9 2 6 4 7 8 5 1
```

1387
```
5 7 4 1 2 3 6 8 9
2 9 8 6 4 5 7 3 1
6 3 1 8 9 7 5 2 4
9 5 6 4 8 1 3 7 2
4 1 3 5 7 2 8 9 6
7 8 2 9 3 6 4 1 5
1 6 9 7 5 8 2 4 3
8 2 5 3 1 4 9 6 7
3 4 7 2 6 9 1 5 8
```

1388
```
5 6 3 7 1 4 8 2 9
8 1 4 2 9 5 6 7 3
9 2 7 8 6 3 4 5 1
6 9 8 5 7 1 2 3 4
4 5 2 3 8 9 7 1 6
3 7 1 6 4 2 5 9 8
7 3 6 9 2 8 1 4 5
1 8 5 4 3 7 9 6 2
2 4 9 1 5 6 3 8 7
```

1389
```
6 1 9 7 8 2 3 5 4
5 4 2 6 1 3 7 9 8
8 3 7 4 9 5 1 2 6
7 6 3 5 4 9 8 1 2
1 5 4 2 7 8 6 3 9
9 2 8 3 6 1 4 7 5
2 9 6 8 3 7 5 4 1
4 7 5 1 2 6 9 8 3
3 8 1 9 5 4 2 6 7
```

1390
```
7 1 2 4 3 5 6 9 8
9 8 4 6 1 7 5 2 3
6 3 5 2 8 9 1 7 4
1 9 3 7 6 2 8 4 5
8 4 7 9 5 3 2 6 1
5 2 6 1 4 8 7 3 9
4 6 9 8 2 1 3 5 7
3 7 8 5 9 6 4 1 2
2 5 1 3 7 4 9 8 6
```

1391
```
1 8 6 3 5 7 2 9 4
4 5 2 1 8 9 3 6 7
9 3 7 6 4 2 1 8 5
8 2 4 7 9 5 6 3 1
6 9 5 2 1 3 4 7 8
3 7 1 4 6 8 5 2 9
7 1 8 5 2 6 9 4 3
2 4 3 9 7 1 8 5 6
5 6 9 8 3 4 7 1 2
```

1392
```
8 9 3 1 4 5 7 6 2
4 6 1 2 7 3 8 9 5
2 5 7 6 9 8 1 4 3
9 8 4 7 5 6 3 2 1
7 1 2 8 3 9 6 5 4
5 3 6 4 1 2 9 8 7
3 4 8 9 2 7 5 1 6
1 7 9 5 6 4 2 3 8
6 2 5 3 8 1 4 7 9
```

1393
```
5 6 2 7 3 4 8 9 1
3 8 7 1 9 6 4 5 2
1 4 9 5 2 8 3 7 6
2 7 5 4 8 1 6 3 9
9 1 4 3 6 5 2 8 7
8 3 6 9 7 2 5 1 4
7 5 3 2 4 9 1 6 8
4 9 8 6 1 3 7 2 5
6 2 1 8 5 7 9 4 3
```

1394
```
1 7 8 9 2 3 5 4 6
2 3 9 4 6 5 7 1 8
6 5 4 1 8 7 2 3 9
8 2 5 6 9 1 3 7 4
9 6 3 7 5 4 1 8 2
4 1 7 2 3 8 9 6 5
7 9 6 8 1 2 4 5 3
3 8 1 5 4 9 6 2 7
5 4 2 3 7 6 8 9 1
```

1395
```
7 6 8 4 2 5 1 9 3
5 2 3 6 9 1 4 7 8
9 4 1 3 8 7 6 5 2
8 1 9 2 7 6 3 4 5
4 3 6 9 5 8 2 1 7
2 7 5 1 4 3 8 6 9
6 9 7 8 1 2 5 3 4
1 8 4 5 3 9 7 2 6
3 5 2 7 6 4 9 8 1
```

1396
```
4 7 8 1 2 9 5 3 6
5 1 6 4 3 8 2 7 9
2 9 3 6 7 5 1 4 8
1 2 9 8 5 3 7 6 4
6 3 4 2 1 7 9 8 5
7 8 5 9 6 4 3 2 1
8 4 1 7 9 2 6 5 3
9 5 2 3 4 6 8 1 7
3 6 7 5 8 1 4 9 2
```

1397
```
3 4 1 5 7 8 6 9 2
2 7 9 1 6 3 8 4 5
5 6 8 4 2 9 3 7 1
9 5 7 2 8 1 4 6 3
4 3 6 7 9 5 2 1 8
8 1 2 6 3 4 9 5 7
6 8 5 9 1 2 7 3 4
1 9 3 8 4 7 5 2 6
7 2 4 3 5 6 1 8 9
```

1398
```
3 8 7 1 5 4 9 2 6
6 2 5 3 9 8 1 7 4
4 9 1 2 7 6 8 5 3
8 6 2 9 3 7 4 1 5
7 4 9 5 6 1 2 3 8
1 5 3 8 4 2 7 6 9
5 1 4 7 8 3 6 9 2
2 3 6 4 1 9 5 8 7
9 7 8 6 2 5 3 4 1
```

1399
```
1 4 3 5 9 6 7 8 2
7 2 8 1 4 3 5 6 9
6 5 9 2 8 7 3 4 1
4 3 5 8 6 1 9 2 7
9 1 6 7 2 4 8 3 5
2 8 7 9 3 5 4 1 6
5 7 2 4 1 8 6 9 3
3 9 4 6 5 2 1 7 8
8 6 1 3 7 9 2 5 4
```

1400
```
8 4 7 6 5 9 3 2 1
6 5 1 2 3 4 7 9 8
3 2 9 7 1 8 5 4 6
4 8 5 1 6 2 9 7 3
2 1 6 3 9 7 8 5 4
7 9 3 8 4 5 1 6 2
9 3 2 4 7 1 6 8 5
1 7 8 5 2 6 4 3 9
5 6 4 9 8 3 2 1 7
```

Torturous

1401

```
4 3 5 8 2 7 9 1 6
8 6 1 5 4 9 2 7 3
9 2 7 3 6 1 5 8 4
1 4 8 6 9 3 7 2 5
7 9 3 2 1 5 6 4 8
6 5 2 4 7 8 1 3 9
5 8 6 7 3 2 4 9 1
3 7 9 1 5 4 8 6 2
2 1 4 9 8 6 3 5 7
```

1402

```
2 7 1 9 5 6 3 4 8
3 5 8 2 4 7 9 6 1
6 4 9 8 1 3 7 2 5
8 2 3 6 7 4 5 1 9
9 1 5 3 2 8 4 7 6
4 6 7 5 9 1 8 3 2
7 8 2 4 6 5 1 9 3
5 9 4 1 3 2 6 8 7
1 3 6 7 8 9 2 5 4
```

1403

```
2 9 4 1 8 6 5 3 7
5 8 6 7 3 4 1 9 2
1 3 7 5 9 2 8 4 6
4 1 5 2 7 8 9 6 3
7 6 3 9 1 5 4 2 8
8 2 9 6 4 3 7 5 1
6 4 8 3 5 7 2 1 9
9 5 2 8 6 1 3 7 4
3 7 1 4 2 9 6 8 5
```

1404

```
9 6 2 8 1 5 3 7 4
4 1 3 2 6 7 9 5 8
7 5 8 4 9 3 1 6 2
8 4 6 1 7 2 5 9 3
5 3 9 6 4 8 2 1 7
1 2 7 5 3 9 8 4 6
6 8 4 9 2 1 7 3 5
3 9 5 7 8 6 4 2 1
2 7 1 3 5 4 6 8 9
```

1405

```
6 7 3 5 4 2 9 1 8
8 9 4 1 7 6 2 3 5
5 1 2 8 3 9 6 7 4
4 2 6 7 8 3 5 9 1
9 8 7 2 5 1 4 6 3
1 3 5 9 6 4 7 8 2
2 6 8 4 1 7 3 5 9
7 4 1 3 9 5 8 2 6
3 5 9 6 2 8 1 4 7
```

1406

```
8 1 7 2 6 4 5 3 9
3 6 2 8 9 5 7 1 4
5 4 9 1 3 7 6 2 8
4 8 3 5 1 6 9 7 2
2 5 1 9 7 8 4 6 3
7 9 6 3 4 2 1 8 5
6 2 5 4 8 1 3 9 7
9 7 8 6 5 3 2 4 1
1 3 4 7 2 9 8 5 6
```

1407

```
2 4 7 8 9 1 6 5 3
9 6 5 4 2 3 8 1 7
3 1 8 5 7 6 2 4 9
7 3 9 2 1 5 4 8 6
4 5 2 6 8 7 9 3 1
6 8 1 3 4 9 5 7 2
8 9 4 1 3 2 7 6 5
5 2 3 7 6 4 1 9 8
1 7 6 9 5 8 3 2 4
```

1408

```
6 3 4 5 9 1 8 7 2
9 5 1 8 2 7 6 3 4
8 7 2 6 4 3 1 5 9
2 6 5 3 8 4 9 1 7
4 8 9 1 7 5 2 6 3
7 1 3 9 6 2 4 8 5
5 2 8 4 3 6 7 9 1
1 9 7 2 5 8 3 4 6
3 4 6 7 1 9 5 2 8
```

1409

```
9 8 5 6 3 4 7 2 1
7 6 1 2 5 9 8 4 3
4 3 2 8 1 7 9 5 6
5 1 4 9 7 3 6 8 2
3 7 6 4 8 2 1 9 5
8 2 9 1 6 5 3 7 4
2 4 8 3 9 1 5 6 7
1 9 7 5 2 6 4 3 8
6 5 3 7 4 8 2 1 9
```

1410

```
1 7 2 6 9 3 8 4 5
4 6 3 8 5 1 2 7 9
9 5 8 4 7 2 3 1 6
2 4 5 3 1 7 9 6 8
8 1 7 5 6 9 4 2 3
3 9 6 2 4 8 7 5 1
6 2 4 9 3 5 1 8 7
5 3 1 7 8 4 6 9 2
7 8 9 1 2 6 5 3 4
```

1411

```
9 6 3 7 5 4 8 2 1
5 1 8 2 3 9 4 6 7
7 2 4 6 1 8 3 5 9
8 3 1 9 6 5 2 7 4
6 4 7 1 2 3 9 8 5
2 5 9 4 8 7 1 3 6
1 7 5 8 4 2 6 9 3
4 9 2 3 7 6 5 1 8
3 8 6 5 9 1 7 4 2
```

1412

```
2 4 9 5 7 8 3 6 1
1 5 3 9 4 6 8 7 2
7 8 6 2 1 3 9 5 4
8 6 2 1 9 7 5 4 3
4 9 7 3 5 2 6 1 8
5 3 1 6 8 4 7 2 9
6 2 4 8 3 5 1 9 7
9 7 8 4 6 1 2 3 5
3 1 5 7 2 9 4 8 6
```

1413

```
9 7 1 2 8 3 5 4 6
6 8 5 4 9 1 7 3 2
4 3 2 7 5 6 8 1 9
7 2 3 1 6 4 9 8 5
5 6 4 8 3 9 2 7 1
8 1 9 5 2 7 4 6 3
3 4 8 9 1 2 6 5 7
1 9 7 6 4 5 3 2 8
2 5 6 3 7 8 1 9 4
```

1414

```
7 1 3 9 4 8 2 5 6
4 6 8 3 2 5 9 7 1
2 5 9 6 7 1 8 4 3
3 2 1 8 9 7 5 6 4
9 8 7 5 6 4 1 3 2
6 4 5 2 1 3 7 9 8
5 3 4 7 8 2 6 1 9
1 9 2 4 5 6 3 8 7
8 7 6 1 3 9 4 2 5
```

1415

```
2 4 9 6 1 5 3 8 7
8 3 7 4 2 9 1 6 5
1 5 6 3 8 7 2 4 9
9 1 5 2 3 6 4 7 8
7 8 3 5 9 4 6 2 1
4 6 2 8 7 1 9 5 3
6 7 8 9 4 3 5 1 2
5 9 1 7 6 2 8 3 4
3 2 4 1 5 8 7 9 6
```

1416

```
5 6 2 3 7 1 9 4 8
7 3 4 8 9 2 5 1 6
1 9 8 6 4 5 3 2 7
6 2 3 9 1 8 7 5 4
9 1 7 5 6 4 8 3 2
8 4 5 2 3 7 6 9 1
4 5 6 7 2 9 1 8 3
3 8 1 4 5 6 2 7 9
2 7 9 1 8 3 4 6 5
```

1417

```
6 4 5 8 2 7 9 3 1
1 7 3 9 5 4 2 8 6
9 2 8 6 1 3 5 4 7
4 8 1 2 9 5 7 6 3
7 5 9 4 3 6 1 2 8
2 3 6 1 7 8 4 9 5
8 9 7 5 6 2 3 1 4
3 1 4 7 8 9 6 5 2
5 6 2 3 4 1 8 7 9
```

1418

```
3 4 7 9 5 6 1 2 8
9 8 1 3 2 4 6 7 5
5 2 6 7 1 8 3 9 4
7 1 9 6 3 5 8 4 2
8 3 2 4 7 9 5 1 6
4 6 5 1 8 2 9 3 7
6 7 8 2 9 3 4 5 1
1 5 3 8 4 7 2 6 9
2 9 4 5 6 1 7 8 3
```

1419

```
5 9 2 1 8 6 4 7 3
4 7 6 3 9 5 8 1 2
3 8 1 4 7 2 5 6 9
8 2 5 7 6 9 3 4 1
1 6 3 5 2 4 9 8 7
7 4 9 8 1 3 6 2 5
2 3 8 9 4 1 7 5 6
9 1 4 6 5 7 2 3 8
6 5 7 2 3 8 1 9 4
```

1420

```
1 9 7 4 2 3 5 8 6
4 5 3 6 8 1 9 7 2
8 6 2 7 5 9 3 4 1
3 2 4 5 6 8 1 9 7
6 8 5 1 9 7 2 3 4
9 7 1 8 3 4 6 5 2
2 1 8 9 4 5 7 6 3
5 3 6 8 7 2 4 1 9
7 4 9 3 1 6 8 2 5
```

Torturous

1421 **1422** **1423** **1424**

1425 **1426** **1427** **1428**

1429 **1430** **1431** **1432**

1433 **1434** **1435** **1436**

1437 **1438** **1439** **1440**

1441
```
6 7 9 3 4 1 8 2 5
1 3 5 8 2 9 7 4 6
4 2 8 7 5 6 1 9 3
5 8 2 9 3 7 6 1 4
9 6 1 4 8 5 3 7 2
7 4 3 1 6 2 5 8 9
3 9 4 5 7 8 2 6 1
8 5 6 2 1 4 9 3 7
2 1 7 6 9 3 4 5 8
```

1442
```
2 6 3 9 5 4 8 7 1
9 5 8 7 1 3 4 2 6
1 7 4 6 8 2 3 5 9
5 9 1 8 4 6 7 3 2
6 8 7 2 3 5 9 1 4
3 4 2 1 7 9 6 8 5
8 2 5 4 9 7 1 6 3
7 3 9 5 6 1 2 4 8
4 1 6 3 2 8 5 9 7
```

1443
```
2 3 5 7 6 9 8 4 1
1 7 6 8 4 2 9 3 5
9 4 8 5 1 3 7 2 6
7 8 1 4 2 6 5 9 3
4 6 2 9 3 5 1 8 7
3 5 9 1 8 7 2 6 4
8 2 4 6 5 1 3 7 9
5 9 3 2 7 4 6 1 8
6 1 7 3 9 8 4 5 2
```

1444
```
9 3 7 6 5 4 8 2 1
4 5 1 3 8 2 7 6 9
2 6 8 1 9 7 4 3 5
6 9 4 8 2 3 1 5 7
7 8 2 5 6 1 9 4 3
3 1 5 7 4 9 2 8 6
1 4 6 9 3 8 5 7 2
8 7 3 2 1 5 6 9 4
5 2 9 4 7 6 3 1 8
```

1445
```
2 6 8 7 1 4 3 5 9
1 3 9 5 8 2 4 7 6
5 4 7 9 6 3 2 8 1
3 7 1 8 2 9 6 4 5
8 9 2 4 5 6 1 3 7
6 5 4 3 7 1 9 2 8
4 8 3 6 9 7 5 1 2
9 2 5 1 4 8 7 6 3
7 1 6 2 3 5 8 9 4
```

1446
```
6 4 7 1 2 5 3 8 9
1 9 3 6 7 8 2 4 5
8 5 2 4 3 9 6 1 7
4 6 9 7 8 2 1 5 3
2 3 8 9 5 1 4 7 6
5 7 1 3 4 6 8 9 2
3 1 5 2 9 4 7 6 8
7 8 4 5 6 3 9 2 1
9 2 6 8 1 7 5 3 4
```

1447
```
8 6 9 2 4 3 7 5 1
4 3 5 7 8 1 2 9 6
1 7 2 6 5 9 3 8 4
7 1 8 3 6 5 9 4 2
6 2 3 9 7 4 5 1 8
5 9 4 1 2 8 6 3 7
2 5 1 4 9 7 8 6 3
9 4 7 8 3 6 1 2 5
3 8 6 5 1 2 4 7 9
```

1448
```
8 9 2 5 6 4 1 3 7
7 1 6 2 8 3 4 5 9
4 5 3 7 1 9 8 6 2
6 2 7 3 4 1 5 9 8
9 4 8 6 5 7 2 1 3
5 3 1 9 2 8 7 4 6
2 6 9 1 7 5 3 8 4
1 7 4 8 3 6 9 2 5
3 8 5 4 9 2 6 7 1
```

1449
```
3 6 7 1 8 2 4 5 9
4 1 2 3 9 5 8 7 6
8 9 5 4 7 6 3 1 2
5 3 6 9 1 8 7 2 4
2 4 9 7 5 3 6 8 1
1 7 8 6 2 4 5 9 3
9 5 4 8 6 1 2 3 7
6 8 1 2 3 7 9 4 5
7 2 3 5 4 9 1 6 8
```

1450
```
8 1 5 3 4 9 2 6 7
3 9 6 7 2 8 5 1 4
4 2 7 5 1 6 3 8 9
9 3 1 6 7 2 4 5 8
5 6 4 1 8 3 9 7 2
7 8 2 4 9 5 6 3 1
2 7 3 8 6 4 1 9 5
6 4 8 9 5 1 7 2 3
1 5 9 2 3 7 8 4 6
```

1451
```
2 9 3 6 7 4 5 1 8
5 7 4 3 1 8 6 2 9
8 6 1 2 5 9 4 7 3
6 1 2 4 9 3 8 5 7
7 3 5 1 8 6 9 4 2
9 4 8 5 2 7 3 6 1
3 5 7 8 6 2 1 9 4
1 8 9 7 4 5 2 3 6
4 2 6 9 3 1 7 8 5
```

1452
```
1 6 2 9 4 8 3 5 7
7 8 3 5 2 1 4 6 9
5 9 4 3 6 7 1 8 2
8 7 1 4 9 6 2 3 5
2 4 6 8 5 3 9 7 1
3 5 9 1 7 2 6 4 8
6 1 5 2 8 4 7 9 3
9 3 7 6 1 5 8 2 4
4 2 8 7 3 9 5 1 6
```

1453
```
9 8 1 2 3 5 4 7 6
6 7 3 4 9 8 5 1 2
4 2 5 1 6 7 8 9 3
3 1 8 5 7 4 2 6 9
2 5 9 6 1 3 7 8 4
7 4 6 8 2 9 1 3 5
1 9 7 3 5 2 6 4 8
5 3 4 7 8 6 9 2 1
8 6 2 9 4 1 3 5 7
```

1454
```
1 8 2 6 3 7 9 5 4
4 5 9 8 1 2 3 7 6
6 3 7 9 5 4 2 8 1
3 2 5 4 6 8 7 1 9
9 6 8 5 7 1 4 3 2
7 4 1 3 2 9 8 6 5
5 7 4 2 8 6 1 9 3
2 1 3 7 9 5 6 4 8
8 9 6 1 4 3 5 2 7
```

1455
```
2 5 9 1 6 3 4 7 8
7 6 1 8 5 4 9 3 2
4 8 3 9 7 2 1 5 6
1 3 6 4 2 9 5 8 7
9 7 4 3 8 5 6 2 1
5 2 8 6 1 7 3 9 4
6 9 7 2 3 1 8 4 5
3 1 5 7 4 8 2 6 9
8 4 2 5 9 6 7 1 3
```

1456
```
3 1 7 2 5 6 8 9 4
6 2 5 4 9 8 1 7 3
4 9 8 1 7 3 6 2 5
2 7 4 6 3 9 5 1 8
5 3 1 8 2 4 7 6 9
9 8 6 7 1 5 3 4 2
8 6 2 3 4 7 9 5 1
7 4 9 5 8 1 2 3 6
1 5 3 9 6 2 4 8 7
```

1457
```
8 7 5 2 1 3 4 6 9
6 1 2 9 4 5 8 3 7
9 3 4 7 6 8 5 1 2
5 2 6 8 3 1 7 9 4
1 8 3 4 7 9 2 5 6
4 9 7 6 5 2 1 8 3
2 5 9 3 8 4 6 7 1
3 6 8 1 2 7 9 4 5
7 4 1 5 9 6 3 2 8
```

1458
```
2 4 6 5 7 1 9 3 8
1 9 8 6 3 4 5 2 7
3 7 5 2 8 9 4 1 6
5 2 7 1 4 3 6 8 9
8 6 4 7 9 2 1 5 3
9 3 1 8 5 6 2 7 4
7 8 9 4 2 5 3 6 1
6 5 3 9 1 8 7 4 2
4 1 2 3 6 7 8 9 5
```

1459
```
3 9 7 2 1 8 5 4 6
1 6 4 7 9 5 2 8 3
8 5 2 3 4 6 7 9 1
6 2 8 1 7 4 3 5 9
4 3 5 9 8 2 1 6 7
7 1 9 5 6 3 4 2 8
9 4 3 8 2 1 6 7 5
5 7 6 4 3 9 8 1 2
2 8 1 6 5 7 9 3 4
```

1460
```
8 5 2 6 1 9 4 3 7
1 9 7 3 8 4 6 2 5
6 3 4 2 7 5 8 9 1
4 8 3 1 5 2 7 6 9
5 1 6 9 4 3 2 8 4
7 2 9 8 4 6 1 5 3
2 4 1 5 6 3 9 7 8
9 7 8 4 2 1 3 5 6
3 6 5 7 9 8 1 4 2
```

1461 **1462** **1463** **1464**

1465 **1466** **1467** **1468**

1469 **1470** **1471** **1472**

1473 **1474** **1475** **1476**

1477 **1478** **1479** **1480**

Torturous

SUDOKIDS™
.com

Sudoku Puzzles for Children. Ages 4-8

Every child can do it.

Step by step sudoku instructions. For teaching kids sudoku at home or at school.

Combining pictures, numbers & words with simple step by step instructions, your kids can learn Sudoku in a fun, logical and entertaining sequence.

Over 170 lessons & puzzles

①②③④

Buy it on Amazon, buysudokubooks.com, sudokids.com or at www.createspace.com/3363006. ISBN 978-0-620-40593-5

DISCOVERIES

A KIRKUS service for self-published and independent authors

Bloom, Jonathan
SUDOKIDS.COM:
Sudoku Puzzles For Children Ages 4-8
Sudokids.com (56 pp.)
$5.95 paperback
December 21, 2008
ISBN: 978-0620405935

Sudoku wizard Bloom introduces the complicated game to children in this **easy-to-use guide**. In theory, Sudoku is a remarkably elementary game. But its logic can leave many first-time players - children and adults alike - a little stumped. Bloom offers this easy how-to guide for children, which also features special instructions on how adults can better teach the game to young ones. The author starts simply - after a quick history of Sudoku, he introduces the key formatting and terminology associated with the game.

Though it may seem unnecessary to explain columns and rows, even the most puzzle-obsessed adult will find it **refreshing to see the board broken down so straightforwardly**, as when he demonstrates that all Sudoku boards begin with four giant squares and then are subdivided. Bloom encourages readers to fill the obvious numbers into rows or columns to demonstrate the overall rules of the game on a small scale. After a few such exercises, the author builds up to actual Sudoku boards, giving kids the opportunity to try their hand at games labeled "Quick and Easy," "Medium" and "Challenging."

Of course, even at their most difficult, these puzzles are rather rudimentary, but that's OK. He points out that the book was designed around the curricula of first, second and third grade - **a clever and direct strategy**. With almost 200 puzzles and lessons, the book will keep kids busy without boring them, and gives just enough of the game to keep them wanting more. **Brilliant in how it relates to its audience**, *Sudokids.com* is ideal for any child who wants to learn how to solve one of America's most popular puzzles.

nielsen

Kirkus Discoveries, Nielsen Business Media, 770 Broadway, New York, 10003 discoveries@kirkusreviews.com

23484776R10185

Made in the USA
Lexington, KY
12 June 2013